# Será Amor ou Obsessão?

CB035863

Valter dos Santos

# *Será* Amor *ou* Obsessão?

## Será Amor ou Obsessão?
Copyright© Intelítera Editora

Editores: *Luiz Saegusa* e *Claudia Z. Saegusa*
Imagem da Capa: *Thamara Fraga*
Finalização de Capa: *Thamara Fraga*
Projeto gráfico e diagramação: *Casa de Ideias*
Revisão: *Rosemarie Giudilli*
1ª Edição: *1ª reimpressão 2016*
Impresso no Brasil *Printed in Brazil*

Esta é uma obra de ficção, sem nenhum ponto de conexão de passagens ou meras palavras que remetam à vida pessoal do autor. Os personagens deste livro são ficcionais.

Rua Lucrécia Maciel, 39 - Vila Guarani
CEP 04314-130 - São Paulo - SP
11 2369-5377
www.intelitera.com.br - facebook.com/intelitera

Dados Internacionais de Catalogação na Publicação (CIP)
(Câmara Brasileira do Livro, SP, Brasil)

---

Santos Junior, Valter Lopes dos
  Será amor ou obsessão? / Valter Lopes dos Santos Junior. -- 1. ed. -- São Paulo : Intelítera Editora, 2016.

  1. Ficção brasileira  I. Título.

16-00244                                      CDD-869.3

---

Índices para catálogo sistemático:

1. Ficção : Literatura brasileira    869.3

ISBN: 978-85-63808-60-8

*Ainda que eu falasse as línguas dos homens e dos anjos, e não tivesse amor, seria como o metal que soa ou como o sino que tine.*

*E ainda que tivesse o dom de profecia, e conhecesse todos os mistérios e toda a ciência, e ainda que tivesse toda a fé, de maneira tal que transportasse os montes, e não tivesse amor, nada seria.*

1 Coríntios 13:1-13

Dedico este livro a todas as pessoas que
são vítimas de qualquer tipo de abuso.
O amor-próprio é o caminho para a libertação.

# Sumário

Capítulo 1   O canto dos sabiás.................................................11

Capítulo 2   O bebê Salvador...................................................15

Capítulo 3   O jardim dos beija-flores.....................................17

Capítulo 4   Amizade à primeira vista ...................................23

Capítulo 5   O desespero de Maria .........................................27

Capítulo 6   O plano de Farzin................................................31

Capítulo 7   O início de uma linda amizade...........................35

Capítulo 8   O combustível de nossas almas...........................45

Capítulo 9   Obsessão ..............................................................48

Capítulo 10  Um dia perfeito....................................................55

Capítulo 11  O acidente ...........................................................69

Capítulo 12  Tamborim ............................................................74

Capítulo 13  O despertar da liberdade ....................................88

| | | |
|---|---|---|
| Capítulo 14 | O sequestro | 91 |
| Capítulo 15 | Obcecado | 96 |
| Capítulo 16 | O amor é... | 99 |
| Capítulo 17 | A surpresa | 103 |
| Capítulo 18 | Perigo nas rochas | 108 |
| Capítulo 19 | O guardião do tesouro | 111 |
| Capítulo 20 | Palavras que ferem | 116 |
| Capítulo 21 | Movida pela obsessão | 122 |
| Capítulo 22 | Agressão verbal | 127 |
| Capítulo 23 | A obsessão cega | 134 |
| Capítulo 24 | Sintomas | 142 |
| Capítulo 25 | A baiana do acarajé | 146 |
| Capítulo 26 | A fé de Silvia | 154 |
| Capítulo 27 | O fundo do poço | 160 |
| Capítulo 28 | Os sinais de um relacionamento abusivo | 164 |
| Capítulo 29 | O primeiro passo para a recuperação | 167 |
| Capítulo 30 | Minando a autoestima | 171 |
| Capítulo 31 | O poder dos nossos pensamentos | 174 |
| Capítulo 32 | O amor e a amizade | 177 |

| | | |
|---|---|---|
| Capítulo 33 | Rumo à libertação do vício | 180 |
| Capítulo 34 | Próximo da violência | 182 |
| Capítulo 35 | Ciúme obsessivo | 186 |
| Capítulo 36 | O passeio noturno de Silvia | 188 |
| Capítulo 37 | Aprendendo a se amar | 193 |
| Capítulo 38 | O remédio santo | 200 |
| Capítulo 39 | Cresça e seja feliz | 203 |
| Capítulo 40 | O reencontro | 208 |
| Capítulo 41 | A desconfiança | 215 |
| Capítulo 42 | O ritual do desapego | 218 |
| Capítulo 43 | Salvador em perigo | 224 |
| Capítulo 44 | O controlador | 233 |
| Capítulo 45 | A traição | 238 |
| Capítulo 46 | Metástase | 243 |
| Capítulo 47 | As três amigas | 247 |
| Capítulo 48 | O último encontro | 250 |
| Capítulo 49 | A descoberta | 253 |
| Capítulo 50 | A loucura de Farzin | 257 |
| Capítulo 51 | O abuso final | 261 |

Capítulo 52   O ponto final ao abuso.................................264

Capítulo 53   A emboscada.......................................268

Capítulo 54   Impulsiva..........................................270

Capítulo 55   A triste notícia.................................272

Capítulo 56   O funeral de Silvia..........................274

Capítulo 57   A emancipação de Zahra.................279

Capítulo 58   Seguindo em frente...........................283

Capítulo 59   A despedida......................................286

Capítulo 60   A chegada de Zahra..........................290

Capítulo 61   Deixando a impulsividade de lado..........296

Capítulo 62   O momento de mais uma separação.........298

Capítulo 63   O retorno de Maria...........................301

Capítulo 64   O início de uma amizade.....................308

Capítulo 65   O amor cura qualquer ferida.................315

# Capítulo 1

## O canto dos sabiás

Praia dos Encantos, Bahia.

Era mais um dia de muito calor no vilarejo Praia dos Encantos[1], localizado no sul da Bahia. Sabiás sobrevoavam os céus embelezando a paisagem e fazendo com que o vilarejo fosse todo tomado pela linda melodia de seu canto.

Em uma das pequenas casas do vilarejo, Maria dobrava as roupinhas do enxoval de seu bebê que estava por vir. Algumas peças haviam sido compradas na cidade de Ilhéus, e outras ela havia costurado e também tricotado durante os nove meses de gravidez. Após dobrar todas as roupinhas, e arrumá-las com bastante cuidado nas gavetas da cômoda, ela se sentou em sua cama e acariciou sua barriga com muito carinho. Estava muito ansiosa. A gravidez estava chegando ao fim, e Maria estava prestes a, finalmente,

---

1 Local fictício.

conhecer seu bebê. Seria seu primeiro filho. Há muitos anos tentava engravidar, porém nunca havia conseguido. Maria fez promessas para santos, simpatias indicadas por mulheres do vilarejo, mas somente após anos casada, quando já havia perdido a esperança de engravidar, a notícia da gravidez foi anunciada pelo médico do posto do vilarejo. Seu marido, José, assim também a maioria dos homens do vilarejo, era pescador e passava muito tempo fora de casa, pescando no mar.

Embora ela não tivesse uma confirmação médica sobre o sexo do bebê, sua intuição lhe dizia que se tratava de um menino.

– Salvador, a mamãe não vê a hora de lhe ter nos braços. Você será o meu pequeno anjo. O anjinho que irá salvar o casamento da mamãe e do papai – dizia Maria, enquanto acariciava a barriga. – Salvador. Esse será o seu nome.

A conversa com o bebê que estava em seu ventre foi interrompida pelo barulho de batidas na porta da frente da casa. Seu cachorro, Magrelo, deitado à beira de seus pés, imediatamente se levantou e foi até a porta. Latindo, fazia festa para a visita. Maria já sabia que era sua melhor amiga e vizinha, Isabel, batendo à porta.

As duas se conheciam há muitos anos e eram muito próximas. Isabel era a dona de uma quitanda que, na época de alta temporada de turistas, também funcionava como bar e pequeno restaurante. Seus pratos com comidas típicas da região eram muito famosos, e atraíam pessoas de outras cidades somente para saboreá-los. As porções de camarão frito no alho e na manteiga e as porções de casquinha de siri eram as preferidas dos fregueses. Junto com seu marido, Maciel, Isabel servia os fregueses e cuidava dos negócios. Em sua quitanda havia também o único rádio de comunicação com o qual era possível se comunicar com os barcos dos pescadores quando eles estavam em alto-mar.

Maria gritou:

– A porta está aberta, Isabel. Pode entrar!

Isabel logo entrou no quarto. Ela segurava seus cabelos de cor escura e encaracolados com suas duas mãos. Seus olhos demonstravam muita preocupação. Maria imediatamente sentiu a energia de preocupação da amiga e perguntou:

– Meu Deus, que cara é essa, Isabel, aconteceu alguma coisa?

– Maria, você precisa me prometer que não irá se agitar com a notícia que vou lhe dar. Você deve pensar no bebê e não se estressar ou ficar nervosa. Pense no bebê.

– Assim você já está me deixando ainda mais nervosa, Isabel. Anda, fala logo o que está acontecendo.

Maria levantou-se da cama em que estava sentada e encarou Isabel. As mãos de Isabel estavam tremendo e, como duas almas afins que eram e conectadas pelo amor incondicional, Maria pôde ler em seus olhos o que ela estava prestes a contar.

– É José, não é? Algo aconteceu com José enquanto ele estava no mar!

Isabel fez sinal positivo com a cabeça e disse:

– Sim, porém, tudo ficará bem. Respire fundo e pense no bebê. Me ligaram do hospital em Ilhéus e disseram que ontem, com aquela tempestade que caiu, o barco em que ele estava virou e ele e seu ajudante caíram no mar.

Maria tapou a boca com as mãos, prestes a chorar.

– Calma, Maria. A boa notícia é que Seu Antônio estava com seu barco por perto e conseguiu resgatá-los. José e o ajudante foram levados para o hospital lá em Ilhéus. Eles estão sendo tratados.

– Preciso ver meu marido, tenho de saber como ele está.

– Assim que recebi a notícia, contei a Maciel, e ele pegou o carro e foi até o hospital em Ilhéus. Precisamos esperar por mais notícias. Porém, fique calma, minha querida, ele vai ficar bem. Tenha fé.

Com muita delicadeza, Isabel passou a mão no rosto de Maria e secou as lágrimas que escorriam. Acariciando a face da amiga, disse:

– Tenha fé em Deus que tudo vai ficar bem. Você deve manter a calma! – disse, colocando a mão na barriga de Maria. – Pense no pequeno Salvador aqui. Ele precisa de você tranquila.

Maria segurou sua barriga e deixou as lágrimas rolarem mais uma vez. Com fé, ela pensou em sua santa de devoção e pediu proteção:

"Nossa senhora de Aparecida, por favor, olhe pelo meu marido. Não posso perder o amor da minha vida, de jeito nenhum. Me ampare, Nossa Senhora, por favor!"

– É melhor eu voltar para a quitanda. Logo, Maciel irá telefonar, e preciso estar lá para falar com ele. Venho aqui, assim que ele telefonar.

Maria foi até a varanda com Isabel e, assim que a amiga a deixou, ela se sentou na cadeira perto da janela. Seus olhos fixaram nos pés de cacau que haviam sido plantados pelo seu avô quando ela ainda era criança. Com o olhar fixo nos pés e em seus frutos, Maria se lembrou de seus avós, que haviam morrido em um acidente de carro anos atrás quando ela era adolescente. Muito preocupada, fechou os olhos e pediu, sem parar, para que Deus cuidasse de seu marido.

A temperatura naquela região, durante aquela época do ano, era bastante quente. Maria transpirava excessivamente. Ela se abanou com as mãos, porém, sentindo-se muito mal, não resistiu e acabou desmaiando na cadeira. Momentos depois, Isabel, que retornara com notícias de Maciel, encontrou-a, ainda inconsciente. Assim que a viu, Isabel começou a gritar bem alto pedindo ajuda aos vizinhos. Um senhor mais velho, que vivia na casa ao lado, segurou o pulso de Maria e após alguns segundos, constatou:

– Ela não tem pulso!

Capítulo 2

# O bebê Salvador

Maria acordou muitas horas depois. Havia sido levada por Isabel, com a ajuda de um vizinho, para o hospital em Ilhéus. Ela ainda se sentia confusa devido à sedação. Assim que despertou, notou que estava em um quarto de hospital. Sentada ao seu lado estava sua amiga Isabel, que esperava ansiosa pelo seu despertar. Isabel segurou a mão de Maria com suavidade e disse:

– Minha querida, que bom que você acordou. Estávamos todos tão preocupados com você. Você nos deu um susto daqueles. Encontrei você desmaiada na varanda da sua casa. O Seu Zé chegou a achar que você estava morta, mas logo constatamos que estava respirando. Ele, então, te colocou no carro e te trouxemos às pressas para cá. Graças a Deus tudo já passou e você está melhor.

Quase sem deixar Isabel terminar a última frase, Maria perguntou aflita:

– E o José, como está? Cadê ele? Preciso saber do meu marido!

– Calma, ele está bem. Já foi liberado pelos médicos e estava aqui comigo, mas saiu agora há pouco para ver o bebê... Aliás, você não vai perguntar sobre o seu lindo bebê? – perguntou Isabel abrindo um sorriso. Notando a expressão de espanto de Maria, explicou: – Os médicos fizeram uma cesárea. Você estava certa, é um menino! Salvador nasceu lindo e saudável.

Maria moveu-se no leito do hospital e, com dificuldade, conseguiu se sentar recostada à base de ferro da cama. Com um olhar ansioso, pediu para ver o bebê, e Isabel lhe disse que iria procurar uma enfermeira e pedir que trouxesse o bebê.

Assim que Isabel saiu, o marido de Maria, José, retornou ao quarto onde ela estava, acalmando-a, finalmente. José se aproximou do leito e logo foi agarrado por Maria, que lhe cobriu de beijos no rosto, dizendo o quanto estava preocupada. José não escondia o seu descontentamento com a reação de Maria. Sua expressão facial demonstrava certa irritação. Após alguns instantes, uma das enfermeiras que cuidava do berçário trouxe Salvador para Maria conhecer. Isabel estava ao lado da enfermeira e fitava com alegria a expressão de felicidade da amiga.

– Meu filho, meu Salvador – disse Maria, assim que o segurou pela primeira vez em seus braços. – Você é lindo, muito lindo! Meu anjo salvador.

# Capítulo 3

# O jardim dos beija-flores

No mesmo instante, a quilômetros de distância do hospital em Ilhéus, mais precisamente na região dos Jardins, na cidade de São Paulo, Zahra admirava a vista, do alto de sua cobertura. Zahra era de origem iraniana e vivia em São Paulo com seu marido Farzin. Ela era uma mulher jovem e muito bonita, tinha cabelos escuros, longos e ondulados, mas deixava-os sempre presos em um coque e coberto por um lenço. Sua pele, que estava sempre protegida do sol, era alva e quase sem manchas.

Da sacada Zahra observava as ruas movimentadas do bairro onde morava. Todos os dias era a mesma rotina: ficava a tarde toda vendo o mundo acontecer nas ruas. Ao longe, ela conseguia enxergar o Parque do Ibirapuera, mas via apenas um ponto verde no horizonte. Embora estivesse vivendo no Brasil há pouco mais de dois anos, e o parque, localizado há poucos minutos de seu apartamento, ela nunca havia visitado esse lugar. Olhava o ponto verde e ficava imaginando como deveria ser o parque. Teria um lago igual ao Hyde Park na cidade de Londres? Seria grande e vasto, cheio de árvores como o Central Park da cidade de Nova Iorque? – ela se perguntava, enquanto seu olhar percorria a paisagem distante.

Zahra estava especialmente melancólica naquela tarde. Olhando o horizonte com nostalgia, ela derrubou uma lágrima enquanto pensava em seus pais. De repente, lembrou-se do calor do abraço de seu pai e até da fragrância do pós-barba que ele costumava usar. Zahra respirou fundo, tentando sentir mais aquele aroma de menta que a fazia se lembrar de seu querido pai. Cruzou seus braços e abraçou-se, imaginando-se nos braços dos avós. Naquele momento, um beija-flor aproximou-se dela e, em seguida, foi até o canteiro de flores em sua varanda. Enviado por Deus, na visão de Zahra, aquele beija-flor levava até ela o Seu alento, o Seu amor por ela. Zahra imediatamente enxugou suas lágrimas e sorriu enquanto admirava o lindo pássaro.

"Que cidade maravilhosa. Tantas coisas acontecendo ao mesmo tempo. Amo essa união entre os prédios altos e cinzentos, que dão um ar sério à cidade, e a natureza com suas árvores centenárias e os lindos pássaros. Daqui de cima, as ruas parecem um enorme jardim por onde os beija-flores passeiam felizes".

Os pensamentos de Zahra foram interrompidos pelo barulho vindo de dentro do apartamento. Zahra correu para dentro e, quando chegou à sala, viu sua empregada Fátima, agachada, recolhendo os cacos de um vaso que havia derrubado e que tinha se espatifado no chão.

– Desculpe-me, senhora Majid – disse a empregada. – Eu tropecei e acabei esbarrando no vaso.

Notando que a empregada estava tremendo, Zahra aproximou-se dela tentando acalmá-la, sem conferir relevância ao fato, argumentando que certos acidentes domésticos, às vezes, são inevitáveis.

Capítulo 3 — O jardim dos beija-flores    **19**

– Eu sei, mas é que o doutor Farzin ficará irado quando vir o que eu fiz. Não posso perder meu trabalho, senhora. Ele vai me demitir se ficar sabendo que eu quebrei o vaso. Por favor, me ajude!

Fátima mal terminava sua frase quando a porta de entrada do apartamento se abriu. Farzin entrou e, a passos largos e firmes, caminhou até a sala encontrando sua esposa e a empregada recolhendo os cacos do vaso no chão. Assim que viu a cena, Farzin jogou sua valise sobre o sofá e, gesticulando com as mãos, gritou:

– O que foi que você fez dessa vez, Fátima? O que foi que quebrou agora, sua desastrada?

Tremendo, Fátima não conseguia responder à pergunta do patrão. O medo de perder o emprego por instantes a emudeceu.

– O que foi que eu lhe disse antes? Você se lembra? – irritado com o silêncio da empregada, ele gritou mais alto. – Eu lhe disse que, se quebrasse mais alguma coisa em minha propriedade, você seria despedida imediatamente e é exatamente isso que vou fazer! Você está despedida! Quero que deixe a minha propriedade agora mesmo.

Zahra correu ao encontro do marido que, naquele momento, estava apontando o dedo em direção ao rosto da empregada, e o enfrentou dizendo:

– Não, ela não vai embora, Farzin. Não foi a Fátima quem quebrou o vaso, fui eu. Eu tropecei e acabei esbarrando no vaso que caiu no chão.

– Eu não acredito que você tenha sido tão desastrada assim, Zahra. Com certeza está querendo encobrir esta destrambelhada aí.

– Pois sim, fui eu. A Fátima estava apenas me ajudando a recolher os cacos e a limpar o chão.

Farzin pegou sua valise que momentos antes havia jogado no sofá e esbravejou dizendo que aquele vaso havia custado uma fortuna. Disse, ainda, que se a esposa o tivesse ajudado financeiramente a comprar a mobília do apartamento, certamente teria tido mais cuidado e não teria quebrado o vaso.

– Você não tem capricho com o nosso lar, simplesmente porque não é o seu dinheiro que foi gasto. Eu comprei tudo o que tem aqui e por isso você não tem cuidado com as nossas coisas. Além de burra e desastrada, é uma ingrata!

Após ofender sua esposa na frente da empregada, Farzin retirou-se e foi até o quarto. Assim que ele deixou a sala, Fátima cochichou agradecendo à patroa pela ajuda.

– Não se preocupe, Fátima. Era apenas um vaso. E, assim como todo bem material que há nesta vida, os vasos também irão se quebrar um dia. Não vejo isso como um grande problema a ponto de sair ofendendo e insultando as pessoas. É apenas algo material que pode ser substituído. Só te peço, por favor, tome mais cuidado. Peço isso por sua causa. O Farzin não consegue segurar o seu temperamento forte, e eu temo que um dia ele realmente te demita e eu não possa intervir.

Zahra voltou à sua varanda e não conseguiu segurar o choro, deixando as lágrimas caírem. Não conseguia entender quando Farzin se exaltava e a insultava. Ele não era mais o homem por quem havia se apaixonado. Sempre vago, de temperamento explosivo, era como se estivesse a ponto de explodir a qualquer minuto. As lágrimas desciam-lhe sem parar pelo rosto. O mesmo beija-flor de antes voou adentrando a varanda e se aproximou dela. Porém, aquele beija-flor que antes a alegrara, não conseguiu impedir suas lágrimas de escorrerem naquele momento. Ao fundo, pôde ouvir o marido chamá-la. Gritando, Farzin pedia para que fosse até o quarto. Ela enxugou as lágrimas, deu um leve suspiro e foi até o local.

Concentrado, sem tirar os olhos de seu computador, Farzin lembrou a esposa acerca de um compromisso que ambos teriam logo mais. Farzin tinha marcado um jantar de negócios com um cliente e, como o cliente levaria a esposa, ele combinou que levaria Zahra para que as duas conversassem. No momento em que Farzin desviou o olhar do computador, viu os olhos vermelhos da esposa e percebeu que ela havia chorado.

– O que está acontecendo? Por que está chorando?

Zahra sentou-se na beirada da cama de casal e, olhando bem no fundo dos olhos dele, disse:

– Porque estou muito infeliz. Nunca me senti tão mal em toda a minha vida – e deixou as lágrimas correrem soltas pelo seu rosto novamente.

Farzin levantou-se da cadeira e aproximou-se da mulher, sentando-se ao seu lado na cama. Ele a abraçou e enxugou suas lágrimas.

– Eu já te disse, querida. Você precisa de um filho. Você se sente assim porque o seu relógio biológico está pedindo um filho.

– Nós tentamos, Farzin. Muitas e muitas vezes nós tentamos, mas parece que eu não consigo engravidar. Só de pensar, já fico ainda mais frustrada. Mas o meu problema não é este não. Meu problema é que eu fico aqui trancada neste apartamento assistindo à vida acontecer lá fora para os outros, mas nunca para mim. Eu me debruço nessa varanda todos os dias e assisto às pessoas lá embaixo viverem as suas vidas, imaginando se elas são felizes ou tristes, se estão indo ao trabalho ou indo encontrar um amigo para um café. Fico aqui tentando adivinhar como os lugares que eu avisto daqui de cima devem ser. Eu não vivo. Eu deixei de ter vida própria há muito tempo.

– Como assim, Zahra? E eu não te chamei para jantar hoje à noite com o meu cliente? Ora, não seja ingrata!

– A última vez em que fui a um desses jantares, passei mais nervoso do que se tivesse ficado aqui, trancada. Você falando de negócios o tempo todo e a esposa do seu cliente não abria a boca para conversar comigo. Ambos, ele e a esposa, olhavam-me estranhamente apenas porque eu uso um lenço sobre o cabelo.

Farzin bruscamente a interrompeu:

– O que diz? Não seja ingrata. Você reclama que está aqui trancada. Sabe quantas mulheres dariam a vida para viver rodeadas de riqueza e luxo como você vive? Olhe ao seu redor. Você vive em um apartamento luxuoso, com empregados para fazerem todos os seus desejos. Eu mandei decorar este apartamento como se fosse um palácio, com mármore por todos os lados, lustres banhados a ouro e cristais importados. Me diga, o que mais você poderia querer?

– Viver! Eu quero poder viver minha vida, assim como todas as pessoas vivem. Eu me sinto presa aqui, aprisionada em uma gaiola de ouro. Sim, eu tenho todo o ouro e a riqueza que qualquer um gostaria de ter na vida, mas do que adianta todo este luxo se eu não posso viver minha própria vida? Não posso sair nas ruas sozinha e explorar esta cidade, não posso fazer amigos, não posso viver!

– Basta! – Farzin disse com o tom de voz alterado. – Você tem a mim e basta. Eu lhe dou tudo o que precisa e esta é a função de um bom marido. Você não pode reclamar da sua vida quando é você a culpada por não nos dar um filho.

– Você é possessivo e quer me manter aqui nesta gaiola de ouro. Você está me sufocando, aos poucos.

– Chega! Nossa conversa termina aqui. Vá se arrumar, pois temos o nosso jantar e eu não quero me atrasar. Apontando o dedo firmemente no rosto de Zahra, disse: – E nunca mais ouse chamar o nosso lar de uma gaiola de ouro! Gastei muito dinheiro para montar este apartamento para nós dois e exijo respeito!

"Talvez seja melhor eu fazer o que meus pais me aconselharam e adotar uma criança. Com um filho, Zahra irá deixar esses pensamentos de liberdade de lado e dedicar-se à criança" – pensou Farzin, enquanto se arrumava para sair. "Preciso arrumar uma maneira rápida de conseguir adotar um bebê e, assim, fazê-la se esquecer dessa rebeldia".

# Capítulo 4

# Amizade à primeira vista

Chovia forte na cidade quando o motorista estacionou o carro em frente ao restaurante. Assim que estacionaram, dois empregados do restaurante, ambos segurando dois enormes guarda-chuvas, se aproximaram do carro. Farzin e Zahra saíram do veículo e, embaixo dos guarda-chuvas, correram até o interior do restaurante. O cliente e sua esposa já estavam à mesa esperando por eles. Farzin e Zahra se desculparam, apontando a forte chuva como responsável pelo atraso, e a esposa do cliente deu uma risada amigável.

– Muito bem, vejo que vocês já se tornaram paulistanos de verdade – a esposa do cliente disse, enquanto ria. – Nós paulistanos sempre culpamos a chuva e o trânsito engarrafado pelos nossos atrasos.

Farzin e Zahra não souberam como lidar com a alegria da jovem senhora, mas, antes que pudessem dizer algo, o cliente apressou-se em apresentá-la:

– Farzin, senhora Majid, esta é minha esposa, Silvia.

– Prazer, senhora, eu sou o Farzin e esta é minha esposa Zahra.

Após se apresentarem, se sentaram e deram início ao jantar. Naquelas ocasiões, Farzin se mostrava sempre charmoso e demonstrava bastante interesse em seus clientes. Sabia como ser um ótimo vendedor e persuadir as pessoas quando precisava. Farzin conversava com seu cliente, Paulo, utilizando todo o seu carisma enquanto, do outro lado da mesa, Silvia não parava de fazer perguntas à Zahra.

– Eu sempre quis conhecer alguém do Irã. Zahra, me conte como é o seu país e a sua cidade? – perguntou Silvia demonstrando muito interesse em conhecer mais da vida de Zahra.

– Eu nasci em uma cidade grande como aqui, porém com menos pessoas. São Paulo tem um número incrível de habitantes. Minha cidade natal chama-se Teerã, porém, na verdade vivi pouco tempo no Irã. Meus pais se mudaram para Marrocos quando eu ainda era muito pequena e foi lá que eu cresci.

– Nossa, ainda mais interessante. Sempre quis ir ao Marrocos – disse Silvia, bastante animada e gesticulando com seus braços. – Você acredita que até cheguei a planejar uma viagem com as minhas amigas, mas acabou não dando certo? Uma delas ficou doente e tivemos de cancelar nossa viagem. Ainda bem interessada em Zahra, Silvia perguntou: – Me conte, em qual cidade do Marrocos você cresceu?

Para espanto de Zahra, a conversa com Silvia corria agradavelmente. Ao contrário das outras vezes que acompanhara Farzin em seus jantares de negócios, esta era a primeira vez que ela se sentia totalmente confortável. Silvia era engraçada e também muito inteligente. Ao desenrolar da conversa, Zahra descobriu que Silvia adorava viajar e já havia estado em vários países. Havia descoberto que a Itália era o país preferido de Silvia, especialmente porque era de lá que vinham os seus ancestrais. Descobriu também que ela já havia visitado quase todas as regiões da Itália. Zahra notou que Silvia adorava conversar, falava muito, ria alto e era muito agradável.

Quando o jantar estava quase no final, Silvia bateu as mãos juntas, o que chamou a atenção de todos na mesa, e disse alegre:

– Nossa, acabei de reparar que o seu português é muito bom. Você fala muito bem para uma estrangeira que chegou há pouco mais de um ano.

– É que eu sempre gostei de estudar línguas e, desde pequena, estudo espanhol, inglês e português. Também passo muito tempo no apartamento assistindo à TV, o que ajuda a aprender a língua mais rápido. Assisto a várias novelas brasileiras.

Com indignação, Silvia disse em voz alta:

– Televisão? Novela? Deus me livre! Menina, você é linda, jovem e cheia de vida. Me conte, o que faz você dentro de casa assistindo à televisão? – antes que Zahra pudesse responder, Silvia continuou: – Não, não... Essa vida não é para você. A vida está fora da televisão. A vida está nas ruas, nos parques e museus... A vida está aí para ser vivida e não para ser assistida na tela de uma televisão! Deus nos criou para aprendermos e evoluirmos e para isso precisamos viver todas as experiências possíveis.

Farzin, que já estava prestando atenção à conversa das duas, não gostou do que ouviu. Ele, então, se calou para ouvir o rumo daquela conversa entre sua esposa e Silvia.

Silvia continuou:

– Eu me proponho a te mostrar São Paulo. Esta cidade é linda demais! Existem tantos museus, parques e lugares lindos para você conhecer.

Notando que Farzin tinha parado de falar com seu marido para prestar atenção em sua conversa com Zahra, Silvia se dirigiu a ele:

– Você não acha, Farzin? Eu imagino que você deva ser muito ocupado com os negócios e, talvez, não tenha muito tempo livre, mas alguém tem de mostrar à sua esposa esta cidade linda! Pois te digo uma coisa: ficar dentro de casa assistindo à televisão é uma afronta ao presente que Deus nos deu. O presente chamado Vida!

Um silêncio quase constrangedor pairou sobre a mesa por alguns instantes até que o marido de Silvia sugeriu à esposa que, então, se oferecesse para acompanhar Zahra e sair para passear e mostrar a cidade a ela. Farzin permaneceu calado, tentando ao máximo disfarçar sua irritabilidade.

Mais tarde, de volta ao apartamento, Farzin estava pensativo. Tinha muito medo de que a esposa fizesse amigos na nova cidade e queria, a todo custo, impedi-la de fazer amizades.

"Eu tenho de resolver esse negócio da adoção o mais rápido possível. Nem que seja algo ilegal, preciso arrumar uma criança para ela. Somente assim Zahra deixará de pensar besteiras e voltará a se concentrar em nossa família novamente" – ele confabulou, imaginando um plano.

# Capítulo 5

## O desespero de Maria

Dias depois, no pequeno vilarejo de Praia dos Encantos no Sul da Bahia, sentada em uma cadeira em sua sala de estar, Maria amamentava seu bebê. Seu rosto demonstrava preocupação.

Seu marido José apresentava, mais uma vez, hábitos estranhos. Passava dias sem retornar para casa. Sem nenhum aviso prévio, Maria não tinha ideia de onde o marido passava os dias e as noites quando estava fora de casa. Ela pensava que o nascimento de um filho pudesse tornar José um marido mais carinhoso e presente, porém, ele não havia mudado. José continuava com seus episódios de ausência.

– O que aconteceu? – perguntou Isabel após adentrar a casa e se aproximar de Maria. – Por que está chorando, minha amiga? – Isabel puxou uma cadeira para perto e sentou-se ao lado de Maria. – Você não pode chorar enquanto amamenta o seu filho. Pense que você está transferindo para ele, ainda tão pequeno, toda essa carga negativa e triste. Enquanto amamenta, você precisa estar em paz e em harmonia para poder alimentá-lo com o seu amor.

– É o José de novo, Isabel – disse Maria, aos prantos. – Eu pensei que após o nascimento do bebê, ele ficaria mais caseiro e deixaria de ser mulherengo, mas eu estava enganada. Ele não mudou nada!

– Maria, você ainda está nessa! Já faz anos que você sofre com o mesmo dilema. Você sempre soube, desde o começo, que o relacionamento de vocês não era saudável. Está sempre nervosa e estressada. Sempre que te vejo, vocês estão brigando ou você está triste chorando pelos cantos. Isso não é amor.

– Desta vez sinto que algo muito ruim está para acontecer... Já faz mais de uma semana que ele não aparece. Levou uma trouxa de roupas e simplesmente sumiu...

Maria nem terminava sua última frase quando as duas ouviram o barulho do portão de entrada da casa se abrindo. Maria deixou o bebê com Isabel e correu para o quarto. Queria se embelezar para José. Ela passou batom nos lábios e penteou os cabelos rapidamente. José logo entrou e sem cumprimentar Isabel, foi direto ao quarto.

– José, onde você esteve todos esses dias? Estava tão preocupada com você – disse Maria ao mesmo tempo que corria ao encontro do marido para abraçá-lo. – Senti tanto a sua falta. Bem, nós dois sentimos, eu e o nosso filho Salvador.

José esquivou-se do abraço que Maria tentava lhe dar e, ao mesmo tempo, segurou as mãos dela.

– Maria, é hora da gente dar um basta no nosso casamento. Eu não aguento mais as suas crises de ciúmes, os seus chiliques. Toda hora pegando no meu pé.

– É porque eu te amo, José. Você é o meu homem... Meu homem! E agora nós temos o nosso filho... Nosso pequeno Salvador.

– Pare, Maria. Você sempre tem uma desculpa para as suas ações. Grita e fala alto toda hora, muda de humor facilmente e ultimamente deu até para beber e ficar alcoolizada. Eu já me decidi, eu vou embora. Cansei!

– Você tem outra, não tem? Este é o motivo de você querer deixar a mim e ao nosso filho! Diz José, diz!

Isabel foi até o quarto ver o que estava acontecendo e, assim que entrou, encontrou Maria agachada aos pés de José, suplicando para que ele não a deixasse. Maria soluçava de tanto chorar. José afastou-se de Maria e quase esbarrou em Isabel, que estava logo atrás dele.

– Sim, eu tenho outra mulher de quem eu gosto e com quem quero viver. Para mim não dá mais, Maria. Preciso ir antes que eu acabe ficando doido. Você é louca!

– Você vai embora assim, de uma hora para a outra? E o seu filho, você terá coragem de deixá-lo recém-nascido aqui sem pai? Como pode abandonar sua esposa e seu filho, José? – indagou Isabel, incrédula com a cena que estava presenciando. – Você não está raciocinando direito. Abandonar sua mulher quando ela mais precisa de você não está correto!

Ainda aos prantos, Maria se arrastou pelo chão e continuou a suplicar, pedindo para que ele não a deixasse.

– Eu decidi, Isabel. Cansei da vida ao lado dela. São sempre brigas e mais brigas. Ciúmes, desconfiança e barracos. Não tenho um minuto de paz e sossego. Estou sufocado!

– Eu vou mudar! – gritou Maria, aos prantos. – Não vai... Não vai embora!

– Cuida deles por mim, Isabel. Eu não aguento mais...

José caminhou até a sala em direção à porta de entrada. Saiu, mas, quando estava no portão de fora, foi parado por Maria que havia corrido e o alcançado. Segurando-o pela camiseta, Maria, aos berros, pedia para que ele não fosse embora. Ela o puxou com tamanha força que acabou rasgando a camiseta, expondo o peito do marido. Maria gritava tão alto que, em questão de segundos, todos os vizinhos saíram de suas casas para ver o que estava acontecendo. José caminhou até a calçada, ainda com Maria segurando sua camiseta por detrás e, ao que ele tentou se desvencilhar, ela caiu de rosto no chão de terra, segurando ainda a camiseta que naquele momento estava toda em suas mãos.

Com o torço despido e com vergonha dos vizinhos, José abaixou a cabeça e saiu andando a passos rápidos até cruzar a esquina da rua e sumir de vista. Maria até tentou levantar-se e correr atrás dele, mas foi impedida por Isabel.

– Chega! Ele já deve estar bem longe, Maria – Isabel a abraçou com força. – Vamos entrar, deixei Salvador sozinho no berço. Vamos, Maria. Vou fazer chá e vamos conversar. Tudo vai ficar bem, você vai ver.

Maria, aos prantos e ainda segurando a camisa rasgada de José, agarrou-se a Isabel e adentrou a sua casa com a amiga.

# Capítulo 6

# O plano de Farzin

Com a desculpa de que precisava fazer uma viagem de negócios, Farzin viajou até a cidade de Salvador, na Bahia, para se encontrar com uma mulher, quem lhe fora indicada como alguém que conseguiria facilitar o processo de adoção.

Um de seus conhecidos, que estava sempre envolvido em negócios ilegais, dissera que no Brasil adoções tardavam anos, e a burocracia era enorme. Papéis e mais papéis para preencher, entrevistas e muitos anos de espera. O seu conhecido, então, disse que tinha um casal de amigos que havia utilizado os serviços de um grupo de "facilitadores" – assim como a quadrilha de tráfico de humanos gostava de ser chamada – e que, em poucas semanas, ele conseguiria um bebê recém-nascido e com toda a documentação necessária.

Farzin, obcecado pela ideia de que Zahra necessitava de um filho para assim continuar focada nele e no casamento, não pensou duas vezes e procurou o grupo. Uma mulher chamada Roberta combinou de encontrá-lo em um hotel no centro da cidade de Salvador. A quadrilha não passava nenhuma informação por telefone, e tudo deveria ser feito em um encontro frente a frente. Para testar os interessados, a quadrilha sempre marcava reuniões em Estados diferentes daqueles onde os interessados moravam. Dificultar as coisas era um método utilizado pela quadrilha a fim de se certificar de que a pessoa interessada no negócio era realmente confiável e não iria desistir.

Farzin viajou bem cedo para Salvador, capital da Bahia, e assim que desembarcou no aeroporto, pegou um táxi e se dirigiu ao hotel onde uma das chefes do grupo havia marcado com ele. Seguindo instruções prévias do grupo, Farzin chegou e foi direto ao bar do hotel e pediu uma bebida previamente especificada pela quadrilha. Enquanto isso, membros da quadrilha, ali presentes sem despertar suspeitas, o observavam até perceberem que poderiam confiar nele. Após muita espera, um homem vestido com uniforme do hotel aproximou-se e entregou a Farzin a chave de um quarto.

– Décimo andar, apartamento cento e seis – disse o homem, assim que entregou a chave a Farzin.

Farzin subiu de elevador até o décimo andar e foi imediatamente para o quarto. Quando abriu a porta, deparou-se com uma grande suíte presidencial. À sua esquerda, havia uma sala de visitas vazia e uma porta que dava para o grande quarto presidencial. Conforme adentrou o quarto, logo avistou, de um lado, uma enorme cama, e do outro, já perto da sacada de onde se podia ver o mar, uma escrivaninha. E lá estava ela, com seus longos cabelos loiros amarrados em um rabo de cavalo. Sentada em frente à escrivaninha, com um copo de bebida na mão, Roberta olhava para fora do apartamento, em direção ao mar.

– Você bebe? – ela perguntou, oferecendo-lhe a bebida, sem se virar, ainda focando o mar.

– Não. Eu não vim aqui para beber – ele respondeu rispidamente, enquanto caminhava na direção dela. – Vamos direto aos negócios.

– Pois bem. Também prefiro assim.

– Aqui está a maleta com o dinheiro que vocês me pediram como depósito.

Assim que ouviu a palavra dinheiro, Roberta virou-se e levantou-se, encarando Farzin. Ela era alta, da mesma estatura que ele. Quando se virou e o encarou, Farzin pôde constatar sua pele branca e alva. Seus lábios, pintados com um batom vermelho bem forte, contrastavam com sua pele e combinavam com a cor e o tom do seu vestido.

Roberta deu um gole final e pousou o copo na escrivaninha. Assim que recebeu a maleta de Farzin, abriu-a e conferiu o dinheiro que estava dentro. Um sorriso no rosto confirmou sua satisfação.

– Eu lhe entrego o restante apenas quando você me entregar o bebê – disse Farzin.

– Você terá o seu bebê no Carnaval, do jeito que foi combinado. Nós já estamos de olho em um caso e é quase certeza que conseguiremos efetuar sua encomenda na semana de Carnaval.

– Você disse quase certeza?

– Você precisa entender que, neste tipo de negociação, imprevistos acontecem. Mas, de qualquer maneira, siga o nosso combinado. Venha para Salvador na sábado de Carnaval, e creio que no máximo até a terça-feira você terá seu filho – disse Roberta, fechando a maleta e caminhando em direção à porta.

– Eu não entendo, estamos em janeiro, por que tem de ser no Carnaval? E por que você não pode me dar uma data mais precisa? Por ser Carnaval, não sei se conseguirei viajar sem a minha mulher.

Roberta, perto da porta, pronta para deixar o quarto, com ar irônico respondeu:

– Porque é no Carnaval que muitas falcatruas acontecem neste país. Enquanto a população se distrai, os políticos aproveitam para fazer seus acordos ilícitos e aprovar leis que prejudicam o povo. No Carnaval, todos bebem demasiadamente e perdem a cabeça. É quando muitos pais tornam-se negligentes, e, então, nós entramos em ação. Não podemos te dar um dia específico, pois, embora saibamos que vamos agir durante o Carnaval, não temos uma precisão de quando exatamente teremos a oportunidade de tirar o bebê da família.

Agora, com relação à sua esposa... Diga a ela que é Carnaval, e que você virá a Salvador para se perder na folia! – a loira disse sarcasticamente e saiu batendo a porta sem se despedir.

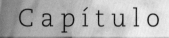

# Capítulo 7
## O início de uma linda amizade

Zahra estava em sua varanda, como de costume, admirando a vida acontecer lá embaixo do prédio. Naquele momento, Silvia veio ao seu pensamento e ela, então, se lembrou do jantar de que havia participado há algumas noites.

"Que mulher mais cheia de vida, alegre e divertida" – pensou. Seus pensamentos foram interrompidos pelo barulho do telefone tocando.

"Deve ser Farzin me ligando para avisar que chegou bem a Salvador" – pensou.

Fátima, a empregada, chegou até a varanda onde Zahra estava e lhe entregou o telefone sem fio. – Senhora Majid, é uma senhora ao telefone. Disse que se chama Silvia – Com expressão de surpresa, Fátima completou. – Disse que é sua amiga.

– Alô, Silvia?

– Alô, querida. Tudo bem? – perguntou Silvia, com um tom alegre na voz.

– Sim, bem, obrigada. Confesso que um pouco surpresa com a sua ligação.

– Surpresa? Eu não disse que iria telefonar? Então, estou telefonando. Na verdade, estou ligando do meu telefone celular. Estou bem perto do seu prédio e pensei em te convidar para um passeio. O que acha?

Com medo de contrariar Farzin, Zahra ficou em silêncio, sem saber como dizer não ao convite. Após alguns segundos, Silvia, eufórica, disse:

– O seu silêncio me diz que você quer muito sair de casa. Estarei na portaria do seu prédio em dez minutos. Beijo, querida, e até logo.

Zahra ficou muda, segurando o telefone no ar, sem saber o que dizer. Fátima, surpresa com a ligação, não aguentou de curiosidade e perguntou:

– Então, senhora Majid, quem era essa sua amiga? Nunca vi a senhora com ninguém que não fosse o senhor Farzin. Assustada, Fátima perguntou: – A senhora está pálida. Está tudo bem?

– Eu não sei o que pensar, Fátima. Esta mulher me ligou e disse que está vindo me buscar para um passeio... – Zahra parecia confusa.

– Não entendo, ela disse que era sua amiga. Por acaso a senhora não a conhece?

– Sim... Digo, mais ou menos. Nós nos conhecemos em um jantar de negócios de Farzin. O marido dela é um potencial cliente de Farzin. Mas dizer que somos amigas, aí já não... Apenas nos encontramos em uma ocasião.

– Ah, não estranhe, não, senhora. Nós brasileiros somos assim mesmo. Você conhece alguém e logo já faz amizade, fácil assim. É normal. Por acaso a senhora não confia nela?

– Pelo contrário. Embora eu tenha tido contato com ela apenas por algumas horas, até que simpatizei muito com ela. Meu problema, digo... Meu medo é...

Fátima a interrompeu, dizendo:

– Seu medo é o senhor Farzin, não é mesmo?

Zahra abaixou a cabeça sem saber o que fazer. Tinha muita vontade de encontrar Silvia e sair para o passeio, porém, o receio de contrariar o marido tomou conta dela, e logo transformou-se em angústia.

– Desculpa eu me intrometer, senhora, mas me dá uma agonia ver a senhora aqui trancada neste apartamento todos os dias. A senhora é tão jovem e tão cheia de vida. Fazendo grandes gestos com os braços, Fátima disse: – Vá, sim, encontrar essa sua nova amiga. Saia, dona Majid. Vá passear. Que mal tem?

– O Farzin diz que São Paulo é uma cidade muito perigosa, muito violenta. Ele diz que, se eu quiser sair, que seja com ele, pois ele tem medo de que eu seja assaltada ou de repente até sequestrada.

– Ora, também não é assim, senhora. Isso é um exagero do senhor Farzin. Digo uma coisa, quem é de bem e tem fé em Deus está sempre seguro. A senhora estará acompanhada por alguém que conhece a cidade. Não há mal nenhum em sair para um passeio com uma amiga. – Fátima enxugou suas mãos no avental e com suavidade segurou as mãos de Zahra. – Vá passear com a sua amiga e divirta-se. É importante ter amigos, socializar com pessoas boas, que têm os mesmos interesses que a gente. Não é saudável ficar o dia inteiro presa aqui neste apartamento, olhando as ruas lá embaixo e deixando a vida passar.

– Você está certa – Zahra ergueu a cabeça e sorriu. – Que mal há em um simples passeio com uma amiga? Eu vou sim – alegre com sua decisão e com a ideia do passeio, deu um abraço em Fátima e correu para o quarto para se arrumar.

Rapidamente, vestiu um belo vestido amarelo florido e, antes de sair, colocou o lenço sobre o cabelo. Assim que chegou à portaria do prédio, avistou Silvia esperando por ela na calçada, ao lado do seu carro.

Elas foram até uma galeria de arte visitar a exposição de quadros de um amigo de Silvia. Horas depois, foram a um restaurante onde Zahra pôde experimentar comida típica brasileira. Logo após o restaurante, Silvia sugeriu que fossem a uma cafeteria. O local era também uma casa de bolos e doces e ficava em uma rua toda florida e bastante arborizada, também na região dos Jardins, perto do apartamento de Zahra.

Quando chegaram à cafeteira, Zahra admirou a vitrine que estava decorada com doces e bolos e alguns enfeites de borboletas e arranjos de flores.

– Que linda cafeteria, Silvia. Parece uma típica cafeteria parisiense – disse Zahra, encantada com os arranjos da vitrine.

– Sim, é muito bonita mesmo. Os donos são um casal francês. Eles se mudaram para o Brasil alguns anos atrás e abriram esta cafeteria. Ela ficou tão famosa, devido à qualidade de suas sobremesas, que eles acabaram abrindo outras mais pela cidade.

Quando as duas se sentaram à mesa ao lado da janela que dava para a rua, Silvia perguntou:

– Eu sempre tive curiosidade sobre essa sua religião. Notando que Zahra não havia entendido, Silvia reformulou sua frase: – Desculpe, eu quis dizer que eu nunca conheci alguém que segue a religião muçulmana. Sempre quis saber mais a respeito do Islã.

– Ah, você diz isso por causa do lenço na minha cabeça. Não, eu não sou muçulmana. Uso o lenço por causa do Farzin.

– Não entendi. Você usa o lenço sobre os cabelos porque Farzin é muçulmano e, como esposa dele, você não pode expor os cabelos, é isso?

– Mais ou menos... Nós, na verdade, não somos muçulmanos. No Irã, existem muitos seguidores do Islã, porém há também pessoas como nós, que não seguem. Os pais de Farzin são muçulmanos, mas ele não segue a religião da família. Parece estranho, eu sei, mas o Farzin não acredita em nada que não seja material. Farzin fala que não pode acreditar em nada que não possa ser visto a olhos nus. Também diz que Deus não existe, o que existe é a inteligência humana. Se você é inteligente e esperto na vida, consegue fazer riqueza e assim será feliz.

– Que modo mais triste de pensar na vida. Existem tantas provas de que Deus existe. É só olhar ao redor; veja o sol que nos aquece, o ar que faz os nossos pulmões funcionarem, as lindas flores e os animais. Existem tantas belezas na vida, todas ao nosso redor. Creio que as provas da existência de Deus estão por todos os lados, basta querer enxergá-las. Mas, voltando ao assunto do lenço, confesso que não entendo. Se não são muçulmanos, por que, então, você veste o lenço?

A expressão facial de Zahra mudou imediatamente. Se durante todo o passeio ela tinha se mostrado alegre, rindo das piadas de Silvia, naquele momento, com aquele assunto, ela entristeceu imediatamente. Cabisbaixa, respondeu:

– Na verdade, eu uso o lenço porque o Farzin acha que uma mulher deve se resguardar. Para ele, uma mulher casada nunca deve mostrar a sua beleza aos outros, apenas ao marido. Eu nunca usei o lenço antes de me casar, porém, depois do casamento, uso sempre que estou na presença das pessoas fora do meu convívio familiar.

– E você gosta de vestir o lenço? – insistiu Silvia.

– O Farzin gosta que eu use... – respondeu Zahra, ainda cabisbaixa e com ar triste.

Silvia alcançou as duas mãos de Zahra e as segurou com carinho e força:

– Esqueça o Farzin, querida. Perguntei se você gosta. Especialmente em um dia quente de janeiro como este. Hoje os termômetros estão marcando mais de trinta graus, e imagino que deva estar fazendo um calorzão aí dentro, na sua cabeça. Você deve se sentir livre para vestir o que bem entender. Eu, por exemplo, amo o meu marido, mas nunca vestiria algo que não gosto somente para agradá-lo. E nem ele me obrigaria a fazer isso. É uma questão de respeito. Pense em você!

Notando que Zahra estava constrangida, Silvia ponderou:

– Desculpe por tocar em um assunto tão delicado. Eu, na verdade, andei pensando a respeito do que você me disse durante o jantar – quanto a não sair de casa e não ter amigos aqui no Brasil...

– Que maneira mais estranha de me alegrar, Silvia – Zahra abriu um sorriso e brincou. – Eu me sinto mil vezes melhor, agora que você me lembrou de que vivo presa dentro do apartamento e não conheço ninguém.

As duas caíram na gargalhada juntas, rindo de forma gostosa. Silvia chegou a engasgar com o gole de café que acabava de tomar, de tanto que riu.

Zahra estava realmente brincando. Ela tinha passado momentos muito agradáveis com Silvia. Gostava do seu jeito brincalhão e ao mesmo tempo positivo e leve de enxergar a vida. Sua companhia lhe fazia muito bem. E sentia-se à vontade para se abrir com ela.

– Eu ia dizer que eu estava pensando no que você me disse durante o jantar na semana passada e pensei em lhe convidar mais vezes para sair e fazer passeios. O que acha?

Zahra abriu um sorriso e, quando foi responder ao convite feito por Silvia, no mesmo instante, a imagem de Farzin lhe veio à mente. Ela teve um pressentimento ruim e, em seguida, olhou no relógio e em pânico abriu a bolsa procurando pelo aparelho celular.

– Nossa! – disse desesperada com o celular na mão. – Tem mais de sessenta ligações perdidas do Farzin no meu celular! Sessenta!

Muito pálida, Zahra levantou-se com tanta pressa que a cadeira em que estava sentada quase tombou para trás. Totalmente tomada pelo pânico, pegou sua bolsa e se despediu de Silvia. Parecia estar completamente atordoada e fora de si. O medo corria por suas veias.

– Calma. O que aconteceu? Por que está tão nervosa? Você perdeu as ligações dele, mas pode dizer que estava comigo e, como o celular estava em modo silencioso e dentro da bolsa, você não ouviu o toque das ligações.

– Não adianta. Ele vai ficar uma fera quando chegar e constatar que eu não estou em casa.

– Não se preocupe, você não está fazendo nada errado. Apenas passamos o dia juntas passeando. Ele conhece meu marido, sabe que sou pessoa distinta. Acalme-se, desse jeito você vai ter um "treco".

– Você me desculpe, mas não adianta. Eu conheço meu marido e sei que ele ficará muito bravo. Farzin sempre acha que eu estou fazendo algo de errado, e ele está certo, pois eu saí de casa sem ele saber – Zahra tirou algumas notas de dinheiro de sua carteira para pagar a conta, porém Silvia recusou, pois ela fazia questão de pagar.

– Deixa eu pagar a conta e te levo para casa. Chegaremos a seu apartamento em menos de cinco minutos.

– Não! – com muito medo e tremendo da cabeça aos pés, Zahra disse: – Não precisa. Meu prédio fica a apenas algumas quadras daqui. Eu vou correndo a pé mesmo, pois será mais rápido. Desculpe-me, mas preciso ir. Tchau...

Zahra saiu correndo pela cafeteria, sem dar tempo a Silvia de dizer mais nada. A amiga, pela janela, assistiu à Zahra correndo pelas ruas do bairro na região dos Jardins. Quando ela passou pelo cruzamento, ignorando o farol que estava verde para os automóveis, quase foi atropelada por um carro. O motorista buzinou e freou bruscamente. Zahra caiu com tudo para a frente e raspou os braços na calçada. O salto de um de seus sapatos quebrou com a queda. Ao assistir àquela cena, sentindo-se horrorizada, Silvia deixou dinheiro na mesa para pagar a conta e correu para fora da cafeteria com a intenção de ajudar Zahra, que estava caída do outro lado da rua. Antes que Silvia pudesse alcançá-la, Zahra levantou-se do chão, cheia de arranhões, em seguida, retirou os sapatos e continuou a correr ladeira acima em direção ao seu prédio. Correu tão rápido que Silvia a perdeu de vista em questão de segundos.

Quando finalmente chegou a seu apartamento, abriu a porta e deu de cara com Farzin, que estava com uma expressão furiosa esperando por ela no hall de entrada do apartamento. Ao lado dele estava a empregada Fátima.

– Onde você estava? Te liguei inúmeras vezes. Deixei várias mensagens na caixa postal, mandei mensagens de texto e você não me atendeu e não respondeu minhas mensagens! – perguntou, olhando Zahra de cima a baixo. – E olha o seu estado. O que é isso? Está parecendo uma moradora de rua. Segurando os braços dela e os erguendo, disse: – Você está toda arranhada e machucada! Tem sangue até no vestido. Ande, me diz onde estava?

– Eu já lhe disse, senhor Farzin. A senhora Majid foi encontrar a amiga, a dona Silvia. Não foi nada de...

– Fique quieta, Fátima! Não lhe dei ordem para se intrometer na minha conversa com minha mulher. Notando que a empregada estava com as pernas tremendo de medo, disse: – Pare de tremer aqui do meu lado e saia daqui. Esta conversa é entre mim e minha mulher. Vá, ande, suma daqui!

– Pode ir, Fátima. Fique tranquila, eu vou ficar bem – disse Zahra ao mesmo tempo em que adentrava o apartamento.

Farzin esperou que Fátima fosse embora e, então, continuou, com a voz exaltada, a brigar com a esposa:

– Ande, me diga o que aconteceu? Por que está vestida como se tivesse voltado da guerra? Está parecendo uma indigente com o vestido todo manchado e rasgado. Como ousa sair de casa assim, sem me comunicar, sem dizer para onde ia? Me diga... Ande!

– Eu estava.... – Zahra não conseguia falar. Fora tomada por uma sensação de fraqueza e tristeza. Sentiu-se humilhada por estar naquela situação, tendo de se explicar ao marido por algo tão simples e inocente.

– Ande, fale! O que aconteceu? – continuou gritando: – Por onde andava?

– Por favor, acalme-se, Farzin. Eu não estava fazendo nada de errado. Apenas encontrei a esposa do seu cliente, a Silvia. Ela me telefonou e disse que estava aqui perto do prédio e perguntou se eu queria sair para um passeio com ela. Nós fomos a uma galeria de arte e depois...

Farzin tirou um dos sapatos que ela segurava em suas mãos e, interrompendo-a, perguntou o que tinha acontecido com os sapatos. Lembrando-se da cena anterior, Zahra foi tomada por uma crise de riso e começou a rir estericamente. Sem conseguir se controlar e parar de rir, ela seguiu e contou que quando viu as ligações perdidas em seu celular, entrou em pânico. Contou também que quando atravessou a rua, caiu no chão quebrando o salto do sapato. Zahra ria estericamente enquanto narrava os acontecimentos. Estava tendo um ataque de nervos e não conseguia controlar a risada.

Irado com as risadas da esposa, Farzin esbravejou:

– E você acha essa história engraçada, acha? Pois tome o seu sapato! – Farzin atirou o sapato na direção dela. – Você sabe o quão caro me custam todos estes pares de sapatos que eu lhe compro? São muito, muito caros! Você é uma ingrata, pois não tem cuidado com eles. Eu nunca mais irei lhe comprar nada! Está me ouvindo? Nada!!!

O sapato que Farzin atirou em Zahra teria sido certeiro, se ela não tivesse se esquivado rapidamente. Antes de se retirar e ir ao quarto, Farzin ordenou que ela nunca mais saísse do apartamento sem avisá-lo e sem a sua permissão. Assim que ele se retirou, Zahra encostou suas costas na parede da sala e escorregou até cair sentada no chão. A risada frenética e nervosa logo se transformou em um choro profundo e muito triste.

Naquela posição, com os braços entrelaçando seus joelhos, descansando a cabeça entre os braços, chorou se sentindo sozinha e sem saída. Sentia-se a mulher mais solitária do mundo. O pranto parecia não ter fim. Após muito chorar, ela olhou em direção à varanda e percebeu que o céu limpo de antes dava lugar a nuvens escuras. Trovões anunciavam a chegada de uma tempestade de verão. Era como se o negrume nos céus refletisse os seus pensamentos e toda a sua tristeza.

Zahra se levantou e, como se estivesse hipnotizada, caminhou até a varanda. A chuva começou a cair forte, acompanhada de raios e trovões. A passos curtos e bem devagar, Zahra caminhou pela sala de estar toda decorada com ornamentos de ouro. Um grande lustre de ouro e de cristais enfeitava o centro da sala, que naquele momento estava escura. O ouro nos objetos e os cristais espalhados pela sala refletiam o brilho dos relâmpagos lá de fora. Focada em seu objetivo, Zahra caminhou determinada. Quando chegou à varanda, ainda como se estivesse em um transe, arrastou um banco de madeira que tinha sobre o pequeno jardim e o posicionou sobre a beirada da mureta. Primeiro subiu no banco de madeira e, sem raciocinar direito, colocou o pé direito sobre a mureta. Em seguida, deu um impulso e colocou o pé esquerdo. À sua frente, a imagem era a de um céu carregado com nuvens escuras, devido à forte chuva que caía. Zahra olhou para baixo e pôde, então, ver o trânsito caótico da cidade de São Paulo já formado. Foi naquele momento, quando Zahra olhou para baixo e viu as luzes dos faróis dos carros e ouviu o som das buzinas, que ela despertou do que parecia um transe. Seu vestido já estava todo encharcado com a água da chuva. Assustada e envergonhada pelo que estava prestes a fazer, pediu perdão a Deus pelo ato que quase cometera. Naquele mesmo instante, um raio estalou nos céus e, seguido por um forte barulho, fez com que ela perdesse o equilíbrio e caísse.

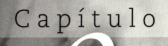

# Capítulo 8

# O combustível de nossas almas

A ambulância cortava o trânsito caótico da cidade em alta velocidade. A sirene gritava anunciando a urgência daquele chamado. Dentro da ambulância, Farzin olhava para sua esposa estendida na maca e mil perguntas lhe vinham à cabeça. "Será que ela tentou cometer suicídio?" Era a pergunta mais insistente em sua mente. O trânsito carregado nas ruas de São Paulo dificultava a locomoção da ambulância rumo ao hospital. A chuva ainda caía forte. O barulho da sirene apenas servia para aumentar o estado de apreensão de Farzin.

– O senhor tem mais alguma informação além da que nos forneceu? – perguntou um dos paramédicos.

– Não. Apenas o que lhe disse anteriormente: eu estava no meu quarto, quando ouvi um barulho bastante forte vindo da varanda e, então, fui averiguar o que tinha acontecido. Ao chegar à varanda, encontrei minha esposa caída no chão. Tinha um vaso de planta rachado ao meio, o que me faz pensar que na queda ela bateu a cabeça no vaso e acabou desmaiando.

Assim que a ambulância chegou ao hospital, os paramédicos imediatamente a levaram até o setor de emergência. Farzin tentou acompanhá-los, mas foi impedido e teve de aguardar no saguão de espera.

Duas horas mais tarde, e após Farzin muito reclamar da falta de informação, um médico foi ao seu encontro avisar que Zahra passava bem. Ela fora submetida a vários exames para verificar se a batida não havia causado hemorragia interna, e estes comprovaram que estava tudo bem. O médico completou dizendo que ela ficaria em repouso por algumas horas, e mais tarde seria liberada.

\* \* \* \*

Naquele mesmo momento, do outro lado da cidade de São Paulo, Silvia estava em sua casa, sentada em sua poltrona de couro favorita, na sala de estar, ao lado de seu marido, Paulo. Ela contava a ele sobre o dia agradável que havia tido com Zahra e, também, a aflição e a preocupação que sentiu quando viu Zahra quase ser atropelada e cair na calçada. Tudo aquilo porque foi tomada pelo pânico ao saber que o marido estava em casa e iria lhe chamar a atenção por não ter avisado que sairia a passeio.

– Aquela cena dela caindo no chão apavorada, coitada, com medo do marido, não me sai da cabeça, querido – disse Silvia, segurando contra o peito o livro que estava lendo. – Uma jovem tão bonita, tão cheia de vida, com uma aparência tão vulnerável parecendo um...

– Um passarinho engaiolado suplicando pela liberdade – ele completou.

– Sim, exatamente. Você captou meus pensamentos. Ela parece um pássaro com um olhar bem triste e que, por estar preso por tanto tempo, acabou perdendo o amor à vida e por si próprio.

– O amor é o combustível das nossas almas. Sem amor, nós ficamos frágeis, porque, sem ele, a alma adoece. Simples assim.

Essa jovem, pelo visto, tem vivido sem amor à sua volta por muito tempo, e agora está frágil e triste.

– Ela está vivendo com um marido manipulador, controlador e extremamente abusivo! Imagina que quando ela olhou o celular, que estava no silencioso, notou que tinha mais de sessenta ligações dele perdidas. Sessenta! O olhar de pânico dela foi de dar dó.

– Sim, mas não se esqueça de que uma relação é feita por duas pessoas. Se ele a controla, é porque ela se deixa controlar – Paulo disse à esposa.

– Sim... Sim... Eu sei. Porém, quero poder ajudá-la. Quero ser sua amiga e alertá-la sobre os perigos dessa relação.

– Tenho certeza de que você será uma grande amiga para ela, porém cuidado. Não se esqueça de que pessoas controladoras são sempre muito inseguras, que usam de intimidação e falsa sensação de poder para obter controle sobre suas vítimas. Elas também podem utilizar de violência para tentar intimidar, e é disso que estou dizendo, para que tome cuidado.

– Eu quero protegê-la. Cuidar dela. Todos seus familiares e amigos moram fora do Brasil e aqui ela está só. Vou oferecer-lhe minha amizade e apoio. Mostrar que não está mais sozinha e que agora tem uma amiga com quem pode contar. Pessoas que vivem na situação em que ela se encontra precisam construir uma rede de suporte. Precisam de amigos e familiares, pessoas que as amem e com quem possam contar para se sentirem seguras. E é exatamente isso que as pessoas controladoras, na maioria dos casos, fazem – afastam suas vítimas dos amigos e dos familiares para, assim, obterem total controle.

Silvia refletiu, pensando consigo mesma:

"Pobre Farzin. Ainda não aprendeu que ninguém é propriedade de ninguém. Nós fomos todos criados como indivíduos, para sermos livres. Cada um com sua missão de aprendizado e desenvolvimento próprio."

O casal continuou a conversar sobre o assunto, discutindo acerca das melhores maneiras de ajudar Zahra.

# Capítulo 9
# Obsessão

Semanas depois...

Os sabiás cantavam felizes no céu da Praia dos Encantos, dando à já exuberante e bela paisagem uma linda trilha sonora. O mar azul de água cristalina estava todo enfeitado com os barcos e jangadas dos pescadores que estavam voltando a terra firme. Todos alegres e felizes pelo sucesso em suas pescarias e por estarem trazendo para casa muita fartura de peixes. Todo o vilarejo se preparava para a chegada do Carnaval. Durante todo o verão, o local recebia muitos turistas, o que gerava muito lucro para os moradores, porém era no Carnaval que todos mais faturavam com os negócios devido ao turismo de todas as partes do país e do mundo afora.

Isabel e seu marido ficavam sempre muito atarefados naquela época do ano. Enquanto os turistas foliões tomavam conta do vilarejo, ela e seu marido Maciel trabalhavam horas extras todos os dias para dar conta de tantos fregueses na sua quitanda, que vendia de tudo um pouco. Eles vendiam desde produtos de limpeza até frutas, verduras e produtos alimentícios. No Carnaval, Isabel contratava uma senhora para ajudá-la na cozinha e, assim, podia oferecer refeições e atender à alta demanda dos turistas. Ela e o marido colocavam mesas e cadeiras na calçada e transformavam a quitanda em um pequeno restaurante. Serviam de tudo, desde pratos típicos da região até aperitivos como as suas famosas porções de camarão frito no alho e casquinhas de siri.

Naquele ano, Isabel e seu marido sabiam que trabalhariam dobrado, pois seu filho, que os ajudava com os afazeres da quitanda nos dias de grande movimento, tinha se mudado para São Paulo, onde cursava a universidade e não poderia viajar para visitá-los.

Após o almoço, quando o movimento na quitanda diminuiu, Isabel aproveitou para visitar Maria e verificar se estava tudo bem. Nos últimos tempos, Maria andava bastante triste e sempre muito calada. Quase não cuidava de seu bebê. Isabel tentava se dividir entre o trabalho corrido da quitanda e os cuidados dispensados à Maria e ao seu bebê, Salvador.

Levando consigo, como de costume, um prato de refeição e uma sacola com fraldas para o bebê, Isabel se aproximou da casa de Maria e logo a avistou na varanda, segurando Salvador em seus braços.

– Mulher, entre! O sol está muito quente para você ficar aqui fora com o bebê pequeno – exclamou Isabel, com ares de preocupação. Notando que, como de costume, Maria a ignorava, correu para dentro da casa e deixou a sacola e o prato com a refeição em cima da mesa. Isabel, logo em seguida, voltou para a varanda e recolheu Salvador dos braços de Maria. – Meu Deus, como este menino está quente! – Isabel exclamou assustada e prosseguiu: – Maria do céu, eu já lhe disse, evite ficar aqui fora nos horários em que o sol está mais quente. Este sol quente faz mal a ele.

– Eu estou esperando o José. Ele há de voltar! – respondeu Maria, apática, olhando vagamente para o horizonte.

Isabel suspirou fundo. Cansada daquela situação, que perdurava há dias, entrou na sala com o bebê. No mesmo instante, Isabel sentiu um cheiro forte de sujeira que vinha de toda a parte. Deu um beijo no rosto do bebê e o colocou em seu berço.

– Maria! Sua casa está cheia de lixo por toda a parte – afirmou Isabel, enquanto olhava ao redor, encontrando papéis, latas vazias e outros tipos de lixo. Em seguida, pegou uma vassoura que estava perto da pia da cozinha e começou a varrer o chão.

"Ninguém pode criar um bebê em um lugar sujo deste jeito. Ela tem de despertar para a vida, antes que algo de muito ruim aconteça" – pensou Isabel, enquanto varria a casa. De repente, ela bateu a vassoura em uma sacola plástica e um ruído chamou sua atenção. Movida por sua intuição, Isabel agachou-se para verificar e, assim que desatou o nó feito na sacola, descobriu uma garrafa de bebida alcoólica vazia. Furiosa, pegou a garrafa de dentro da sacola e foi até a varanda onde Maria estava.

– O que é isto aqui? Me diga, você andou bebendo, Maria? – chacoalhando a garrafa no ar, ela continuou a pedir respostas, porém Maria, que estava de cabeça baixa, não respondia. Isabel chegou bem perto de Maria e, então, pôde sentir o forte cheiro de álcool.

– Você está bêbada! – exclamou horrorizada. – Eu não consigo acreditar. Você estava segurando o seu bebê nos braços, totalmente alcoolizada! Você perdeu a noção das coisas? Você está botando a vida do seu filho em risco! – Isabel deixou a garrafa no chão e segurou os ombros de Maria e a chacoalhou com força. – O que você está fazendo com a sua vida, mulher? Acorde! Saia dessa!

Maria, ainda olhando para baixo sem encarar Isabel, disse:

– Eu quero o José de volta para mim. Eu preciso do meu homem ao meu lado. Sem ele eu não tenho forças. Sem ele eu não posso ser feliz. Por favor, me ajude a conseguir ele de volta. Quase sem forças, implorou: – Me ajude, por favor.

Desesperada com a situação, Isabel disse:

– Eu não quero saber de você bebendo nunca mais, ouviu?

Isabel levantou Maria da cadeira onde estava e a carregou até o banheiro. Chegando lá, abriu o registro do chuveiro e colocou a amiga, de roupa, do jeito que estava, embaixo do chuveiro.

– Eu preciso dele! Eu preciso de José comigo – Maria gritava enquanto a água gelada caía sobre ela. Sua roupa logo ficou toda encharcada. Com o cabelo molhado e caído sobre a face, começou a chorar, um choro desesperado, triste e profundo. Continuou a chorar e a dizer que precisava do marido junto com ela para ser feliz.

Isabel, que àquela altura também estava quase toda encharcada com a água gelada, começou a chorar, sentindo-se triste por não saber como ajudar a amiga. "Como fazê-la entender que não precisa de homem nenhum para ser feliz, meu Deus? Como fazê-la entender que o que sente é uma fixação, quase uma doença e não amor?" – pensava enquanto via a amiga ainda embriagada chorando, obcecada pelo marido que se fora.

Naquele instante, Salvador começou a chorar, o que acabou por frustrar Isabel ainda mais. No auge do desespero e da frustração, Isabel perdeu a cabeça e gritou com a amiga:

– Você está ouvindo isso? Está ouvindo? É o seu filho! Ele está chorando. Chora para pedir sua atenção e para dizer que ele precisa de você, porém você não está em condições de ajudá-lo. Você está totalmente bêbada e intoxicada e não pode ajudá-lo! E gritando mais alto: – Saia dessa, Maria! Desperte para a vida! Chega de se autodestruir.

Pela primeira vez, desde a chegada de Isabel, Maria a encarou. Com um olhar bastante triste, ela disse fitando os olhos de Isabel:

– Me desculpe! Não sei o que fazer. Eu estou perdida. A separação dói... Dói muito fundo na minha alma. Minha dor é tamanha que sinto meu corpo todo dolorido. A dor é física.

Já não consigo fazer mais nada, pensar em mais nada a não ser nele e nesta dor de saudade que eu sinto.

Isabel a abraçou, e as duas amigas ficaram ali, debaixo do chuveiro, com a água caindo sobre elas, abraçadas em um laço forte repleto de amor.

– Este amor dói, Isabel. Dói muito – disse Maria, aos prantos.

– Isso o que você sente não é amor, minha querida. O amor não machuca, não fere e não faz doer. O amor te faz sentir segura, protegida. O amor aquece a alma com carinho e acontece na nossa vida para trazer harmonia, e nunca dor – disse Isabel em tom suave de voz, ao mesmo tempo que acariciava a cabeça de Maria.

Depois de um longo abraço, Isabel fechou o registro do chuveiro e pegou duas toalhas dentro do armário que ficava no canto do banheiro. Primeiro, ela enrolou a amiga, em seguida, com a outra toalha, se secou.

– Fique aqui e vá se secando enquanto vou ao quarto verificar como está o Salvador.

O bebê não parava de chorar. Isabel correu até a cozinha e preparou uma mamadeira para ele. Após beber todo o conteúdo, ele finalmente se acalmou e adormeceu. Isabel voltou ao banheiro e encontrou Maria imóvel, ainda enrolada na toalha, sentada no vaso sanitário. Ela, então, levou a amiga até o quarto e a fez se secar e colocar roupas limpas. Tal qual uma mãe que seca o cabelo de uma filha pequena, Isabel secou os cabelos de Maria e, com muito carinho e cuidado, os penteou.

– Olhe para o espelho, minha amiga. Olhe que mulher linda você é. Seus cabelos dourados e encaracolados sempre foram os mais bonitos da escola e de todo o vilarejo – Isabel soltou um sorriso e pegou um arranjo em forma de flor que estava sobre a penteadeira e colocou no cabelo de Maria. – Você é linda e não precisa de homem nenhum para ser feliz. Apenas precisa se amar.

*Capítulo 9 — Obsessão* **53**

– Linda eu sei que não sou. Você esqueceu que o José me abandonou por outra mulher? Se eu fosse linda como você diz, ele não teria me deixado.

Isabel segurou as mãos da amiga com delicadeza e, olhando dentro dos olhos dela, disse:

– Você é linda, sim! – Isabel deu um beijo na testa da amiga e continuou: – Você é como uma irmã mais nova para mim. Às vezes, até como se fosse uma filha. Você faz parte de minha família e eu te amo, Maria. Te ver neste estado me deixa muito preocupada. Você sempre teve seus momentos ruins com José, mas nunca te vi chegar a este ponto. Beber? E segurando as mãos de Maria contra o seu peito, continuou: – Beber não é solução. Pelo contrário, irá te trazer ainda mais problemas. O álcool é um veneno que destrói nosso corpo e fere a nossa alma.

Isabel, olhando mais detidamente nos olhos de Maria, pôde enxergar que ela estava muito obcecada por José e, sendo assim, não conseguia enxergar ou ouvir mais ninguém. Sabia que Maria era assim desde pequena. Enquanto as demais crianças conversavam a respeito de qual profissão gostariam de abraçar quando crescessem – algumas diziam que seriam médicas, outras que seriam veterinárias, outras ainda que iriam para a capital ser professoras – Maria dizia apenas que queria encontrar um príncipe e se casar. Mais tarde, quando cresceu e chegou à adolescência, Isabel sempre via a amiga se apaixonar pelos rapazes errados. Começava namoros e em questão de semanas, às vezes dias, já estava tendo crises terríveis de ciúmes. Quando os namorados terminavam o namoro por não aguentar suas crises de possessividade e ciúmes, ela, então, se humilhava para eles pedindo perdão. Isabel pensava que com o tempo a amiga aprenderia a se valorizar mais, a escolher o homem certo, porém isso não aconteceu. Certo dia, conheceu José, e os dois embarcaram em uma relação destrutiva. Era como se José precisasse das cenas de ciúmes de Maria para se sentir desejado. Ele provocava ciúmes nela "paquerando" outras mulheres na frente dela e ele mesmo alimentava os boatos de possíveis traições, tudo para conseguir causar uma reação na namorada. Era sempre a mesma história: ele a provocava, Maria então tinha crises de ciúmes, fazia escândalos em locais públicos, seguia-o e brigava com outras mulheres. Logo depois de muitas brigas e barracos, os dois se reconciliavam e ficavam em paz por alguns dias até começar tudo de novo.

Ali sentada de frente para Maria, após secar e pentear seus cabelos, olhando em seus olhos, Isabel ficou com medo do que viu. Ou melhor, ficou com medo do que não viu. Ela não encontrou aquele brilho que os olhos das pessoas felizes e que apreciam as suas vidas têm. Os olhos de Maria estavam vagos, obscuros e com ar muito triste. Era como se a obsessão tivesse tomado conta de sua alma.

Isabel levou Maria até o berço onde o bebê Salvador dormia tranquilo e disse baixinho:

– Veja o seu filho, veja como ele é lindo. Ele precisa de você, Maria. Neste momento de sua vida, ele só tem você. Esqueça o José e foque na sua vida. Deus lhe deu este presente maravilhoso que é ser mãe.

# Capítulo 10
## Um dia perfeito

Dias depois...
— Flores, novamente! — Zahra disse a si mesma quando acordou e viu sobre o criado-mudo, ao lado de sua cama, um imenso buquê de rosas. Ela estendeu o braço, pegou o envelope que estava ao lado do buquê e leu o cartão:

*Minha amada, me desculpe por gritar com você ontem à noite.*

*Eu estava ansioso com a minha viagem de hoje. Não gosto quando tenho de ficar longe de você. Voltarei em poucos dias. Ligo assim que chegar a Salvador.*

*Mil beijos,*
*F.*

Irritada, ela colocou o cartão de volta no envelope:
— Estas rosas não irão comprar minha dignidade! — disse a si mesma.

Era típico de Farzin. Ele sempre enviava rosas a Zahra como forma de pedir desculpas pelos seus atos. Mas nunca as entregava pessoalmente. Ou as deixava sobre o criado-mudo antes de sair de casa para trabalhar ou as enviava por *delivery*.

As rosas já não tinham mais o mesmo efeito. Antes, Zahra costumava olhá-las e desculpar o mal feito pelo marido. Acreditava que ele havia realmente se arrependido e não cometeria o mesmo ato novamente. Naquela manhã foi diferente. Era como se as rosas lhe fizessem se sentir mal. Só de olhar as flores se lembrava da cena da noite anterior. Farzin vinha apresentando um comportamento estranho nos últimos dias. Era como se ele estivesse "de segredos" ao telefone o tempo todo. De repente, chegou para Zahra e disse que viajaria na manhã seguinte para a cidade de Salvador e passaria todo o período de Carnaval fora. Contudo, ele ficou nervoso quando Zahra perguntou o porquê daquela viagem repentina. Não contente com a resposta, ela ainda questionou por que não poderia ir com ele, já que era feriado em todo o Brasil e eles poderiam passar aquele tempo juntos. Foi então que Farzin, totalmente irritado, gritou com ela advertindo-a de que não se intrometesse em seus negócios. E, por fim, cuspiu no rosto dela.

As rosas naquela manhã a faziam se lembrar daquela cena humilhante. Nunca passara por tamanha humilhação em toda sua vida e, naquele momento, sentiu náuseas, pois a repulsa por aquele buquê de rosas era imensa. Levantou-se com pressa da cama, pegou o buquê, abriu a janela do quarto e atirou as rosas. Em seguida, fechou a janela e foi correndo para o banheiro, onde vomitou. Era como se seu corpo estivesse colocando para fora toda aquela humilhação sofrida na noite anterior. Debaixo do chuveiro, enquanto a água caía sobre sua cabeça e escorria pelo corpo, Zahra lembrava-se da cena em que Farzin cuspia em seu rosto. Ela se ensaboava freneticamente debaixo do chuveiro como se quisesse limpar do rosto a maldade feita pelo marido.

Momentos depois, ouviu Fátima chamar. Era Silvia ao telefone ligando para avisar que estaria na porta do prédio em dez minutos.

"Esqueci que marquei este compromisso com ela!" – ela pensou. – "O que eu mais queria hoje era ficar sozinha". Chegou a pensar em cancelar. Sentou-se à beira da cama pensando em várias desculpas para dar a Silvia e cancelar o compromisso, porém sabia que a amiga não aceitaria nenhuma desculpa por resposta.

Quando Silvia chegou, Zahra ainda não havia se trocado. Ela ordenou a Fátima que pedisse para Silvia subir e esperar por ela na sala. Quando Silvia entrou, Fátima ofereceu a ela uma seleção de refrescos e vários tipos de pãezinhos comprados naquela manhã na padaria local. Silvia aceitou um copo de suco de laranja e esperou na sala por Zahra. Enquanto esperava, olhou ao redor e admirou a linda decoração do apartamento.

– Bom dia! Como você está linda – disse Silvia em alto tom de voz, quase cantarolando, quando viu Zahra. A alegria dela era contagiante. Levantou-se do sofá e correu para dar um abraço na amiga. Zahra estava com um lindo vestido azul bem claro, que contrastava muito bem com a sua pele clara, e uma sandália de salto alto.

– Bom dia – respondeu Zahra, com o olhar um tanto triste.

Ambas, Fátima e Silvia, podiam enxergar que por trás do sorriso de Zahra existia muita tristeza e dor. Como se tivesse uma garota dentro dela implorando para ser salva.

– Que cara é essa? Você parece estar tão triste. Aconteceu algo? – perguntou Silvia, aflita.

– Não... Apenas não dormi bem. Tive alguns pesadelos.

– Então, trate de se animar. Olha que dia maravilhoso está fazendo lá fora – Silvia apontou em direção à varanda. – Deus preparou mais um dia perfeito, e a gente tem obrigação de vivê-lo e aproveitá-lo. Vou hoje te levar para conhecer a minha mãe e, de brinde, você vai experimentar a minha macarronada típica italiana.

Zahra sorriu. Era impossível não se deixar contagiar pela alegria de Silvia.

— A propósito, sua sala de estar é muito bonita. Estava aqui admirando a decoração. É tudo de muito bom gosto, parabéns. Adorei os tapetes persas e, em especial, este lindo chão de mármore.

— Obrigada, Silvia. Venha comigo, vou te levar para conhecer os outros cômodos do apartamento – Zahra mostrou todos os ambientes à Silvia. Quatro quartos, sendo que um havia sido transformado em escritório e o outro em um closet com as roupas e sapatos do casal.

— E este quarto aqui? – perguntou Silvia.

— Este quarto a gente guarda assim, vazio. Farzin insiste que temos de ter um filho e...

— E vocês, então, guardam este quarto para que seja o quarto do bebê.

Aquele assunto sempre deixava Zahra irritada. Por muito tempo, vinha sendo acusada por Farzin de não poder ter filhos. Se antes ela até sonhava em ser mãe, depois de toda a cobrança e acusações, perdera totalmente a vontade de ter um filho.

— Vamos? – perguntou Zahra com o intuito de encerrar o assunto o mais rápido possível e sem muitas explicações.

Antes de saírem, Fátima abriu um grande sorriso e disse a Zahra:

— Dona Silvia tem razão. A senhora está linda, e o dia lá fora também. Aproveite o passeio!

— Obrigada, Fátima. Eu irei, sim, aproveitar bastante. Agora, quero que você também vá e aproveite o feriado de Carnaval. Aproveite o tempo livre com sua família. Nós nos veremos na quarta-feira.

✳ ✳ ✳ ✳

Silvia estava alegre dirigindo rumo ao bairro da Mooca, na zona leste da cidade de São Paulo, onde morava. Tinha o rádio do carro ligado e cantarolava ao mesmo tempo em que conversava com Zahra.

O dia estava realmente muito bonito. Fazia calor e o céu tinha pouquíssimas nuvens. Era sábado de Carnaval, e muitas pessoas tinham deixado a cidade para viajar e aproveitar o feriado. Pela janela do carro, Zahra assistia às pessoas nas ruas. Em um determinado momento, quando Silvia freou o carro para parar, por causa do farol vermelho, Zahra observou uma jovem, que aparentava ter a mesma idade que ela. A jovem estava ao telefone, rindo e com o brilho nos olhos de quem está apaixonada. Silvia, que estava a falar sem parar ao lado de Zahra, de repente virou-se para o lado para entender por que Zahra não estava interagindo com a conversa e, então, percebeu que ela tinha lágrimas escorrendo pelo rosto.

– Querida, o que foi? Por que você está chorando? – o farol abriu, e ela seguiu em frente, olhando de vez em quando para Zahra ao seu lado. – Sou sua amiga, me conte o que está acontecendo e, assim, poderei ajudar.

Após um tempo em silêncio, Zahra enxugou as lágrimas e disse:

– Eu me sinto vazia. Eu não sinto nada dentro de mim. Parece que eu venho perdendo a vontade de tudo. Estava observando aquela garota ao telefone, vendo como ela estava rindo. Parecia que estava tendo uma conversa divertida, daquelas que você tem com o namorado no início do namoro, sabe? – sua voz ficou embargada mais uma vez. Ela pausou por alguns segundos e após se recuperar, continuou: – O Farzin telefonou hoje pela manhã, enquanto você estava me esperando na sala. Ele ligou para contar que chegou bem a Salvador. Estava dizendo que quando voltar trará uma surpresa bem grande para mim. Sabe de uma coisa, Silvia? Eu não senti nada. Não senti alegria nem felicidade, também não senti raiva nem tristeza. Não senti nada! Meu marido está a dezenas de quilômetros de distância e quando me ligou, em vez de me sentir feliz por estar falando com ele, ou talvez sentir saudades dele, eu não senti absolutamente nada. Eu me sinto oca por dentro. Sem sentimento algum!

– Calma... Eu vou deixar o carro no estacionamento ali ao lado daquela padaria. Podemos tomar um café e conversar melhor.

Zahra balançou a cabeça concordando com Silvia. Olhou ao redor e se deu conta de que estava em uma região de São Paulo totalmente diferente. A arquitetura das casas lembrava muito as construções na Itália. Aquele bairro era bem diferente do bairro dos Jardins onde morava. Enquanto olhava pela janela e analisava o bairro, Silvia cantarolava a música de samba que a rádio tocava.

Após Silvia estacionar o carro, elas foram, então, à padaria.

– Não esperava encontrar o trânsito tão livre como encontramos. Podemos tomar o café da manhã sossegadas e você pode me contar o que está acontecendo.

Serviram-se de café, sucos naturais e das deliciosas guloseimas que eram preparadas naquela tradicional padaria portuguesa. Ainda cabisbaixa, Zahra mantinha o olhar triste, abalada com o incidente da noite anterior. Após Silvia muito perguntar, ela acabou por contar acerca dos acontecimentos e de como Farzin havia cuspido em seu rosto. Silvia levou a mão ao rosto, expressando desgosto, porém confessou a Zahra que já havia vivido uma cena parecida. Surpresa, Zahra disse que não acreditava que o marido dela, o Paulo, fosse capaz de tal coisa.

– Não... Não foi o Paulo. Tanto ele quanto eu já fomos casados anteriormente ao nosso casamento. Esse é o segundo casamento de nós dois. Antes de conhecer o Paulo, eu estava casada com outro homem. Alguém que conheci ainda muito jovem. Amor de juventude, sabe? Então... Ele era galanteador, bastante sedutor, e todas as moças da minha época o adoravam. Eu fiquei muito surpresa quando descobri que ele estava apaixonado por mim. Me senti a melhor de todas, sabe? Ter o rapaz mais cobiçado do colégio e talvez de todo o bairro enamorado de mim era algo surreal. Infelizmente, e quero frisar isso bem, infelizmente – disse pausadamente – eu me apaixonei por ele. Fui contra o conselho dos meus pais e de todos os meus amigos. Todos que me amavam tentaram me alertar de que algo estava muito errado. Ele demonstrava ser muito ciumento. Tinha até ciúme do tempo que eu passava com a minha família. Dos amigos, então, o ciúme era pior ainda! Eu achava que aquele ciúme todo era sinal de amor, sinal de que ele me amava e me queria bem. Mais uma vez, contra todos os que me amavam, eu fui adiante com os planos de casamento. Nos casamos e fomos morar em uma casa bem simples, aqui mesmo no bairro da Mooca. Ele não queria que eu trabalhasse, inventava mil desculpas. Dizia que ele era o homem da casa e era quem deveria me sustentar e arcar com as despesas. Ele também salientava o fato de eu não ser capaz de realizar nenhuma atividade profissional... Ele me julgava incapaz, acredita?

– Mas você é tão inteligente – Zahra interrompeu. – Com certeza é capaz de realizar muitas profissões e ofícios...

Silvia bateu no peito e respondeu:

– Sim, claro que sou capaz. Porém, esta é a mente de um controlador, a mente de um homem obsessivo. Ele foi, aos poucos, desde o começo, me alienando. Primeiro, com suas crises de ciúmes, ele foi me separando dos meus amigos queridos e até de alguns familiares. Meus amigos evitavam estar por perto, pois ele sempre os maltratava. Já dos meus pais, fui eu que me afastei. Tinha vergonha das cenas de briga e baixaria que ele fazia e, para não expor meus pais a tal situação, fui aos poucos me afastando deles. Após ficar totalmente sozinha com ele, sem muitas pessoas ao meu redor para me ajudar ou me aconselhar, ele, então, começou com a violência...

– Física? – perguntou Zahra assustada. – Por acaso ele começou a te bater?

– Não... A violência não era física, mas, sim, psicológica. As palavras são muito poderosas. Elas podem tanto causar o bem quanto também ferir, e muito, alguém. Ele começou por tecer comentários do tipo: "Você não é capaz de exercer um ofício" ou "Você é burra!". Logo depois vieram comentários mais pesados do tipo: "Você não serve para nada e além de tudo está agora ficando feia". Todos os dias eram comentários e mais comentários que me colocavam para baixo. Ele dizia que meus objetivos nunca poderiam ser realizados porque eu não era inteligente. Sua intenção era minar a minha autoestima cada vez mais até que eu perdesse totalmente o amor-próprio.

Zahra prestava muita atenção ao que Silvia lhe dizia. Em sua cabeça, era como se passasse um filme, que narrava exatamente as cenas vividas com seu marido Farzin. Silvia continuou:

– Aos poucos, sem perceber, fui perdendo minha identidade. Passei a viver com medo de absolutamente tudo. Depois de tanto ouvir que eu não era capaz, que eu era feia e que ele estava comigo por piedade, pois nenhum outro homem nunca olharia para mim, depois de tudo isso e várias outras cenas de abuso psicológico, fui me sentindo acoada. Perdi totalmente o amor-próprio, e era exatamente o que ele queria.

– Nossa, é muito difícil te imaginar assim, triste e sem autoestima. Você está sempre tão alegre e feliz. E quanto a ser bonita, eu não preciso nem falar. Eu te acho muito bonita. Além de ser bonita fisicamente, a sua alegria de viver a torna ainda muito mais bonita do que você já é!

– Obrigada, querida. É muito bom ouvir isso. A maioria das pessoas não sabe o poder que as palavras têm. O poder de um simples elogio, para quem diz pode soar como algo simples, mas para quem recebe, pode ser muito poderoso e transformador.

– E, então, como foi que você saiu dessa? Como foi que terminou o relacionamento?

– Foram muitos anos de abuso. A vítima demora muito tempo para perceber e entender que está sendo abusada. Assim como a maioria das vítimas de uma relação abusiva, eu passei anos achando que eu era a culpada. Anos pensando que eu era a responsável pelas mudanças bruscas de humor dele, pois uma hora estava extremamente feliz e, em instantes, se transformava em um monstro, de tão agressivo e violento. Eu me culpava achando que era eu que o fazia infeliz, e por isso ele era tão frio comigo. Acreditava que merecia aquelas palavras de abuso.

– O nosso relacionamento durou muitos anos. Primeiro, ele me separou dos que eu amava e que me amavam, para assim exercer controle sobre mim sem que eu tivesse alguém para me defender. Logo em seguida, ele passou a abusar de mim psicologicamente, minando minha autoestima, e desse modo continuou a me controlar. E, por último, vieram as traições e também o abuso físico. Ele chegava alcoolizado em casa quase sempre e me xingava sem mais nem menos. E quando decidia que iria me bater, ele me batia – simples assim. Uma noite, após ser espancada violentamente, com meu nariz e boca sangrando, e feridas pelo corpo todo, corri para o banheiro e lá me tranquei. Com medo dele, fiquei sentada no chão do banheiro e, pela primeira vez em dez anos de casamento, em vez de chorar, eu orei. Olhei para o teto do banheiro, como se estivesse olhando os céus e conversei com Deus. Pedi ajuda. Supliquei pelo socorro divino.

Silvia respirou fundo, pois aquelas lembranças eram bastante doloridas e tristes. Após uma breve pausa no relato, continuou:

– Deus é muito poderoso, Zahra. Ele é pai, e um pai nunca falta aos seus filhos. Em questão de instantes, eu escutei a campainha da minha casa tocar, e tocava sem parar. Alguém na porta de casa insistia muito. O meu marido deveria estar tão bêbado que dormia profundamente e não acordou com o som. Eu tomei coragem, abri a porta do banheiro e corri até a porta de entrada da casa. Deus havia atendido à minha prece. Quando cheguei, vi meus pais lá fora. Assim que eles viram o meu estado, com nariz sangrando e toda machucada, ficaram horrorizados, claro. Eu os abracei com força, estava com muito medo. Meu pai pensou em entrar na casa e enfrentá-lo, queria dar-lhe uma surra. Minha mãe, que é mais ponderada, disse que não. Ela não queria resolver aquela situação com mais violência, então deu outra ideia: que fôssemos naquele mesmo instante à delegacia de mulheres. Eu tinha muito medo e também muita vergonha, mas acabei indo. Chegando lá, logo fui atendida por uma equipe de policiais que cuidaram muito bem de mim, enquanto outra equipe foi até a minha casa e prendeu meu marido. Ele ficou preso por muitos anos.

— Obrigada, Silvia, por dividir essa sua história comigo. Eu sei que é muito pessoal e de coração e agradeço por você ter contado. Enquanto você narrava a sua história, revi muitas cenas parecidas que eu vivi com... — Zahra pausou, pensativa.

— Que você viveu e ainda vive com o Farzin, correto? — Zahra balançou a cabeça. Sentindo-se com vergonha, ela baixou a cabeça e ficou a olhar para baixo. — Não se sinta envergonhada. — Silvia gentilmente tocou seu queixo e ergueu sua cabeça. — Você não deve se envergonhar. Você é uma vítima e não precisa se envergonhar. Pelo contrário, deve assumir a fase que está passando e, com fé e determinação, encontrar uma solução para o problema. Eu lhe contei essa história para mostrar que você não é a única que passa por essa situação. Infelizmente, muitas pessoas são vítimas de relacionamentos abusivos. Mas também dividi essa minha história com você para lhe mostrar que existe uma saída.

Silvia abriu a bolsa e retirou dela um livro e o entregou a Zahra.

— Sabe qual era o meu sonho, enquanto eu estava casada com ele? Meu sonho era escrever livros, escrever romances. Desde criança gostava de criar histórias de amor e contá-las às pessoas. Escrevi uma história de mais de duzentas páginas, era um romance. Demorou mais de um ano para escrever aquela história. Eu dediquei horas e horas de trabalho. Quando terminei, muito feliz com o meu êxito, dividi com ele a minha alegria. Pedi que lesse o manuscrito e me desse sua opinião. Sabe o que ele fez? Ele leu algumas páginas e, ao final, jogou o manuscrito de lado. Disse que aquilo era uma perda de tempo. Estava ruim e eu nunca conseguiria publicá-lo.

Zahra deu uma olhada no livro e, surpresa, disse enquanto abria um sorriso:

– A autora deste livro que você me deu... É você! Você conseguiu publicar o seu livro!

– Sim. Após me separar dele, comecei a me tratar com uma terapeuta e também retomei minha fé em Deus. Com o tempo, passei a me sentir melhor, aumentei minha autoestima e criei coragem para enviar o manuscrito para algumas editoras – naquele instante, Silvia tinha um brilho nos olhos que expressava toda a felicidade que sentia. – Todas as editoras me contataram dizendo que queriam publicá-lo. Eu escolhi a que melhor se assimilava à proposta do livro e juntos o publicamos. Após algumas semanas de lançamento, o livro foi para o *ranking* dos mais vendidos no país.

Silvia mostrou a contracapa do livro para Zahra e chamou atenção para o nome da editora.

– Eu continuei escrevendo e, após alguns anos, abri minha própria editora e hoje publico meus livros antigos e também os novos livros que escrevo. Também dou oportunidades para novos autores publicando suas obras. Silvia, segurando a mão de Zahra, gentilmente concluiu: – Minha lição é que ninguém pode tirar o que é seu. O meu ex-marido tentou por todos aqueles anos me colocar para baixo, acabar com minha autoestima, porém aqui estou: firme, forte e feliz. Não foi fácil, lutei muito para chegar até aqui, mas, com muita fé em Deus, amor-próprio e dedicação, nós conseguimos realizar todos os nossos sonhos.

– Você tem raiva dele?

– De maneira alguma. Quando superei toda aquela situação, aprendi que o melhor era orar por ele e pedir a Deus que iluminasse o seu caminho também. Gasto minha energia e o meu tempo em trabalho em favor de minha felicidade, minhas realizações pessoais e profissionais e daqueles que amo. Não tenho tempo, nem quero ter, para nutrir sentimentos negativos por nada e por ninguém. Tudo o que desejamos para o próximo retorna para nós, por isso eu sempre desejo somente o bem.

– Eu queria muito ter a mesma determinação que você tem. Eu sei que preciso mudar minha vida, dar um basta em tudo, mas não sei como. Parece que eu não tenho forças para tal mudança.

– É porque você, no momento, realmente não tem forças. É isso o que os abusivos e controladores fazem. Eles tiram todo o seu suporte, mexem com o seu emocional fazendo com que se sinta fraca, sem forças para lutar. Eles fazem de suas parceiras ou parceiros sabiás engaiolados.

– Sabiás?

– O sabiá é um pássaro típico do Brasil. São pássaros lindíssimos, que têm um canto esplendoroso, mas que perdem seu brilho quando são engaiolados. Quando engaiolados, o canto que antes expressava alegria, torna-se um pedido sofrido por liberdade – Silvia apontou para a contracapa do livro na qual tinha uma pequena sinopse da história. – Este livro é para você, nele eu conto como foi o meu processo de libertação, como eu chamo. Porém, quero te dizer que cada um tem um processo diferente. Uma história diferente.

– Eu vou conseguir sair dessa! – disse Zahra confiante. Eu vou lutar com todas as minhas forças para alcançar minha felicidade.

– Assim que se fala! Você precisa, o mais rápido possível, fazer um acompanhamento psicológico, precisa de um profissional que ajude você a se autoanalisar e a se conhecer melhor. E isso vai te dar forças, fará com que você reencontre a sua autoestima e, acima de tudo, entenda o que está acontecendo com você. Você também precisa de ajuda espiritual. Não importa qual a sua religião, o importante é religar-se a Deus. Acreditar, com muita fé, no amor Dele por você. A fé irá te levar até o segundo passo mais importante, que é o amor-próprio – aprender a amar a si própria. Assim que você se amar, de verdade, nunca mais deixará que ninguém abuse de você.

– E qual o primeiro passo, o mais importante de todos?

– Amar a Deus e acreditar, com muita fé, em sua vontade de te ver feliz. Como te disse antes, Deus é pai, e Ele quer que nós sejamos felizes. Ele nos criou para sermos felizes, para o amor. Nós que, em algum momento de nossa vida, tomamos a decisão errada de nos desviarmos do caminho do amor verdadeiro. Porém, Deus está sempre conosco, olhando por nós.

Olhando no relógio, Silvia disse a Zahra:

– O que acha de irmos para minha casa? Quero começar a preparar a macarronada, mas antes tenho de passar na feira e comprar tomates frescos para o molho.

Zahra deu um último gole no café e, sentindo-se mais animada, levantou-se acompanhando Silvia.

\*\*\*\*

Enquanto isso, na cidade de Salvador, na Bahia, Farzin estava na sacada do quarto de hotel. Olhava a multidão que se aglomerava na rua abaixo em volta de um trio elétrico. As pessoas gritavam o nome de uma mulher, que pensou ele ser uma cantora, acenavam e pediam por ela. Ansioso, ele já tinha telefonado várias vezes para o número de sua casa e também para o celular da esposa, porém não havia conseguido falar com Zahra.

"Aquela Silvia está colocando caraminholas na cabeça de minha Zahra. Preciso logo deste bebê para, assim, fazê-la esquecer esses pensamentos de independência". Seus devaneios foram interrompidos pelo estrondo dos alto-falantes do trio elétrico que tocavam a introdução da música, anunciando a entrada da cantora ao palco. Assim que a cantora, morena e alta, subiu ao palco, a multidão pareceu enlouquecer. Para ele, todo aquele barulho era ensurdecedor e o deixou ainda mais irritado. Entrou no quarto para atender ao telefone que tocava.

– Alô?

– Alô, Farzin. Aqui é Roberta. Estou ligando para dizer que sua encomenda vai atrasar alguns dias.

– Alguns dias?! – exclamou muito irritado.

– Sim, porém garanto que terá a encomenda antes da quarta-feira de cinzas. Por enquanto, preciso pedir que não saia do hotel. Assim que conseguir a encomenda, levarei direto a você e não quero correr o risco de ficar por aí com... o pacote.

– Ainda é sábado. Quer que eu espere aqui até quarta-feira... Vou enlouquecer trancado neste quarto, ainda mais com todo esse barulho lá fora.

– Eu disse que terá a encomenda até quarta-feira. Pode ser que seja antes. Enfim, sei que tem uma vista privilegiada da orla marítima. Aproveite os shows – ela desligou o telefone sem se despedir.

Farzin se jogou na cama, irritado, bufando de raiva. Lá fora, a cantora começava a cantar sua segunda canção, e a multidão cantarolava junto com ela.

## Capítulo 11

# O acidente

Como era de costume, aos sábados, Silvia fez sua tradicional macarronada em sua casa. Seu marido, Paulo, que tinha um compromisso com a sua empresa naquela manhã, chegou a tempo de se juntar a todos e saborear aquela delícia e, logo em seguida, dona Regina, mãe de Silvia, chegou trazendo um pacote.

– Olá, queridos. Trouxe um frango assado que comprei daquele restaurante que você gosta, Paulo, para acompanhar a macarronada – disse Dona Regina, ao entrar na cozinha.

– Mamãe, quero que conheça minha amiga Zahra.

Dona Regina colocou o pacote com o frango sobre a mesa e foi logo cumprimentando Zahra com um abraço forte e amistoso.

– Minha filha tem falado muito de você. Coisas boas, eu garanto! – brincou dona Regina.

Dona Regina era muito parecida com a filha. Com oitenta anos de idade, tinha a agilidade e a vitalidade de uma jovem mulher. Com cabelos bem tratados e levemente maquiada, ela se vestia de uma forma bem elegante. Zahra reparou no sapato de salto que ela usava. Embora o salto não fosse muito alto, aumentava a estatura de dona Regina e a deixava ainda mais bela e elegante. No ar, ficou uma leve fragrância floral registrando sua presença.

– Impressionante como vocês duas se parecem – disse Zahra com olhar de admiração para mãe e filha. – Digo, além da semelhança física natural de mãe e filha, vejo que até o jeito alegre de adentrar um ambiente é semelhante.

– Além de mãe e filha, somos melhores amigas – Silvia deu um beijo no rosto da mãe e continuou a colocar a mesa para o almoço.

A tarde fora agradável. Silvia, Paulo, dona Regina e Zahra conversaram durante horas. Mais tarde, enquanto Silvia e Paulo arrumavam a cozinha, Zahra aproveitou para conversar com dona Regina e conhecer mais sobre aquela mulher tão interessante. Já no final de tarde, Silvia serviu chá com biscoitos e um bolo de cenoura com cobertura de chocolate que, segundo ela, era sua especialidade.

– Eu volto à infância toda vez que saboreio um bolo de cenoura com esta calda de chocolate em cima – disse Paulo com seus olhos fechados, se deliciando com aquele pedaço de bolo. – A Silvia sabe o quanto eu gosto – brincou.

– Você tem calda de chocolate no nariz, querido! – riu Silvia.

– Ué, tenho? – perguntou Paulo, ao mesmo tempo em que ria.

Todos riram felizes, apreciando aquele breve momento tão simples em suas vidas, porém de imensa felicidade para todos ali presentes. Já próximo ao entardecer, Silvia pegou seu carro para levar Zahra de volta ao seu apartamento, na região dos Jardins.

No caminho, Silvia colocou o CD de uma de suas cantoras preferidas: Beth Carvalho, e selecionou a música: "O que é, o que é", de autoria de Gonzaguinha. Muito alegre, Silvia cantou para Zahra a música e, quando chegou no refrão, ela cantou ainda mais alto:

*Viver*
*E não ter a vergonha*
*De ser feliz*
*Cantar e cantar e cantar*
*A beleza de ser*
*Um eterno aprendiz*
*Ah meu Deus!*
*Eu sei, eu sei*
*Que a vida devia ser*
*Bem melhor e será*
*Mas isso não impede*
*Que eu repita*
*É bonita, é bonita*
*E é bonita*

– Preste atenção na letra desta música, Zahra. Balançando a cabeça de um lado para o outro, acompanhando a batida da música e com um sorriso largo no rosto, Silvia continuou: – A vida, Zahra, é exatamente o que a letra desta música diz: É bonita, é bonita e é bonita! Aqui somos todos aprendizes, estamos sempre aprendendo. Se hoje estamos errando, devemos aprender com o erro e mudar com a intenção de não errar mais, e evoluir. Somos aprendizes!

Zahra se contagiou com aquele clima e tentou cantarolar junto, porém, como não falava português fluentemente a ponto de entender toda a letra, Silvia a ajudou e repetiu a música algumas vezes. Felizes, as duas seguiram em seu caminho da zona leste de São Paulo até o bairro na região dos Jardins, cantando e rindo alto.

Quando chegaram a algumas quadras do prédio em que Zahra morava, ela pediu para que sua amiga parasse o carro e a deixasse ali mesmo. Disse que queria aproveitar aquele fim de tarde e fazer algo que nunca fazia, andar tranquila e sozinha pelas ruas de seu bairro. Silvia se ofereceu para caminhar com ela, mas

Zahra agradeceu, dizendo que gostaria de ficar só, pensar e meditar em tudo o que tinham conversado durante o dia. Segurando o livro – presente da amiga – ela agradeceu pelo dia maravilhoso que Silvia e sua família haviam lhe proporcionado, despediu-se e desceu do carro.

– Eu coloquei dentro do livro um cartão de visitas da terapeuta que eu frequentei por muitos anos. Ela foi muito boa e diria que fundamental no meu processo de recuperação e libertação. Por favor, pense a respeito. Seria muito bom você começar uma terapia o mais breve possível – disse Silvia.

– Pode deixar! Com relação a isso, eu já decidi. Vou procurá-la assim que acabar o feriado. Um beijo, minha amiga, e, mais uma vez, obrigada por todo o seu carinho!

Silvia deu partida no carro, mas, antes de sair, perguntou: O que é, o quê? – referindo-se à letra da música de Gonzaguinha.

– É a vida, é bonita e é bonita! – respondeu Zahra, tão alegre que quase cantarolou enquanto pronunciava aquelas palavras. Silvia partiu e Zahra acompanhou acenando até ver o carro de Silvia desaparecer de vista. Respirou fundo e sentiu certo vazio, como se fosse um sentimento de saudades. Silvia era tão cheia de vitalidade, que seu amor pela vida e positividade eram contagiantes. Mal tinha partido e Zahra já sentia sua falta.

Caminhando por uma alameda bastante arborizada, repleta de árvores centenárias, de troncos largos e altos, Zahra lembrou-se de seu pai e de um de seus ensinamentos. Ele dizia: "Quando o mundo à sua volta se transformar em caos, o melhor a fazer é desacelerar seus passos. Ir de contrapartida aos problemas. Respire bem devagar, sinta o ar entrar e tomar conta de todo o seu ser. Peça a Deus que abençoe o ar com todas as soluções necessárias para os seus problemas. Você, então, receberá do Universo todas as ideias, os conselhos, a vitalidade, a paz e a harmonia de que necessita".

Caminhou pedindo a Deus que a abençoasse. Respirando bem devagar, ao mesmo tempo que dava passos curtos e vagarosos, deixou-se sentir o ar fresco daquele final de tarde. Uma leve brisa tocava-lhe o corpo, e Zahra sequer imaginava que era Deus quem a estava abraçando.

Momentos depois avistou, do outro lado da rua, uma pequena livraria que ela frequentemente observava de sua varanda. Sempre teve curiosidade de entrar e conhecer aquela pequena e charmosa loja de livros. Embora a maioria das lojas e negócios da região estivessem fechados, devido ao horário e também por conta do feriado de Carnaval, a livraria estava aberta, o que chamou ainda mais a atenção de Zahra. Resolveu ir até lá e conhecer a loja mais de perto. Mal sabia ela que era o destino quem a chamava. Distraída, ela atravessou a rua e não viu quando uma motocicleta foi em sua direção. O motoqueiro teve de frear bruscamente e quase houve um acidente terrível. O livro que ela segurava e a bolsa que carregava voaram longe, enquanto Zahra caía com força ao solo.

# Capítulo 12

## Tamborim

– Moça... Você está bem? – perguntou o jovem motoqueiro.

Do outro lado da rua, o dono da livraria que ouvira o barulho, saindo para verificar o que tinha acontecido, também foi ao encontro de Zahra que estava ainda caída no chão.

– Vamos chamar uma ambulância – disse o dono da livraria para o rapaz. – Eu vou ligar agora mesmo – concluiu enquanto corria para dentro de sua livraria para telefonar.

Zahra abriu os olhos e, com a vista um pouco embaçada, viu o rosto do rapaz. Um pouco desnorteada, olhava para ele que a encarava. Sem poder ouvir nada do que acontecia, via a boca do rapaz se mexendo, dizendo algo, porém não entendia o que ele falava. Agachado, o rapaz, esquecendo-se por breves segundos de que era um médico, a segurou gentilmente em seus braços e, levado por um instinto forte, aproximou seu rosto bem próximo ao dela.

– Meu príncipe – disse Zahra. – Você veio me salvar.

Sem entender nada, o rapaz sentiu um forte calor tomar conta de todo seu corpo. Era como se todo o mundo ao seu redor não tivesse mais importância.

– Príncipe? – ele perguntou.

– Você não pode tocá-la. Deixe-a em paz! – gritou o dono da livraria que se aproximava novamente. – A gente não pode tocar nos acidentados caso algo tenha acontecido com a coluna deles. Temos de esperar os paramédicos, meu filho!

Naquele instante, Zahra fechou os olhos e voltou a ficar inconsciente. O rapaz ainda sentia todo o seu corpo arder por dentro. Ele foi tomado por uma emoção que nunca antes havia sentido. O senhor dono da livraria falava ao fundo, sem parar, mas ele não registrava nenhuma palavra que o senhor dizia. A ambulância chegou em menos de dez minutos, e os paramédicos fizeram os primeiros socorros. O rapaz avisou que também era médico e pediu para ir com eles na ambulância acompanhando Zahra até o hospital. Em questão de minutos, Zahra já estava na ambulância sendo levada para o hospital.

Horas mais tarde, uma enfermeira foi ao encontro do rapaz que aguardava aflito na sala de espera do hospital. Após ter informado que Zahra havia feito todos os exames necessários e já passava bem, ela o levou até o quarto onde Zahra estava, informando ainda que ela já tinha recebido alta. Quando o rapaz entrou no quarto, Zahra estava pronta para sair. Surpresa com a sua presença, ela perguntou:

– Então, foi você quem salvou a minha vida?

– Na realidade, quem salvou sua vida foram os paramédicos que a trouxeram para cá e cuidaram de você. Eu, na verdade, sou aquele que quase a matou atropelada – disse com um pequeno sorriso no rosto, sentindo-se envergonhado.

Zahra sorriu.

– Se eu me lembro bem, fui eu que, desatenta, atravessei a rua fora da faixa para pedestres, e foi você que, arriscando a sua vida, freou bruscamente a sua moto para evitar um acidente maior. Sendo assim, eu posso concluir que foi você quem salvou a minha vida.

– Sendo assim... Eu fico com o elogio – sorriu. – Diga uma coisa, foi por isso que você me chamou de príncipe quando me viu pela primeira vez enquanto eu a segurava?

– Príncipe? – perguntou confusa. – Eu, sinceramente, não me lembro de nada após ter caído ao chão. Você tem certeza de que te chamei de príncipe?

– Hum... Na verdade você me chamou de "meu príncipe" – balançando a cabeça, ele soltou uma risada de leve. – Mas isso não importa. Você deve estar exausta. Vamos, quero te acompanhar até a sua casa.

– De moto? – perguntou surpresa.

– Não, senhorita – ele disse sorrindo. – Pensei em irmos de táxi mesmo. Neste momento, creio que você não se sentiria muito à vontade ao lado de uma moto. Além do mais, eu deixei minha moto no local do acidente. A propósito, aqui está o livro que a senhorita estava segurando quando... Quando... – encabulado, não quis completar a frase e relembrar o momento do acidente mais uma vez. Ele entregou o livro a Zahra e perguntou: – Está pronta? Vamos?

Quando chegaram à porta do hospital, prestes a pegar um táxi, Zahra perguntou:

– Sua moto está longe?

– Na verdade, não. O hospital fica a apenas algumas quadras do local do acid...

– Acidente. Pode falar. Não se preocupe, pois eu não te culpo. Fui eu a errada por atravessar a rua sem olhar e fora da faixa de pedestres – de repente, uma ideia lhe surgiu à mente. Zahra sugeriu que fossem andando até o local onde estava a moto.

Estava uma noite de verão muito bonita. O céu tinha apenas algumas nuvens e a temperatura estava agradável. O rapaz não negou o pedido, pois viu na ideia uma oportunidade de ficar mais tempo ao lado dela. Caminharam devagar pelas ruas em direção à alameda na região dos Jardins onde ficava a livraria e onde ele havia deixado a moto. Os dois conversaram durante o caminho todo sem parar. Sem dizer um ao outro, secretamente, ambos davam passos curtos e bem devagar com a intenção de atrasar a chegada o máximo possível. Não queriam ter de dizer "tchau".

Após a longa caminhada, quando finalmente chegaram, Zahra disse:

– Meu Deus, nós passamos este tempo todo juntos e eu nem perguntei o seu nome. O meu é Zahra, prazer.

– Na verdade, eu sabia o seu nome. Os paramédicos precisaram verificar seus documentos em sua bolsa e foi assim que acabei sabendo – ele estendeu a mão para cumprimentá-la. – O meu é Gabriel, muito prazer.

Zahra segurou sua mão e o cumprimentou. Os dois olharam para a moto que estava estacionada na frente da livraria e respiraram fundo. Ambos tiveram um sentimento estranho, era como se não quisessem dizer "adeus". Zahra deixou tomar-se por um impulso e pediu:

– Posso pedir um favor? Você aceita me levar de moto até um lugar não muito longe?

– Claro, senhorita, mas...

Zahra o interrompeu com um sorriso no rosto.

– Senhorita, não! Eu creio que nós temos idades parecidas. Pode me chamar de você.

– Mas, senhorita... Digo, você... Você quer ir aonde?

– Eu sempre quis conhecer o Parque do Ibirapuera. Eu passo dias olhando e admirando o Parque do alto, na minha varanda, porém nunca visitei o local.

– Mas você quer ir lá agora? Já está tarde. Acredito que o Parque esteja fechado. Se quiser, podemos ir amanhã que é domingo.

– Se não se importa, gostaria mesmo de ir agora. A noite está linda e amanhã será um novo dia e não sei se terei a oportunidade de ir. Já se recuperando do seu momento de impulsividade e devido ao silêncio de Gabriel, Zahra decidiu desistir da ideia. Agradeceu, então, por toda a ajuda, virou-se e caminhou em direção à rua que dava para o seu prédio.

– Não! Não vá. Se realmente quer ir até o Parque, eu te levo. Francamente, eu nunca fui até o Parque do Ibirapuera à noite, então, por que não aproveitar essa oportunidade? – Embora não estivesse com vontade de ir até o Parque àquela hora da noite, não quis perder a oportunidade de conhecer Zahra melhor. Gabriel coçava a nuca enquanto dizia: – Vamos pegar um táxi e ir até lá. Creio que fica a apenas uns dez minutos de onde estamos.

– Táxi não, vamos de moto!

– Moto? – estranhou. – Mas e o que aconteceu com o seu trauma de moto depois do acidente? Pensei que depois de quase ter morrido atropelada, você nunca mais iria querer ver uma moto na sua frente.

– E quem disse que eu fiquei com trauma? Foi você quem mencionou a palavra trauma. Eu, não. Na verdade, eu estou pronta para encarar esta aventura!

Gabriel aceitou a proposta e a ajudou a subir na moto. Em seguida, deu partida e, assim que sentiu que ela tinha se acomodado e estava segura na moto, dirigiu rumo ao Parque. O caminho até o Parque, de onde estavam, era só descida. Zahra sentiu forte sensação de liberdade que há muito não experimentava. Estava tão feliz que sequer notou que estava sem o seu lenço, e seus cabelos estavam voando soltos pelo ar. Em certo momento, a moto passou por uma lombada, e Zahra, assustada, rapidamente enlaçou seus braços à cintura de Gabriel e o abraçou com força. Naquele momento, ele sorriu e voltou a sentir o mesmo calor tomar conta de seu corpo, com a mesma intensidade que havia sentido quando a segurou pela primeira vez, na cena do acidente. Gabriel, com uma de suas mãos, pressionou a mão de Zahra contra a sua costela e disse: – Fique tranquila, você está segura comigo.

Quando chegaram até a entrada do Parque, viram que os portões estavam fechados à visitação. Gabriel foi até o local onde estava a placa de informação a fim de checar os horários de funcionamento e, quando olhou para trás, viu Zahra já escalando a grade de proteção.

– Ei, o que faz aí? – ele perguntou surpreso.

– Esta oportunidade é única, vamos! – Zahra respondeu e, logo em seguida, saltou para o outro lado da grade, aterrizando no gramado.

Mais uma vez, Gabriel coçou a nuca sem saber o que fazer, porém, assim que viu Zahra correndo em direção ao interior do Parque, pulou na grade e a escalou, seguindo os passos de Zahra. Ao chegar do outro lado, correu atrás dela sem saber para onde ela o guiava. Os dois correram até se aproximarem do lago. Zahra, então, parou e ficou imóvel admirando o grande lago.

– Você é bem diferente do que imaginei – disse Gabriel sem fôlego.

– Hoje eu decidi que vou recuperar o tempo perdido. Perdi muito tempo da minha vida, presa, sem vida. Hoje eu decidi que vou tomar um novo rumo na minha vida. Eu vou viver! Zahra respondeu ao mesmo tempo em que erguia seus braços no ar.

Sem entender do que ela falava, Gabriel agachou-se, tentando recuperar o fôlego: – Olha, só não corre mais não, por favor. Eu não sabia que estava tão fora de forma assim – disse ainda sem fôlego. – Eu me mudei para São Paulo para cursar a universidade e faz tempo que não faço atividades físicas – Gabriel sentou-se no chão e Zahra o acompanhou sentando-se ao seu lado.

– Você me surpreende. Parece ser tão atlético. Mas tudo bem, não se preocupe. Não vou correr mais, prometo – Zahra disse rindo. – Eu queria muito ver este lago de pertinho. Lá de cima do meu apartamento, só consigo ver um pontinho verde e sempre imaginei como seria o Parque e o lago.

Ao redor do Parque, podia se ver os altos prédios da cidade, e Zahra ficou por algum tempo tentando encontrar o seu. Depois de certo tempo, reparou que Gabriel a encarava sem dizer nada.

– Desculpe te encarar assim. Eu estava admirando você, seu rosto... Seus cabelos...

– Cabelos? – ela o interrompeu, assustada. Até, então, Zahra não tinha se dado conta de que estava sem o seu lenço. – Meu lenço! – exclamou, preocupada.

– Ah, sim, lembrei. Você estava, sim, com um lenço na cabeça, mas na hora que os paramédicos chegaram, eles o removeram. Desculpe, mas eu estava tão preocupado com você que nem me lembrei de guardar o lenço.

– Não... Não se preocupe. "O Farzin vai me matar", pensou. No mesmo instante, segurou o cabelo e fez um rápido "rabo de cavalo", o torceu e o colocou sobre o ombro direito.

– Não faça isso. Seu cabelo é tão bonito solto. Reparando que Zahra ficara em silêncio, Gabriel se desculpou. – Desculpe, não quis te dizer o que fazer com o seu cabelo. Com lenço, sem lenço, solto ou como você o colocou agora, quero que saiba que é bonita de qualquer jeito. Bonita não, você é linda de qualquer jeito.

– Na verdade, eu não costumo sair com o cabelo assim, à mostra. Eu não posso – Zahra calou-se, com medo de assustar Gabriel ao lhe contar sobre Farzin, e preferiu mudar de assunto. – Conte-me sobre você. Você já sabe o bairro em que moro. Já me viu sem o lenço... E você, me conte um pouco sobre você.

Os dois deitaram-se no gramado e ficaram confortáveis embaixo de uma árvore em frente ao lago. Gabriel contou a ela que ele tinha nascido e se criado no sul da Bahia, e que seus pais juntaram dinheiro a vida inteira para que, quando ele crescesse, eles pudessem pagar-lhe os estudos de medicina em São Paulo. Enquanto narrava sua história de vida, Zahra prestava atenção em cada detalhe. Ela tentou, porém não conseguiu deixar de admirar sua pele morena e seus olhos castanhos. Gabriel tinha o cabelo castanho-claro e bem liso e, de tempos em tempos, a franja lhe caía pelo rosto e com a mão ele arrumava e ajeitava para trás. Em certo ponto, as mãos dos dois se encontraram. Ambos sentiram como se tivessem borboletas no estômago. Zahra rapidamente recolheu sua mão evitando contato mais prolongado.

Os dois conversaram por muitas horas, ali debaixo da árvore. Zahra contou sobre sua infância em Marrocos. Lágrimas caíram de seus olhos quando se lembrou dos queridos pais. Zahra ficou em silêncio, sabendo que se continuasse a recordação, iria dar vazão a um pranto que há muito estava abafado. Gabriel respeitou o seu silêncio, e apenas pousou sua mão sobre a dela e acariciou. Por um motivo que não soube explicar, ela omitiu o fato de ser casada.

– Vamos mudar de assunto... Quero saber de você – disse Zahra com um sorriso nos lábios. – Você disse que é da Bahia, certo? Gabriel balançou a cabeça afirmativamente, e Zahra continuou: – É verdade que na Bahia todos gostam daquele ritmo de música chamado "atchié"?

Gabriel deu uma gargalhada achando engraçado e ao mesmo tempo muito gracioso o sotaque e o erro de Zahra ao dizer a palavra "axé".

– Disse algo errado? – perguntou Zahra, sentindo-se envergonhada.

– Não, não... Desculpe, não quis ser rude quando ri de você. Apenas acho o seu sotaque muito bonito. Dá vontade de te ouvir mais e mais. Na verdade, a palavra certa é axé. Pronuncia-se: a-xé com acento no "e" – ele pausou por alguns instantes e ficou a admirar os olhos amendoados dela. Seus olhos brilhavam e emitiam o reflexo do brilho do luar. – Sim, você está certa. O axé é um ritmo que nasceu na Bahia, muita gente no meu Estado adora axé. Inclusive, agora no Carnaval, a maioria das pessoas está em festa dançando ao som de axé. Mas eu, sinceramente, não sou muito fã. Meus pais são um pouco diferentes, sabe? Meu pai gosta de bandas americanas de rock e minha mãe é uma grande fã de Bon Jovi.[2] Eu cresci ouvindo a banda Bon...

– Bon Jovi? Não vai me dizer que você é fã deles? – perguntou Zahra às gargalhadas. Eles fizeram sucesso nos anos oitenta ou noventa, sei lá. Um pouco velho para você, não acha?

Gabriel deu um pulo e ficou de pé no gramado.

– Bon Jovi é maneiro – ele disse. Em seguida, levantou os braços e os posicionou como se segurasse uma guitarra. – Sim, eu também curto Bon Jovi! – como se fosse um adolescente, fazendo gestos como se tocasse uma guitarra, Gabriel cantarolou o refrão da música da banda chamada: "In these arms" [3]:

*I'd hold you (eu te abraçaria)*
*I'd need you (eu precisaria de você)*
*I'd get down on my knees for you (eu ficaria de joelhos por você)*
*And make everything allright (e faria tudo ficar bem)*
*If you were in these arms (Se você estivesse entre os meus braços)*
*I'd love you (Eu te amaria)*
*I'd please you (eu faria tudo por você)*
*I'd tell you that I'd never leave you (Eu lhe diria que eu nunca iria deixar você)*
*And love you 'til the end of time (E eu te amaria até o final dos tempos)*
*If you were in these arms tonight (Se você estivesse entre os meus braços hoje à noite).*

---

2 **Bon Jovi** é uma banda estadunidense de hard rock, formada em 1983 no Estado de Nova Jersey. Até hoje, já foram vendidas mais de 130 milhões de cópias de seus trabalhos. Em turnês, o grupo já passou pelos cinco continentes.

3 "In These Arms" é o terceiro single do álbum **Keep the Faith** da banda Bon Jovi, pela gravadora Mercury Records.

Zahra levantou-se e acompanhou Gabriel. Com uma das mãos, fazia um gesto como se estivesse segurando um microfone e cantarolou junto a ele. Balançando a cabeça para frente e para trás, assim como os cantores de rock, eles riam enquanto cantavam aquela música da banda. As risadas foram aumentando a tal ponto que não conseguiram mais cantar. Zahra sentou no gramado novamente e inclinou-se para trás apoiando-se em seus braços. Seus longos cabelos tocavam a grama e seus olhos olhavam para o céu. Zahra ria muito em voz alta, uma risada contagiante, e Gabriel logo se juntou a ela e sentou no gramado ao seu lado.

– E aí? Acha que o Jon Bon Jovi[4] ficaria orgulhoso de mim ao me ouvir cantar?

– Com certeza – pausou por alguns instantes. – Que não! – brincou Zahra.

– O quê? Acha que canto tão mal assim?

– Quer saber de verdade? – perguntou, provocando.

– Sim! – Gabriel, com ar jovial, bateu em seu peito quando disse: – Sou forte. Pode mandar a verdade que eu aguento.

– De verdade, eu adorei. Acho que o Jon não iria gostar de te ouvir, pois se sentiria ameaçado porque você canta melhor que ele, e ele teria medo de perder os fãs dele para você!

– Ah... Também não exagera – brincou.

– Verdade, eu gostei muito. Não sou muito fã deles, porém, com você cantando, até me deu vontade de cantar junto.

Naquele instante, Gabriel levantou-se e ajoelhou-se em frente à Zahra e cantou outra música romântica da banda. Desta vez, Zahra não o acompanhou, apenas o olhou fundo nos olhos enquanto ele cantava para ela. Ela fechou os olhos e respirou fundo, ouvindo a canção com muita atenção, aproveitando cada palavra.

---

4  **Jon Bon Jovi** (nome artístico de John Francis Bongiovi). É o líder da banda Bon Jovi, que mantém algumas características do estilo hard rock dos anos oitenta até hoje, mas assimilou influências dos variados estilos surgidos no rock e heavy metal desde o seu álbum de estreia, em 1984.

– Quando eu era pequeno, minha mãe me levou ao estádio para assistir a um show da banda. Foi um dos melhores dias da minha vida. Mais pelo fato de poder ver minha mãe feliz, realizando um sonho. Os olhos dela brilhavam de tanta alegria. Ela pulava, cantarolava junto com eles. Eu passei a maior parte do show admirando-a e a sua alegria.

– Você deve gostar muito dela...

– Gostar só não! Eu amo! Ela e meu pai são as pessoas que eu mais amo no mundo. Eles são os melhores pais do mundo. Sempre me trataram como um ser humano. Nunca tentaram me moldar em algo que eles queriam que eu fosse. Sabe quando os pais tentam controlar todos os passos do filho, os matriculam em dezenas de cursos e classes de natação, judô, inglês, chinês, tudo sem ao menos consultar os filhos? Sem perguntar aos filhos o que é que eles querem fazer. Conheci um garoto nas aulas de natação que odiava nadar. Ele odiava muito aquelas aulas. Para ele, nadar era um sacrifício a que tinha de se submeter três vezes por semana. Sua mãe sentava lá fora da piscina e olhava, pela janelinha, o garoto nadar. Qualquer um podia ver que aquelas aulas o deixavam infeliz, menos ela. Sua vontade de transformar o filho em algo que ela queria era tão grande, que nem enxergava a insatisfação do filho. Já comigo não. Meus pais sempre me respeitaram. Eles me educaram e me ensinaram o certo e o errado da vida, porém, o tempo todo preservando a minha individualidade.

Os dois ficaram ali no Parque do Ibirapuera, conversando e brincando por muitas horas, noite afora. Foi só depois de muito tempo que eles se levantaram e voltaram para o local onde estava a moto. Gabriel subiu primeiro e, assim que Zahra se acomodou na garupa, uma chuva inesperada desabou forte sobre eles. Era uma tempestade de verão com direito a trovão e relâmpagos.

– De onde veio esta chuva? O céu estava limpo até agorinha há pouco – perguntou Zahra já toda encharcada de chuva.

– Você não reparou nas nuvens que se formaram... Era questão de tempo para esta chuva cair.

Gabriel decidiu esperar a chuva passar, pois não seria prudente pilotar a moto debaixo de toda aquela tempestade. Trovões faziam um imenso barulho no céu, enquanto Zahra e Gabriel corriam procurando um local para se abrigar. Sem nenhum abrigo perto, em poucos segundos eles estavam encharcados.

– Você está tremendo de frio. Venha aqui – Gabriel a puxou para próximo dele e a abraçou carinhosamente.

Com os cabelos molhados, Zahra descansou sua cabeça no peito de Gabriel. Debaixo da chuva que caía forte, abraçados, ficaram em silêncio, aproveitando a companhia um do outro. Zahra pôde ouvir as batidas do coração dele, que estava bastante acelerado. Com um movimento brusco de seu braço, Zahra derrubou sua bolsa que acabou caindo dentro de uma pequena poça d'água. Os dois abaixaram no mesmo instante para pegar a bolsa e seus lábios se tocaram. Gabriel aproveitou e colocou suas mãos no rosto de Zahra e forçou sua boca junto a dela. Um imenso calor invadiu seus corpos e tomou conta de ambos. O tempo pareceu parar. Os trovões já não estalavam mais, e a chuva parecia não incomodar. Seus corações acelerados lhes incitavam a continuar aquele beijo apaixonado, repleto de amor e ao mesmo tempo proibido. Suas mãos grandes e morenas seguravam o rosto de Zahra cada vez com mais ardor. O beijo ganhou a cada minuto mais paixão e calor.

O estalo de um relâmpago no céu, acompanhado pelo grande ruído de um trovão, despertou Zahra daquele momento de felicidade.

– Não posso! – disse ao mesmo tempo em que empurrou Gabriel para trás, interrompendo o beijo. "Farzin! Sou casada... não é certo com Farzin", ela pensou, enquanto pegava a bolsa que estava toda molhada dentro da poça d'água.

– Desculpe. Pensei que você também estivesse gostando do nosso beijo. Aproximando-se dela novamente, tentou colocar sua mão em volta de sua cabeça, mas Zahra esquivou-se.

– Preciso ir.

– Precisamos esperar a chuva acalmar. Não me sinto seguro em dirigir a moto agora, a visibilidade não está boa.

– Eu vou andando mesmo. Preciso ir – virou-se para iniciar a caminhada, mas Gabriel a segurou pelo braço e, gentilmente, a puxou para junto dele. Zahra deixou-se abraçar por ele e, mais uma vez, ficaram juntos entrelaçados e aquecidos pelo calor da paixão.

Ele levou a mão dela junto ao seu peito esquerdo e perguntou:

– Está sentindo? Meu coração nunca bateu tão forte e tão acelerado em toda a minha vida! Olhando fundo nos olhos dela, ele disse: – Ele está fazendo "tum, tum, tum, tum".

Zahra sorriu e assentiu:

– Verdade, está parecendo um "tamburilo".

– Tamburilo?

– Sim, daqueles instrumentos de samba, eles fazem "tum, tum, tum..."

Gabriel riu alto e a abraçou com mais força ainda.

– Você é muito graciosa! É tamborim. O instrumento chama-se tamborim e, sim, ele faz "tum, tum, tum", assim como o meu coração por você!

Os dois riram juntos e permaneceram enlaçados um ao outro, ambos desejando que aquele momento nunca acabasse. Após longo silêncio, Gabriel disse:

– Eu não sei explicar o que estou sentindo, mas sinto que quero ficar aqui, abraçado a você, te proteger do mundo e não deixar que nada de mal atinja você. Como naquela música do Bon Jovi que cantamos no Parque. Estou sentindo meu corpo inteiro arder e nunca antes havia me sentido assim. Quero ser o seu príncipe, como você me chamou quando eu te segurei nos meus braços, no local do acidente.

A chuva ainda caía forte sobre os dois e não dava sinal de que cessaria tão cedo. Com a cabeça encostada ao peito de Gabriel, Zahra queria lhe dizer que sofria. Queria dizer que há muito não era feliz. Que há anos não sentia a chuva molhar sua pele, enquanto o coração batia acelerado de excitação e felicidade. Contar-lhe do quanto se sentia presa, sem direito de ser ela mesma, sem poder tomar decisões por conta própria, tendo de receber autorização do marido para dar um pequeno passo que fosse. Gostaria de confessar o que havia sentido – um imenso calor quando seus carnudos lábios morenos tocaram o lábios dela, uma ardência tão grande que parecia que seu coração saltaria pela boca. Mas ela não disse nada. Em vez disso, deu um beijo ao pé do pescoço de Gabriel. Injetou através daquele beijo todo o amor que havia guardado dentro de si por todos aqueles anos em que vivia reprimida.

– Me desculpe, mas eu preciso ir! – ela disse antes de começar a correr pelas ruas e sumir de vista. Correu tão rápido e tão inesperadamente que sequer deu tempo para Gabriel alcançá-la.

# Capítulo 13
## O despertar da liberdade

Zahra voltou para casa ensopada da chuva, os cabelos molhados, pingando água por todo o apartamento. Sentia como se tivessem milhares de borboletas dentro de seu estômago, de tão feliz que estava. Foi correndo para a sua varanda e, quando chegou próxima à mureta, abriu os braços bem largos e gritou bem alto:
– Estou viva! Vivaaa!!! – rindo alto, comemorou o fato de estar se sentindo feliz. Pela primeira vez em muitos anos, tinha vivido uma experiência forte. Lembrou-se de tudo o que havia ocorrido no último dia: os momentos felizes com Silvia e sua família, a volta cantando o samba no carro com Silvia, o momento em que atravessou a rua e o acidente. E, claro, lembrou-se das últimas horas ao lado de Gabriel. Recordou cada segundo ao lado dele, desde o encontro no hospital, ao passeio de moto pelas ruas rumo ao Parque, a longa conversa em frente ao lago e o banho de chuva.

Sentia-se viva, como não se sentia há muitos anos. Um sentimento de imensa felicidade dominava todo o seu corpo e sua alma. Tirou o livro que Silvia lhe dera de dentro da bolsa e, ao perceber que o livro estava todo encharcado de água da chuva, colocou-o para secar sobre um banco na varanda. Zahra tirou sua roupa e caminhou, nua, pelo apartamento. Dançou pela sala ao som da música de Gonzaguinha que tinha ouvido no carro com Silvia. Embora a música tocasse apenas em sua mente, ela podia ouvir todas as batidas dos tamborins, do pandeiro e a voz contagiante da cantora Beth Carvalho.

– É a vida, é bonita e é bonita – Zahra cantava alto e feliz. Logo depois, cantou músicas antigas, que ouvira em sua infância e adolescência em Marrocos e continuou a dançar. Lembrou-se dos momentos felizes de sua infância. Momentos de muita simplicidade, sem nenhum tipo de luxo, porém de muita alegria. Quando já estava sem fôlego de tanto dançar, deixou-se cair sobre o tapete macio e, deitada no chão da sala, entendeu que as maiores riquezas materiais da vida não podiam pagar nem substituir a maior riqueza de todas, que era a sua liberdade. Em seguida, imaginou o marido ali presente naquele momento.

"Nunca que Farzin aprovaria esta cena. Eu aqui toda molhada de chuva dançando nua pelo apartamento, e a água escorrendo por todos os cantos", ela pensou enquanto ria sozinha. Deitada no tapete, com seus cabelos ainda encharcados de água e esparramados para os lados, ensopando o tapete, imaginou qual seria a expressão de Farzin ao ver que seu tapete luxuoso persa estava todo encharcado de água. "Na certa, me chamaria atenção", pensou. "Não, não, com certeza, ele teria um ataque do coração", e riu alto. Pensou no dia agradável que tivera. Não precisara de luxo algum. Não precisara de motorista, nem roupas de luxo compradas no exterior, de comidas extravagantes e de preços absurdos. Comera uma comida simples, uma deliciosa macarronada na casa de Silvia e depois um bolo de cenoura com calda de chocolate. Lembrou-se de como todos brincaram e se divertiram ao ver o nariz do Paulo coberto de chocolate. Logo mais aprendeu uma letra de samba, um ritmo que nunca havia escutado antes, e adorou. Quase morrera atropelada e, após quase ter morrido, apaixonou-se por um lindo jovem desconhecido. "Vivi mais emoções nestas últimas vinte e quatro horas do que vivi em todos os meus anos de casada", pensou. Zahra aprendeu, então, que a felicidade mora na simplicidade e no coração daqueles que amam a vida.

## Capítulo 14

## O sequestro

Enquanto isso, na Praia dos Encantos, os turistas e foliões já tomavam conta de todo o vilarejo. As ruas, o comércio e a praia estavam todos lotados de crianças, jovens e adultos.

Naquele sábado de Carnaval, Maria havia acordado cedo. Estava bem disposta, limpou toda a sua casa antes do bebê acordar e, logo que ele acordou, deu de mamar e saiu para passear com ele. Magrelo acompanhou os dois. Até Magrelo parecia estar mais disposto e feliz por ver que Maria estava alegre. Maria levou o bebê até a praia onde o apresentou ao mar pela primeira vez. Sentada na areia da praia com Salvador em seu colo, de tempos em tempos, beijava o rostinho do bebê com muito carinho. Apontando o mar de água cristalina, ela disse:

– Veja esse marzão, meu filho. Ele é o nosso quintal. Nesta praia aqui a mamãe já sorriu bastante, já chorou e também já amou muito. Apontando para as palmeiras ao longo da praia, disse: – Aquele é o nosso jardim.

O bebê a olhava atento e era como se estivesse entendendo o que ela lhe dizia. Olhando bem fundo nos olhos dele, Maria prometeu:

– A mamãe promete que estará sempre do seu lado. Você será meu companheiro e eu, além de mãe, quero ser a sua melhor amiga. Juntos nós vamos ser muito felizes, eu prometo.

Quando o sol começou a esquentar, Maria deixou a praia, voltou ao vilarejo, passeou pelas ruas lotadas de turistas até chegar à quitanda de Isabel para visitá-la. Isabel ficou muito contente em ver a amiga tão bem disposta e, finalmente, tocando a vida para frente. Isabel queria utilizar daquele momento com Maria para lhe dedicar o seu tempo e incentivá-la ainda mais a focar os pensamentos positivos. Juntas, almoçaram e, durante a tarde, enquanto o bebê dormia tranquilo na cama de Isabel, Maria até ajudou com alguns afazeres da quitanda.

No final da tarde, antes de voltar para casa, Maria lembrou-se de que a ração de Magrelo havia acabado. Isabel sugeriu que Maria voltasse para casa com Salvador e deixasse Magrelo com ela para ser alimentado, e mais tarde ela o levaria de volta e também um pacote de ração. Maria concordou com a sugestão da amiga e rumou com o bebê para casa. Ela não notou, em momento algum, que estava sendo seguida e vigiada por uma dupla de homens. Os dois homens misteriosos, disfarçados em meio aos muitos turistas e foliões, vigiavam seus passos desde o início daquela manhã. Os dois a observavam há muitos dias. Ficaram sabendo de sua predisposição para a bebida alcoólica, encontrando ali sua fraqueza e a porta de entrada para a realização de seus planos.

À noite, após colocar Salvador para dormir no berço, Maria sentou-se na sala em frente à televisão e, então, sua mente voltou a alimentar pensamentos negativos. Logo a figura de José lhe veio à mente e a sua obsessão pelo marido voltou a aterrorizar seus pensamentos. Maria tirou um porta-retrato com uma foto do casal, de dentro de uma das gavetas da estante da sala, e beijou a foto várias vezes. Abraçada ao porta-retrato, Maria chorou lágrimas de muita tristeza e passou a chamar por José. Imersa em seus pensamentos obsessivos, seus lábios e sua garganta tornaram-se secos, e o gosto da bebida alcoólica, então, veio à sua mente. No mesmo instante, ela avistou uma garrafa de bebida na prateleira da estante. Maria correu até lá e rapidamente abriu a garrafa e bebeu em longos goles a bebida que, como um poderoso veneno, entrou em seu corpo causando-lhe danos físicos e mentais.

Horas mais tarde, Maria, totalmente embriagada, caiu em sono profundo, esparramada sobre o sofá na sala. Aproveitando-se da situação, os dois homens, ambos vestidos com fantasias carnavalescas, que serviam de disfarces, finalmente entraram na casa.

Enquanto um dos homens vigiava Maria, em caso dela acordar, o outro se dirigia até o quarto onde estava o berço do bebê. Salvador acordou assim que o homem o segurou e, pressentindo perigo, agitado, ele começou a chorar. Maria estava tão fora de si que não despertou com o choro do filho. O homem colocou Salvador dentro da mochila e correu até a sala onde Maria dormia. O comparsa que aguardava na sala juntou-se a ele e os dois deixaram a casa. O choro do bebê foi abafado pela música alta que tocava nos vários alto-falantes espalhados pelas ruas do vilarejo. Correndo pelas ruas, em meio aos foliões, graças aos seus disfarces, os dois criminosos conseguiram fugir com o bebê sem chamar atenção.

\*\*\*\*

Enquanto isso na quitanda, Isabel sentia-se agoniada. Não conseguia parar de pensar em Maria. Magrelo sentia a mesma aflição. Latia sem parar, como se estivesse pedindo para voltar à sua casa e checar se Maria e o bebê estavam bem.

— Maciel, estou sentindo um aperto forte no peito. Uma aflição. Não paro de pensar em Maria — disse Isabel ao marido enquanto desatava o nó do avental. — Eu vou até a casa dela rapidinho. Vou levar-lhe este prato de comida que preparei para o jantar. Eu já volto! Olhando para o cachorro que estava a rodear, disse: – Vamos, Magrelo, venha comigo!

Quando chegou próximo à casa de Maria, sua aflição aumentou quando percebeu que o portão de entrada e a porta da casa estavam totalmente escancarados. Magrelo latia alto. Isabel apertou o passo, já pressentindo algo errado. Assim que entrou, encontrou Maria deitada no sofá envolta a um cheiro forte de bebida alcoólica. Ao seu lado, uma garrafa já quase vazia.

– Maria! – disse em voz alta. Você andou bebendo novamente! – tentou acordar Maria que apenas balbuciou algumas palavras. – Acorde, Maria, acorde! – Maria despertou após Isabel muito insistir.

Seguindo sua intuição, Isabel foi depressa até o quarto e viu que o berço estava vazio.

– Maria, cadê o Salvador? Onde está seu bebê, Maria? – Isabel gritou do quarto. Assustada, checou a cama de casal de Maria, olhou o chão e rapidamente foi tomada pelo pânico. Em seguida, correu até a sala gritando: – Maria, me diz onde está o seu filho? Cadê Salvador?

– Calma, Isabel – Maria respondeu com os lábios moles. – Ele está no berço dormindo. Eu o deixei dormindo e vim até a sala...

Isabel segurou a amiga pelos ombros com firmeza:

– Preste atenção, ele não está no berço. Eu verifiquei a sua cama, olhei embaixo, já revistei todo o chão e todos os cantos do quarto. Ele não está lá!

Maria foi, então, tomada pelo pânico. Um frio subiu-lhe pela espinha. Com dificuldade, ela levantou do sofá e foi até o quarto. Desesperada, revirou a roupa de cama, levantou o colchão, olhou todos os cantos do quarto e constatou o que seu coração já lhe dizia: seu filho havia desaparecido.

– Salvador! – gritou em agonia. – Meu filho, volte! Salvadorrr!!!

– Pelo amor de Deus, Maria, pense com cuidado, o que foi que aconteceu... Cadê seu filho?

– Eu não sei. Eu o deixei aqui no berço e fui para a sala. Eu caí no sono e logo você chegou.

– Quanto tempo faz que você começou a beber? Ele ainda estava acordado quando você começou a beber?

– Não, de jeito algum. Ele estava dormindo. Eu fui para a sala e, depois de algum tempo, pensei no José e na saudade que eu sinto dele. Me bateu muita saudade do José, sabe?

Isabel, furiosa a interrompeu:

– Sim, e você começou a beber e se embriagou a ponto de cair de bêbada no sofá! Irritada, Isabel não conseguiu se conter e gritou ainda mais alto: – Sua bêbada! Veja o que você fez!

Maria pôs-se a chorar, passando a mão sobre o colchão do berço onde o bebê costumava dormir. Isabel foi em direção à porta da casa e, antes de partir correndo, disse:

– Vou pedir ajuda ao Maciel e aos moradores. Pedir a todos que procurem por ele. Vou também chamar a polícia e avisar o que aconteceu. Enquanto isso, se enfie debaixo do chuveiro e tome um banho de água fria para acordar. Você precisa estar sóbria para tentar pensar no que possa ter acontecido com ele e ajudar a polícia com informações. Após a saída de Isabel, Maria deixou-se cair ao chão em prantos.

Isabel acionou a polícia, que foi imediatamente à casa de Maria colher mais informações. Os moradores do vilarejo se juntaram e formaram grupos de busca, vasculhando todos os arredores. As buscas foram madrugada adentro, porém ninguém encontrou sinal algum do bebê ou dos seus raptores.

# Capítulo 15

## Obcecado

Na cidade de Salvador, Farzin andava em círculos dentro do seu quarto de hotel. Impaciente, esperava por notícias da quadrilha. A falta de notícias e o barulho da música vindo das ruas o estavam deixando cada vez mais irritado.

— E esta mulher que não para de cantar e pular lá fora? Vou ficar doido com este barulho todo! – disse para si mesmo em voz alta.

Farzin saiu na pequena varanda e olhou a imensidão de pessoas que pulavam e cantavam ao som da cantora que estava com sua banda em cima do trio elétrico. A multidão de foliões na orla marítima parecia aumentar a cada minuto.

— Ela é maravilhosa, não acha? – perguntou uma senhora que estava sentada na varanda do quarto ao lado, acompanhada de seu marido. Farzin fechou a cara e entrou de novo no quarto sem responder à senhora.

A porta do quarto se abriu e Roberta, uma das chefes da quadrilha, entrou rapidamente. Ela usava um boné que servia para esconder o seu cabelo. Ela tirou os óculos escuros e colocou a bolsa sobre a cama de casal.

– Sua mercadoria – ela disse friamente ao abrir o zíper da bolsa e revelar o bebê.

– Finalmente. Não aguentava mais ficar preso neste quarto. Por que demorou tanto?

– E por acaso você acha que encontrar um bebê novinho e do sexo masculino como você pediu e roubá-lo da mãe é o mesmo que pedir uma pizza no disque entrega? Pois não é assim tão fácil, meu querido. Meus companheiros precisaram dirigir lá do fim do mundo onde este bebê nasceu, um lugar chamado Praia dos Encantos, e tiveram de enfrentar estradas de terra e tomar muito cuidado com a polícia até chegar aqui na capital – Roberta sacou de um dos compartimentos da sacola vários objetos de bebê como mamadeira, chupetas e também leite em pó e fraldas. – Você tem aqui o suficiente até chegar à sua casa.

– Você conseguiu todas as certidões que eu te pedi?

A mulher pegou uma pasta de documentos de um dos compartimentos da bolsa e disse:

– Sim, aqui estão todas as certidões que dizem que esta é uma adoção legítima – ela sacudiu os documentos no ar. – Mas, antes você me deve o restante do dinheiro. Seduzindo-o, ela mostrou o decote em seu vestido, provando Farzin: – E, além do dinheiro, penso que poderíamos nos dar como bônus um momento de prazer. O que acha?

Com ar preocupado, Farzin olhou ao redor do quarto e em seguida retirou uma maleta de dentro do armário e entregou a ela:

– Aqui está o restante da quantia prometida. Notas de dólares, como você me pediu.

– Você está com uma fisionomia preocupada – ela, abrindo ainda mais o seu decote, disse: – Pois não precisa se preocupar. Todo o gerenciamento deste hotel faz parte do nosso grupo. Eu pedi para que desligassem todo o circuito interno de câmeras antes que eu chegasse. Eles não têm registro nenhum da minha chegada e farão o mesmo quando sairmos. Tudo o que tenho de fazer é telefonar para o gerente dez minutos antes da nossa saída, e eles desligarão todas as câmeras. Simples assim.

– E como é que a gente irá deixar o hotel? Você já deu uma olhada na multidão que está lá fora? Será impossível sair daqui sem que ao menos uma pessoa nos veja e sirva de testemunha?

– Testemunha? – Roberta deu uma risada sarcástica e apontou para a multidão nas ruas. – E você por acaso acha que alguém lá embaixo está sóbrio para ver alguma coisa que não esteja em cima daquele trio elétrico? Mesmo se um elefante cor-de-rosa com pintinhas brancas estivesse sobrevoando os céus, esse povo não notaria nada de estranho. Estão totalmente fora de si! É Carnaval, e tudo o que este povo tem na cabeça hoje é beber e dançar.

Roberta se aproximou de Farzin e, ao pé de seu ouvido, disse sussurrando: – Até hoje não me esqueci do beijo que você me deu na última vez que nos vimos. Eu quero agora é provar você por inteiro.

Farzin a segurou pelo pescoço e a beijou.

# Capítulo 16

## O amor é...

    Os policiais foram à casa de Maria avisar que as equipes de busca haviam procurado por todo o vilarejo, sem sucesso, pois pista alguma sobre o paradeiro do bebê havia sido encontrada. Os policiais ainda informaram que uma mensagem acerca do desaparecimento do bebê havia sido enviada a todos os aeroportos, portos marítimos e rodoviárias, e que também as buscas se estenderiam às cidades vizinhas. Os policiais, no entanto, não demonstraram muito empenho no trabalho, como se estivessem fazendo algo que fosse além de suas obrigações.

    Maria chorava desesperada, implorando aos policiais que encontrassem seu bebê. Ao que um deles deu um sorriso irônico, Isabel apontou-lhe o seu dedo indicador e disse em voz alta:

– Posso saber que sorriso é esse em seu rosto, policial? Qual é a graça que eu não estou entendendo? Por acaso está a zombar da gente?

– Ei, cuidado com o seu tom de voz! Posso te prender por desacato à autoridade – disse o outro policial.

– Desacato? – indignada, Isabel apontou para o policial que estava a sorrir ironicamente. – Não vê que minha amiga está sofrendo? É uma mãe que perdeu o filho, um bebê. Como podem tratar do nosso caso com tamanho desdém?

– Escute aqui, senhora, é Carnaval, feriadão, e nós estamos aqui, perdendo nosso feriado com o caso da sua amiga aí, que encheu o caneco até desmaiar e descuidou do próprio filho. Sua amiga, mãe de um bebê tão pequeno, se embebeda até cair e agora acha que está no direito de exigir alguma coisa? Nós temos muitos bêbados causando problema nesta época do ano, e sua amiga é apenas mais uma.

Os policiais deixaram a casa com a promessa de que entrariam em contato, caso tivessem alguma novidade.

– E agora, Isabel? O que eu faço sem meu filho? Se ao menos o José estivesse aqui para...

Isabel a interrompeu:

– Chega, Maria! Chega! Esqueça o José. Sacudindo a amiga, disse: – Não enxerga o tamanho do seu problema? Não percebe aonde a sua obsessão pelo José te levou?

– A culpa é toda dele! Ele me deixou aqui, mesmo sabendo o tanto que eu o amo!

– Não, a culpa não é dele. Ele não te ama, e foi claro e honesto com relação a isso. Nem o José nem ninguém é obrigado a ficar com outro alguém se não sente amor. Não quero entrar no mérito se ele terminou a relação de uma forma correta ou não, porém a verdade é que você é responsável pelo que aconteceu aqui com o Salvador.

– Então, você me culpa – ela disse chorosa. – Pensei que fosse minha amiga, quase uma mãe para mim, mas vejo que está do lado do José.

– Não ouse, você, duvidar da minha amizade e, além de tudo, do meu amor por você. É porque eu te amo como se fosse uma

filha que tenho o dever de ser sincera com você. Todos esses anos passando a mão na sua cabeça não te ajudaram em nada. Você não amadureceu, e o erro foi meu. Errei em achar que para ser boa com você eu tinha de te privar da verdade, e a verdade é que você é obcecada. Você, com sua obsessão pelo José, tem se entregado ao álcool e assim vem envenenando a sua própria vida. Muito nervosa e gesticulando sem parar, Isabel segurou as mãos de Maria:
– O Salvador sumiu porque você estava totalmente embriagada e impossibilitada de zelar por ele. Você está duvidando do meu amor por você, pois eu te digo o que é amor. Amor não é essa obsessão doida que você tem pelo José. Esta necessidade que você tem de estar com um homem do seu lado para ser feliz. Amor é querer ver a pessoa que a gente ama feliz, é querer o melhor para o outro. Amor é cuidar, é querer bem, é proteger e tudo isso sem exigir nada em troca! Hoje eu percebo que, para te proteger, eu tenho de ser sincera e não mais esconder de você os seus defeitos que te impedem de evoluir.

– Esse sentimento é maior do que eu, mais forte do que tudo. Eu tento dominar minhas emoções, mas eu não consigo. Eu penso na falta que ele me faz vinte e quatro horas. A dor que eu sinto chega a ser física, e eu não consigo pensar em mais nada que não seja ele e a falta que eu sinto dele, a rejeição que eu sinto.

– Pare de se punir pela partida do José. Relacionamentos acabam, simples assim. Ninguém foi criado por Deus para encontrar alguém e viver com esse alguém para toda a eternidade. Deus nos criou para sermos indivíduos. Somos seres únicos em busca de melhorarmos a nós mesmos, evoluir e nos purificar. Durante a nossa jornada rumo à nossa evolução, conhecemos pessoas diferentes e aprendemos com cada uma. O parceiro deve ser alguém que junto a nós nos faz melhores, nos faz bem e não o contrário. O relacionamento de vocês sempre foi doentio. Mas agora que ele se foi, você está livre, pense assim. Está livre para conhecer novas pessoas e aprender coisas novas. Quero que você foque no seu filho, que está em algum lugar precisando de você. Dirija a sua energia no amor que tem por ele e mantenha-se sóbria para enfrentar os desafios que a vida está te apresentando. Você precisará ser forte para trazer o seu filho de volta.

Maria permaneceu calada, cabisbaixa, enquanto Isabel falava. Não registrava o que Isabel lhe dizia. Estava tão perdida em seus pensamentos obsessivos, que não conseguia enxergar nada mais ao seu redor. Sua obsessão fechava suas portas e não deixava a felicidade entrar.

– Fique aqui e espere caso os policiais voltem com alguma notícia. Eu vou até a delegacia de polícia de Ilhéus, no centro da cidade. Com certeza, lá irão levar o caso mais a sério. Se precisar, acionaremos a televisão, os jornais e toda a mídia. Vamos lutar para conseguir recuperar Salvador. Isabel abraçou Maria com muita força e carinho e finalizou dizendo: – Eu estou com você. Seja forte, tenho certeza de que iremos encontrá-lo.

\*\*\*\*

A quilômetros de distância do vilarejo de Praia dos Encantos, na cidade de Salvador, Farzin estava prestes a embarcar com o bebê Salvador em seu avião particular, rumo à cidade de São Paulo.

Em momento algum se sentiu culpado por saber que estava participando ativamente do tráfico de um bebê. Sequer pensou na dor de quem havia perdido o filho para uma quadrilha. Sua mente estava totalmente focada em Zahra e em pensar que aquele bebê seria a salvação de seu casamento. Um bebê, com certeza, manteria Zahra casada com ele e a afastaria de pensamentos de liberdade.

Já acomodado no assento de seu avião particular, ele se virou e disse ao bebê que estava também acomodado ao seu lado:

– Você será o meu salvador, meu filho. Sem as tolices que ela anda pensando ultimamente, eu tenho certeza que a mamãe sempre estará ao meu lado e, assim, nós seremos uma família feliz.

# Capítulo 17

## A surpresa

Em São Paulo, Zahra havia acordado bem cedo e disposta naquela manhã. Embora tivesse dormido poucas horas, queria acordar cedo para colocar em prática o plano que tinha em mente. Deitada no chão da sala na noite anterior, após o passeio ao Parque do Ibirapuera com Gabriel, refletiu muito acerca de sua vida e de seu casamento com Farzin e chegou à conclusão de que o melhor seria pedir o divórcio.

Pensou em um plano: no passeio com Silvia, no dia anterior, viu um sobrado pequeno, porém muito bonito no bairro da Mooca, com uma placa na janela da frente anunciando que o imóvel estava disponível para aluguel. Conversaria com Farzin e explicaria a ele que já não sentia a paixão e o amor que sentira por ele quando se conheceram. Não iria culpá-lo por nada, apenas pedir que entendesse que queria ser livre, estar só por um tempo e vivenciar experiências que ainda não havia vivido. Era fluente em francês e inglês e poderia dar aulas particulares e assim ganhar dinheiro para seu sustento.

"Se for preciso, arrumo outros trabalhos, trabalho de vendedora, recepcionista, o que seja. Não importa quantos trabalhos eu precise para garantir o meu sustento, o que importa é minha felicidade. Sair desta situação. Está decidido", pensou.

Estava radiante de tanta alegria. A ideia de começar vida nova lhe dava muita motivação. Enquanto preparava um rápido café da manhã na cozinha, fazia planos e imaginava como seria seu futuro sem ninguém para controlar seus passos ou lhe dar ordens e criticá-la. Estava ansiosa para telefonar para Silvia e contar à amiga sua decisão. Olhou no relógio da cozinha e, como ainda era muito cedo, decidiu esperar um pouco. Naquele instante, o sorriso de Gabriel lhe veio à mente. Lembrou-se do momento em que cantaram músicas da banda Bon Jovi e começou a rir consigo mesma enquanto as memórias de Gabriel cantando e tocando sua guitarra imaginária lhe passavam pela mente. Por alguns minutos, deixou-se aproveitar da memória daquelas horas de felicidade passadas junto a ele. Lembrou-se de seu olhar meigo e, ao mesmo tempo, seguro. Suspirou fundo quando recordou do seu abraço forte e como se sentiu segura junto com ele.

– Não! Não é hora para pensar em romance ou em outro homem – balançou a cabeça enquanto falava alto consigo mesma. É hora de focar em minha vida. Vou seguir o conselho de Silvia, vou fazer terapia e... De repente, lembrou-se do livro dado por Silvia: – O livro! – ela correu para a varanda onde o havia deixado. – Ensopado! – disse folheando o livro e constatando que todas as páginas estavam ainda muito molhadas e com a tinta borrada. – Vou precisar comprar outro.

* * * *

No bairro da Mooca, Silvia havia acordado muito indisposta. Teve febre durante toda a noite e muita tosse. Paulo tinha acabado de sair para ir à farmácia a fim de comprar um antitérmico e um xarope para a tosse, quando o telefone tocou, era Zahra. Com a voz rouca, Silvia atendeu:

– Bom dia, minha querida! – disse Silvia com a voz rouca, porém com a mesma alegria de sempre. – O que você faz acordada tão cedo?

– Te acordei?

– De jeito algum. Já estava acordada. Na verdade, quase não dormi a noite passada, pois tive muita febre. O Paulo foi à farmácia comprar um antitérmico para mim. Não é nada demais, vai passar logo, tenho certeza. E aí, me conta de você, como está?

– Eu estou bem, na verdade estou ótima!

– Estou ouvindo no seu tom de voz. Estou sentindo a sua felicidade daqui. Conta, o que te faz tão feliz?

– Você, sua mãe, e ter visto Paulo comendo aquele bolo de cenoura... Tudo o que vivi ontem me trouxe uma felicidade que há tempos eu não sentia.

– Ah, o bolo de cenoura! – Silvia riu. – Nem me fale daquele bolo e daquela calda de chocolate! O Paulo sempre parece uma criança toda vez que faço aquele bolo.

– Vocês me ajudaram a perceber o quanto a vida é bela. Eu vi o quanto eu estou perdendo da minha vida por ficar aqui enclausurada neste apartamento. Você me ajudou a entender que a minha relação com o Farzin não é uma relação saudável tanto para ele quanto para mim. Nós dois precisamos nos separar para poder respirar e viver. Eu, me sentindo sufocada por todos esses anos, e ontem vocês me fizeram lembrar como é ser livre e ser eu mesma...

Silvia estava ouvindo Zahra bem atenta. Queria muito bem a ela e pensava em várias formas de poder ajudá-la. Zahra continuou:

– Eu, então, tomei a decisão de pedir a separação. Quero retomar a minha vida. Se precisar, vou trabalhar nas ruas vendendo "cacada" mas não fico mais casada com ele.

– Zahra, você disse "cacada"?

– Sim, eu vi aquelas senhoras na rua vendendo aqueles doces de coco, sabe?

– Ah! – Silvia soltou uma gargalhada alta que fez a sua garganta doer ainda mais. – Você quis dizer cocada! O doce chama-se cocada e não cacada.

As duas riram ao telefone. Silvia ainda sentia o corpo dolorido e tossia muito, porém não conseguia parar de rir.

– Você é muito graciosa, minha querida, e te digo mais, não precisará vender cocada. Você fala muitas línguas e pode arrumar um trabalho em empresas que precisem de alguém multilíngue igual a você.

– Sim, nem que eu tenha de trabalhar em vários empregos diferentes para conseguir me sustentar sozinha, eu não me importo. Até cacada... Digo, cocada, eu vendo, mas não fico mais com ele!

– Minha mãe mora em um sobrado enorme aqui perto e sozinha. Por que você não se hospeda com ela por enquanto até se acertar? Tenho certeza de que ela vai adorar a ideia. Se quiser, posso falar com ela agora pela manhã.

– Eu adoraria. Claro, se não for incomodar... Caso ela não se importe, eu já vou hoje mesmo. Posso voltar depois, quando o Farzin voltar de viagem e conversar com ele...

– Vá arrumando suas malas, tenho certeza de que minha mãe vai adorar a ideia de te hospedar na casa dela por uns tempos. Vou telefonar para ela e já te retorno para confirmar.

Assim que desligou o telefone, Zahra deu pulos de alegria. Olhou ao redor e se sentiu feliz por deixar aquele local. Desde que chegou àquele apartamento, sentia-se presa; apelidara o apartamento de gaiola de ouro, pois ela se comparava a um pássaro que vivia engaiolada em uma gaiola de luxo.

Apressou-se a fazer suas malas, ajeitando apenas os pertences mais necessários. Queria uma vida totalmente nova. Assim que começasse a trabalhar, compraria roupas e sapatos novos e daria os antigos para a caridade.

Capítulo 17 — A surpresa  107

– Vida nova! – gritou. – Liberdade! De hoje em diante, serei livre novamente! Livre!!!

\* \* \* \*

Horas mais tarde, Zahra já estava preparada para a partida. Silvia havia telefonado para confirmar que sua mãe havia adorado a ideia e estava muito feliz em saber que teria a companhia de Zahra em sua casa pelos próximos meses. Silvia ofereceu buscá-la de carro e ajudar com as malas, porém Zahra não aceitou, insistiu em pegar um táxi. Sabia que Silvia não estava bem de saúde e, por esse motivo, não queria abusar de sua generosidade.

Zahra escreveu uma pequena carta para Farzin e deixou-a sobre o centro da cama. O interfone tocou e era o porteiro do prédio avisando que o táxi havia chegado. Com as duas malas na porta de entrada do apartamento, ela respirou fundo e girou a maçaneta pronta para sair. Assim que abriu a porta e olhou para frente, avistou a cena que mudaria toda a sua vida: Farzin segurava em seus braços um bebê.

– Farzin? – perguntou assustada.

# Capítulo

## 18

# Perigo nas rochas

Maria estava sentada em uma das pedras na praia. Ela bebia direto da garrafa. Estava totalmente alcoolizada, e lágrimas escorriam pela sua face. As águas do mar batiam contra as pedras e, conforme entardecia e a maré aumentava, as águas batiam com mais violência.

Mais tarde, Isabel voltou da cidade de Ilhéus e foi direto à casa de Maria contar-lhe sobre sua visita à delegacia. Quando chegou, encontrou a casa vazia. Nenhum sinal dela. Foi, então, até a quitanda perguntar para Maciel, seu marido, se ele a havia visto, porém, assim que chegou, encontrou a quitanda lotada de fregueses, e seu marido bastante ocupado precisando de ajuda. Rapidamente, pegou seu avental e foi para o balcão atender os clientes. Seu coração estava apertado, sentia que algo estava errado. Após algumas horas, quando o movimento diminuiu, tirou o avental e saiu pelas ruas à procura de Maria. Andou pelas estreitas ruas do vilarejo, procurou em todos os becos e entre as casas coloniais sem encontrar sinal da amiga. Foi então que, com o coração acelerado, lembrou-se de que quando era criança, Maria gostava de se esconder nas pedras da praia. Era lá nas pedras que Maria se refugiava toda vez que se sentia triste.

"Meu Deus, as pedras são perigosas a esta hora da tarde. As ondas ficam mais fortes e muitos acidentes acontecem", pensou Isabel com um pressentimento ruim. "Ainda mais se ela tiver bebido, pode escorregar nas pedras e cair no mar!"

Isabel acelerou o passo e começou a correr pelas ruas em direção à praia. Foi esbarrando nos turistas que estavam em bandos pulando o Carnaval.

– Maria! – gritou Isabel, assim que chegou na ponta da praia e avistou a amiga caída sobre uma das pedras. Desesperada, ela continuou a gritar por Maria.

Isabel escalou as pedras uma a uma. As águas batiam com extrema força contra as pedras que eram cobertas de algas e muito escorregadias. Enfrentando as ondas do mar e com bastante pressa para chegar até Maria, ela não prestou atenção enquanto escalava e acabou escorregando em uma das pedras. Isabel caiu inconsciente aos pés da rocha onde Maria estava caída.

A maré subia rapidamente e logo alcançou a rocha onde Isabel estava. As ondas batiam em seu corpo e voltavam ao mar, cada vez com mais violência. Quando Maria finalmente despertou, deparou-se com Isabel desacordada, caída de bruços sobre a pedra a menos de um metro de onde estava. Ainda embriagada, Maria levantou-se cambaleando, sua visão estava turva, embaçada. A maré já tinha alcançado a parte inferior do corpo de Isabel e coberto suas pernas quase que por completo.

Maria agachou-se e segurou os braços de Isabel, tentando levantá-la, porém todo seu esforço foi em vão. Devido ao álcool da bebida que corria em seu corpo, não tinha forças suficientes nem coordenação para ajudar a amiga.

– Socorro! Socorro! – gritou em direção à praia onde um grupo de jovens estava sentado em círculo. Devido a distância, os jovens pareciam não ouvir os gritos de pedido de ajuda. Maria tentou puxar Isabel mais uma vez, porém falhou novamente. A água do mar já estava batendo no ombro de Isabel: – Meu Deus, ela vai se afogar! – disse a si mesma em voz alta. – E será minha culpa! – acenou e gritou mais alto a fim de chamar a atenção dos jovens.

– A água está alcançando a cabeça dela. Ela vai morrer afogada! Socorro!

Capítulo 19

# O guardião do tesouro

Enquanto isso, em São Paulo...

Zahra estava sem palavras e sem reação diante daquela cena. Farzin segurando um bebê em seus braços. Ele parecia não se importar com as malas que viu ao seu lado. Com um largo sorriso no rosto, entrou no apartamento dizendo:

– Filho, quero que você conheça a sua mãe!

– Filho? – perguntou Zahra pálida e quase sem voz. Que brincadeira é essa, Farzin?

– Brincadeira nenhuma. Este é Casper, nosso filho! Farzin deu uma olhada discreta para as malas que estavam perto da porta ao lado de Zahra e continuou: – Esta é uma surpresa na qual eu venho trabalhando faz alguns meses. Disse que quando voltasse, teria uma grande surpresa, lembra? Então!

Enquanto Farzin contava a ela uma mentira, dizendo que havia contatado advogados e feito uma adoção, Zahra só conseguia pensar em seus planos de separação e começar vida nova. Seu mundo desabou. Tomada por imensa tristeza, Zahra não conseguia pronunciar nenhuma palavra. Ficou ali perto da porta de entrada, sem reação, assistindo a Farzin contar-lhe mentiras sobre uma suposta adoção feita legalmente com a ajuda de seus advogados.

– E você não fala nada? Hoje deveria ser o momento mais feliz de nossas vidas até hoje. Eu vim de longe, querida. Trouxe o nosso Casper lá de Salvador – ele caminhou até próximo de Zahra e entregou-lhe o bebê. Ela o segurou desajeitadamente e ficou imóvel olhando para o seu rostinho.

– Escolhi Casper em homenagem ao meu pai. Na nossa língua, Farsi, seu nome significa o guardião do tesouro e é isso que ele é: o guardião do meu tesouro que é você, minha querida!

Zahra teve vontade de gritar alto e chorar sem parar. Queria sair de lá correndo, sem ao menos olhar para trás. Seu meio-sorriso escondia as lágrimas que chorava por dentro. Pensou nos seus planos de se mudar para a casa de dona Regina, mãe de Silvia, e nos vários empregos que planejou conseguir. Tudo perdido, todos os seus planos arruinados. O bebê Salvador, agora com o novo nome – Casper – dado por Farzin, a olhava diretamente nos olhos. Tinha um olhar vulnerável que a tocou fundo em seu coração. Por mais que quisesse devolver aquele bebê aos braços de Farzin e dizer a ele que o restituísse a quem quer que o tivesse entregado, ela não conseguiu. Sentia-se imediatamente responsável por ele. Queria protegê-lo do mundo e, principalmente, de Farzin. "Não posso te deixar sozinho com Farzin, não posso", pensou.

– E essas malas, meu amor? – perguntou, mesmo sabendo dentro de si o que elas estavam fazendo no corredor. Farzin não esperou pela resposta de Zahra, pegou as malas e as levou de volta para o quarto. A carta deixada por Zahra estava em cima da cama e foi imediatamente levada para o bolso de Farzin. Ele sentiu que não precisava lê-la, sabia exatamente o que estava escrito.

"Este bebê chegou a tempo! Algumas horas mais e eu, a esta hora, teria de caçá-la em algum canto desta cidade e trazê-la de volta nem que fosse puxada pelos cabelos", pensou.

– Vamos, meu amor, chega de encarar o menino e vamos providenciar para que ele fique bem. Viajamos por horas naquele avião, ele tem fome – Farzin abriu um dos compartimentos da bolsa que carregava e tirou uma lata de leite em pó e uma mamadeira de dentro. – Aqui está o leite e a mamadeira, dê uma lavada com água fervente antes. Passe o bebê aqui para mim enquanto você prepara o leite.

O interfone tocou naquele momento. Zahra correu para atender, porém foi impedida por Farzin que ordenou que ela fosse à cozinha preparar a mamadeira do bebê.

– Não, a dona Majid não vai pegar táxi nenhum, diga ao taxista que vá embora. A propósito, o senhor pode me dizer para onde ela disse que iria?

– Lá para o bairro da Mooca, senhor, fica lá na zona leste... – respondeu o porteiro sem conseguir terminar a frase.

Farzin não esperou o porteiro continuar e desligou o interfone na cara dele.

"Então, ela estava indo embora de casa para se enfiar na casa daquela Silvia", pensou enquanto olhava para o bebê. "Agora é ficar bonzinho com ela por um tempo, tratá-la bem e logo ela esquece essas ideias... Casper aqui vai ajudar o papai a manter a mamãe ocupada, não é mesmo, meu menino?"

Quando Zahra voltou da cozinha com a mamadeira do bebê pronta, encontrou Farzin a esperando com um sorriso e o bebê em seu colo dormindo. Estranhou a atitude do marido, pois estava claro que ele tinha entendido que ela estava deixando o apartamento no momento em que ele chegou. Ele viu as malas perto da porta, a carta em cima da cama e não disse nada. Ali observando Farzin sentado no sofá da sala, todo feliz com o bebê ao colo, Zahra chegou a pensar que talvez a paternidade fosse mudá-lo para melhor.

– Amanhã tenho um decorador vindo com sua equipe para transformar aquele quarto vazio em um quarto para o nosso Casper. Enquanto ele trabalha, nós vamos comprar um enxoval para ele.

– Mas amanhã ainda é feriado, como pode um decorador vir trabalhar aqui em pleno feriado de Carnaval?

– Dinheiro compra tudo, não se esqueça disso. Tudo! Estou pagando uma ótima quantia para esse decorador vir aqui amanhã. Eu disse a ele que quero tudo pronto e acabado em um dia. Por falar nisso, cadê aquela empregada desastrada?

– Eu dei folga para ela... Disse que voltasse apenas na quarta-feira de cinzas.

– Você o quê? – disse com a voz alta, mas logo se lembrou de que não poderia perder a cabeça. – Está bem. Mas agora nós precisamos dela. Ligue amanhã para ela e peça que venha bem cedo. Quero que ela fique cuidando do nosso bebê enquanto vamos às compras.

Ele se levantou, entregou o bebê a ela e disse estar muito cansado da viagem e que iria tomar um banho e deitar.

Quando Farzin saiu, Zahra acomodou-se no sofá com o bebê em seu colo. Ela deu um grande suspiro e, finalmente, deixou as lágrimas que estavam presas caírem. Foi tomada por uma avalanche de pensamentos tristes: "Estou presa novamente! Vou continuar com ele me dizendo o que fazer, me dando ordens e me tratando como seu objeto. Como posso deixar este bebê, tão pequenino e tão indefeso, nas mãos dele? Não posso, não posso deixá-lo".

Zahra começou a soluçar de tanto chorar. Tentou ao máximo abafar o som do choro para que Farzin não escutasse. Não queria que ele a visse assim, frágil e infeliz. De repente, no auge do seu desespero, o bebê, agora chamado Casper, abriu seus olhos e soltou um pequeno sorriso. Zahra parou imediatamente de chorar e sorriu de volta para ele.

– Não se preocupe, meu filho, eu não vou te deixar sozinho – disse em voz alta para ele.

Farzin a observava por detrás de uma das portas. Ele abriu um sorriso satisfeito ao ouvir o que Zahra havia dito para o bebê.

"Deu certo! Meu plano funcionou. O bebê a irá manter focada em mim e em nossa família. Zahra não vai a lugar nenhum!", pensou com um brilho malicioso em seu olhar.

# Capítulo 20

## Palavras que ferem

— Saia daqui! – gritava Maciel, marido de Isabel, à Maria. – Não fosse eu procurar por vocês e ter visto você acenando e gritando do alto das pedras, minha esposa estaria morta agora. Afogada por sua culpa!

— Eu não quis causar nenhum mal... – cabisbaixa e envergonhada, Maria não conseguia encará-lo.

— Você destrói a sua vida e agora está destruindo a vida da minha família também. Não quero mais você perto da minha mulher. Isabel passa todos os dias da vida dela preocupada com você. Não tem um dia sequer que ela vá dormir em paz. O nosso filho não nos dá o trabalho que você dá. Quero que saia de nossas vidas antes que você destrua a nossa família assim como fez com a sua!

Isabel, que estava dormindo em sua cama, acordou com os gritos do marido. Tinha quebrado uma das pernas no acidente nas pedras e ainda estava sob o efeito dos medicamentos para dor que o médico havia administrado. Com muito esforço, levantou-se da cama e foi em direção à porta de entrada onde Maciel gritava com

Maria. Queria pará-lo e ajudar sua amiga. Sabia que Maria estava muito abalada com o acidente nas pedras e sentindo-se culpada, não precisava de Maciel para fazê-la se sentir ainda pior.

Quando Isabel chegou à sala em que Maciel estava, Maria já havia deixado a casa. Saiu correndo aos prantos.

– Meu querido, não pode falar assim com Maria. Você sabe que ela não está bem. Com certeza, já se sente muito culpada pelo que aconteceu hoje na praia.

– Eu cansei. Há anos é a mesma história. Ela faz o drama dela, cria problemas em sua vida por dramatizar tudo e traz esses problemas para nossa vida. Você quase morreu algumas horas atrás. Se não tivesse chegado a tempo, você teria se afogado e morrido.

– Mas gritar assim com ela não é certo. A Maria é como se fosse minha família, eu estou morrendo de pena dela agora.

– Pena não ajuda ninguém a evoluir. Sua pena apenas irá prejudicá-la ainda mais. Olhe o seu estado, você está toda arranhada, tem feridas por todo o corpo, uma perna quebrada e o pior de tudo, quase morreu! Quando a gente repete os mesmos erros, é hora de parar e refletir no que está fazendo de errado e que está atraindo os mesmos problemas. Isso serve tanto para ela quanto para você. Já parou para pensar que a sua forma de ajudá-la talvez não seja a forma correta? Tentar protegê-la da vida não está ajudando. Maria cria para si própria os problemas que ela enfrenta e, como persiste nos mesmos erros, esses problemas retornam, formando um ciclo sem fim.

– Eu sei, Maciel, eu sei... Já disse tudo isso a ela, que sua falta de autoestima e de amor-próprio a levam a esse sentimento obsessivo pelo José. Não é amor o que ela sente, mas sim uma obsessão forte. Uma fixação. Ela acha que sem ele a vida não vale nada... Eu sei de tudo isso, mas como ajudá-la? Me dói vê-la assim, sofrendo.

– Você já tem feito muito. Sempre a ajudou financeiramente, sempre esteve com ela em todas as confusões em que ela se meteu e, acima de tudo, sempre deu muito amor a ela. Diria que sempre a amou da mesma forma que ama o nosso filho Pituxo.

– Sim, eu a amo muito. Tenho pena por ela ter perdido os pais tão jovem, penso que foi por isso que ela sempre se sentiu tão triste...

– Viu, você fala em sentir pena, novamente – Maciel a interrompeu. – Sentir pena é degradante, além de não ajudar ninguém, ao mesmo tempo que coloca a pessoa para baixo, como se fosse vítima do mundo, coisa que Maria não é. Os problemas de cada um são apenas lições que a vida impõe para auxiliar a pessoa em seu crescimento. Em sua embriaguez, ela chegou ao ponto de perder seu filho e agora, em vez de focar suas energias para encontrá-lo, continua a beber... Está na hora de Maria finalmente aceitar que precisa aprender e parar de cometer os mesmos erros.

**\* \* \* \***

Maria correu descalça pelas ruas. Seus cabelos encaracolados balançavam com a brisa da noite enquanto as palavras de Maciel ecoavam em sua mente. Seu vestido florido de pano sujo e em partes rasgado fazia com que assumisse ainda mais um ar de desespero. Com força, foi esbarrando nos turistas que dançavam e cantavam pelas ruas, empurrando todos para fora de seu caminho. Quando finalmente chegou a um determinado ponto deserto do vilarejo, entrou em um pequeno beco escuro e, já quase sem fôlego, parou e escorou seu corpo contra a parede de uma das antigas casas coloniais.

Ela, então, recordou as palavras de Maciel:

"Você destrói a sua vida e agora está destruindo a vida da minha família também. Não quero mais você perto da minha mulher (...)".

Maria escorregou seu copo contra a parede até se sentar na calçada:

– Eu perdi tudo! Meu marido, meu filho e agora minha melhor amiga... É melhor que eu morra! – disse, com lágrimas caindo pelo rosto.

Naquele mesmo instante, do outro lado do vilarejo, Maciel, que havia se arrependido de suas duras palavras e prometido à sua mulher sair à procura de Maria, andava apressado olhando em todos os cantos em busca da moça. Primeiro foi à casa dela e encontrou apenas o cachorro, Magrelo, que esperava, sentado na varanda, pelo retorno da dona.

"Fui cruel em minhas palavras. Não deveria tê-la maltratado daquela forma", ele pensava com remorso.

– Venha, Magrelo, venha comigo. Vamos procurar Maria – o cachorro deu uma latida e o seguiu como se tivesse entendido seu pedido.

**\* \* \* \***

Maria olhou para frente e viu dois homens totalmente fora de si. Estavam sob o efeito de drogas. Os dois se aproximaram dela como dois chacais se aproximam de sua presa. Maria levantou-se e tentou fugir, mas foi pega pelos dois.

– Olha só o que encontramos aqui... Um pitelzinho para nos divertimos um pouco!

– A gente vai precisar tirar par ou ímpar para ver quem se diverte com essa quenga primeiro – disse um deles enquanto a segurava pelo cabelo.

– Não, por favor, me solte. Me deixe... – implorou Maria.

O mesmo homem que a segurava pelo cabelo puxou o rosto dela junto ao seu e a beijou com brutalidade. Maria deu uma cuspida que o atingiu bem no meio do rosto e, no mesmo instante, levou um tapa violento no rosto. Ele a empurrou com força e a fez cair de costas no chão.

– Não vai ter par ou ímpar coisa nenhuma. Ela vai é me pagar pelo cuspe na minha cara. Sai pra lá, João, eu vou ferrar com essa quenga primeiro.

Ele se agachou e rasgou o vestido dela partindo ao meio. Ao que Maria gritou, ele a esbofeteou duas vezes. Os golpes em seu rosto foram tão fortes que causaram uma vermelhidão no mesmo instante.

– Cale a boca, sua quenga! Você vai me pagar – ele forçou sua mão contra a boca dela fazendo-a se calar e preparou-se para violentá-la. Foi, então, que começou a ouvir latidos. Magrelo foi correndo em direção ao homem que, naquele momento, já estava em cima de Maria.

– Ei, você! – gritou Maciel, que vinha correndo logo atrás de Magrelo. Pare já o que está fazendo, seu monstro.

O comparsa que o esperava, assustado, fugiu pela rua detrás, e o homem em cima de Maria rapidamente levantou-se e fugiu ainda com suas calças batendo nos joelhos.

– Maria! Meu Deus, você está bem? – perguntou Maciel.

Envergonhada, Maria tapou o rosto com as duas mãos, aos prantos, sem coragem de olhar Maciel. Ele a abraçou com força dizendo-lhe ao ouvido que estava salva e que nada de ruim aconteceria.

– Me desculpe pelas minhas palavras duras. Eu não quis te ferir. Eu quero que você entenda que precisa deixar de se destruir.

Maria não respondia. Estava em choque com o ataque dos dois homens e seu corpo todo tremia. Magrelo a rodeava roçando seu focinho em seu corpo e abanando seu rabo, tentava demonstrar todo o seu amor por ela.

– Vamos, Maria, eu vou te levar para casa. Venha comigo – Maciel deu um impulso e a ergueu no ar e, em seguida, a segurou em seu colo. Maria entrelaçou seus braços e abraçou Maciel, que caminhou carregando-a como quem carrega uma criança.

* * * *

Isabel estava sentada em sua varanda esperando aflita por notícias. Levantou-se preocupada, assim que avistou Maciel. De longe conseguiu ver a fisionomia do marido, que parecia exausto.

– E então? – perguntou antes mesmo do marido se aproximar da casa.

– Ela vai ficar bem... Vamos entrar e eu te conto tudo o que aconteceu.

Maciel narrou os acontecimentos anteriores à sua esposa e a acalmou dizendo que havia levado Maria para casa. Disse que havia feito uma xícara de chá para ela e se certificado de que ela realmente tinha ido dormir.

– Assim que ela pegou no sono, eu saí e tranquei a porta. Ela está segura. Creio que vá dormir até amanhã.

– Meu Deus, Maciel, quantos acontecimentos horríveis em questão de horas... Parece um pesadelo sem fim.

– Vamos dormir, querida. Amanhã teremos um dia cheio pela frente. Eu passei na casa da dona Matilde no caminho de volta e pedi a ela para ajudar amanhã na quitanda, assim você poderá ter mais tempo com Maria.

– Obrigada, meu amor. Bem cedo eu irei até a polícia saber se eles têm alguma novidade no caso e depois vou até a casa dela. Tentarei convencê-la a ir às reuniões dos Alcoólicos Anônimos. Andei me informando e fiquei sabendo que eles se reúnem no salão da igreja todas as sextas-feiras.

– A propósito, eu pedi desculpas a ela. Deveria ter dito o que disse de outra maneira. Eu fui cruel em minhas palavras e me arrependo do jeito que disse tudo aquilo.

Isabel o abraçou com ternura e disse ao pé do ouvido do marido:

– É por esse motivo e tantos outros que eu te amo tanto, você é capaz de admitir quando comete um erro, desculpar-se e fazer as coisas melhores para quem magoou. Obrigada por ser meu marido.

# Capítulo 21

# Movida pela obsessão

Isabel acordou mais cedo do que o usual a fim de adiantar os serviços na quitanda, dar as instruções para dona Matilda e seguir para a casa de Maria. Assim que chegou, foi recebida por Magrelo, que latia alto e abanava o rabo sem parar.

– Bom dia, Magrelo! – disse feliz. – Vamos mentalizar que hoje será um dia de boas notícias – disse a si mesma enquanto entrava na casa de Maria. Ficou surpresa com o que avistara: encontrou Maria de banho tomado, levemente maquiada e com um vestido limpo todo feito de renda branca. Feliz, Isabel cumprimentou Maria com um sonoro "bom-dia".

– Hoje acordei bem cedo e resolvi tomar um banho demorado e me arrumar – disse Maria enquanto terminava de escovar seus cabelos.

– Estou vendo que acordou bastante disposta. Você está tão linda. Fico tão feliz em ver essa sua motivação toda! Reparando nos pés de Maria, disse: – Vejo que até a sandália nova que eu te dei de presente no Natal você finalmente calçou.

– A sandália ficou linda. Sabe, Isabel, hoje acordei decidida. Decidi que cansei de ficar assim mal arrumada! Chega de sofrimento! Hoje eu quero mudança.

– Você sabe que agora, quando estava vindo para cá, eu também pensei o mesmo? Vim até aqui conversando com Deus e pedindo que hoje fosse um dia de energias positivas e boas notícias. Estou vendo que deu certo.

– Bom, não sei quanto a Deus, mas eu decidi que vou cuidar da minha vida. Eu vou atrás do meu filho. Não vou mais ficar aqui esperando por esta polícia que não parece estar empenhada em me ajudar. Eu tomei uma decisão ontem à noite.

Isabel deu uma olhada no canto da sala e, então, notou uma pequena mala de viagem. Naquele momento, teve o pressentimento de que não iria gostar nada do que Maria estava prestes a dizer. Maria continuou:

– Eu descobri onde José está morando com a suposta nova amante dele. Fica longe daqui, perto da cidade de Salvador. Eu fiz uma pequena mala e peguei minhas economias para poder pagar a viagem de ônibus. Já que ele não me atende no seu celular, eu vou até ele. Com certeza, quando me vir e ficar sabendo que nosso bebê sumiu, ele irá voltar e me ajudar.

– Eu não creio no que estou ouvindo.

– Isabel, eu não aguento mais. Veja tudo o que tem acontecido comigo: perdi meu marido e agora meu filho. Quase te matei afogada na praia e, logo depois, quase fui violentada. Eu preciso do José ao meu lado para me ajudar a consertar minha vida... Sem ele não dá.

– Não, Maria, você não precisa do José ou de homem nenhum. Você precisa lutar por si e para si. Primeiro, você precisa parar de beber e, para isso, tem de começar a frequentar um grupo de apoio.

– Grupo de apoio? E por acaso você está tentando insinuar que eu tenho um problema com a bebida? Pois, saiba que eu não tenho. Apenas andei bebendo um pouquinho nos últimos tempos por causa de todos os problemas que eu venho enfrentando, mas saiba que eu posso parar de beber a hora que eu quiser.

– Bebendo um pouquinho? Um pouquinho? – Isabel estava inconformada com o que estava ouvindo. – Nós duas quase morremos afogadas ontem porque você estava totalmente embriagada.

– Sim, eu sei que errei, mas, como te disse, eu posso parar de beber a qualquer momento. Não sou viciada!

– Claro que está viciada, Maria! Só conseguiram entrar aqui na sua casa e levar seu filho porque você estava totalmente bêbada! Mesmo depois de perder seu filho por causa da bebida, você continuou a beber e quase nos levou à morte!

– Não é você quem diz ter tanta fé em Deus e que Ele pode tudo? Então, eu O culpo! Eu culpo o seu Deus. Cadê Ele que deixou toda essa desgraça acontecer comigo? Não bastava meu marido me deixar, ainda permitiu que levassem meu filho, e ainda depois que dois arruaceiros tentassem me violentar?

– Deus não tem nada a ver com as suas confusões, Maria. Você tem o seu livre-arbítrio para tomar decisões e, até agora, só fez coisas erradas. Primeiro, você deixou o seu marido tão louco com todo o seu ciúme e obsessão que ele não aguentou e foi embora, depois você se entregou ao vício – aumentou seu tom de voz: – Porque, sim, você está viciada! E permitiu que levassem o seu filho. Permitiu, sim, porque uma mãe que bebe até cair inconsciente no sofá enquanto o filho, um bebê, dorme no quarto, está negligenciando seu filho. Você falhou com o seu filho por causa de sua obsessão pelo José e pela bebida.

– Você me culpa por todas essas desgraças, e o José que foi embora e me deixou aqui sozinha? Não o culpa, não? Agora é tudo culpa minha?

– Eu já te disse, concordo que o José deveria ter feito o que fez de outra maneira, porém ele é livre para decidir com quem quer ficar. Ele é livre para decidir se quer estar casado ou não. Concordo, na condição de pai ele falhou e continua falhando, mas nós estamos falando aqui do seu casamento, e a verdade é que ele decidiu romper. Cabe a você erguer sua cabeça e seguir em frente. Deus te deu a vida para ser vitoriosa, para ser feliz e não para que precisasse de um homem. Você não precisa de ninguém para ser feliz, bote isso na sua cabeça.

– Você concorda com o que o seu marido disse ontem à noite? Acha que eu estou destruindo a sua vida, não é isso o que pensa? Diga a verdade. Eu sou um estorvo para você, do mesmo jeito que fui um estorvo para José.

– Não dramatize as coisas. O Maciel já lhe pediu desculpas pela forma como disse tudo aquilo. Mas é verdade, ele está certo, você mesma está destruindo a sua própria vida. Você sempre age com impulsividade, não pensa antes de agir. Está prestes a cometer outro erro viajando centenas de quilômetros e largando sua casa aqui para ir atrás de um homem que não está nem aí para você. Chega dessa obsessão pelo José. Viver a sua vida toda em torno de um homem não é saudável e só irá atrair mais e mais problemas para sua vida. Eu e o Maciel estamos empenhados em encontrar o Salvador. Você não pode deixar o vilarejo agora.

Maria deu as costas a Isabel e foi até o canto da sala onde estava sua mala. Após pegar a mala, caminhou até a porta. Isabel continuou: – Você precisa de um apoio para se livrar deste vício pela bebida. Com o tom mais calmo de voz, tentando fazer com que Maria a escutasse, disse: – Escuta, eu já me informei e descobri que o grupo de Alcoólicos Anônimos aqui em nosso vilarejo se reúne toda sexta-feira lá na igreja. Eu posso ir com você na primeira reunião...

Maria virou-se e disse: – Eu já me decidi, Isabel, não vou ser mais um estorvo em sua vida perfeita. Vou em busca do José, e juntos iremos trazer nosso filho de volta para casa. Maria virou-se rapidamente e saiu pela rua.

– Maria, não vá! – gritou Isabel em vão. Maria caminhou pela rua sem virar para trás. Magrelo encostou na perna de Isabel e olhou para ela com expressão de tristeza. Isabel abaixou-se com lágrimas nos olhos e disse para ele: – Vamos rezar por ela, Magrelo. Rezar para que nada de mau lhe aconteça – o cachorro fez um som de choro e olhou em direção à Maria, na rua. Ela já estava distante, quase a perder de vista. – Não se preocupe, Magrelo, vou cuidar de você enquanto ela estiver fora – Isabel secou suas lágrimas e levantou-se. – Vamos, venha comigo. Deixe-me trancar a casa primeiro. Magrelo choramingou um pouco, mas acabou seguindo Isabel para fora da casa.

"Nem sequer se preocupou com sua casa, deixou tudo para trás sem ao menos trancar a porta e as janelas", Isabel pensou, angustiada, enquanto usava a cópia da chave que tinha para fechar a porta. "E, mais uma vez, Maria vai deixar sua obsessão por José falar mais alto e vai cometer erros", suspirou, sentindo-se bastante triste.

# Capítulo 22

# Agressão verbal

Zahra estava no quarto do bebê observando ele dormir. Suavemente, tocava suas pequenas mãos com seus dedos.

"Você é tão lindo, Casper", pensou enquanto assistia ao seu corpo mover-se com a respiração.

Farzin mentiu a ela contando-lhe uma falsa história a respeito da adoção de Casper. Disse que seus pais haviam morrido em um acidente de carro e o bebê estava sendo criado pela avó materna e que, devido a dificuldades financeiras, ela teve de encaminhá-lo à adoção. Por não conhecer os trâmites legais no Brasil, Zahra acreditou na versão da história relatada pelo marido quando ele disse que apenas uma assinatura já bastava para a justiça brasileira autorizar uma adoção.

– Estou aqui para te proteger... Você deve ter tido uma vida muito dura, não sei de onde você veio e que tipo de problemas você passou em sua tão curta vida, mas eu te prometo que ao meu lado será apenas felicidade. Você está a salvo agora.

Fátima entrou no quarto com cuidado para não acordar o bebê e anunciou a chegada de Silvia. Os olhos de Zahra brilharam assim que recebeu a notícia. Era como se conseguisse sentir, ali no quarto do bebê, toda a energia positiva e contagiante da amiga que chegava em seu apartamento. Silvia entrou no quarto pisando delicadamente e, ao entrar, já tinha em seu rosto o sorriso de sempre. Ela olhou o bebê rapidamente e fez um sinal para que Zahra fosse para fora do quarto.

– Ele é tão fofinho e lindo! – disse Silvia à Zahra, fora do quarto.

Zahra deu um abraço na amiga, mas dessa vez mais forte e por mais tempo do que de costume.

– Minha amiga, o que foi? A propósito, desculpe, mas ainda não estou me sentindo bem de saúde, acho que estou com uma gripe, por isso é melhor não chegar muito perto dele. Não quero passar gripe para ele.

Zahra pediu para que Fátima vigiasse Casper, enquanto ela e Silvia conversavam na varanda.

– Me conte tudo. Então, ele apareceu aqui com o bebê nos braços dizendo que o adotou, tudo assim de surpresa?

– Exatamente. Eu estava de malas prontas e já saindo quando dei de cara com ele na porta do apartamento. Fiquei tão chocada. Estava fazendo tantos planos. Estava planejando arrumar um trabalho, dar aulas de inglês e francês, ganhar meu próprio dinheiro, e todos meus sonhos foram por "rolo abaixo"...

– É ralo abaixo, querida – Silvia deu uma risada misturada com uma tosse seca. – Escute, tenho quase certeza de que Farzin fez isso justamente para manter o casamento de vocês. Ele é muito inteligente e percebeu que algo não estava bem e que, mais cedo ou mais tarde, você pensaria em se livrar de todo esse controle e abuso dele.

– Sim, eu pensei nisso, mas chegar ao ponto de adotar uma criança! Seria muita loucura, não?

– E não existem algumas mulheres que engravidam apenas para tentar segurar um homem ou manter a relação? – Zahra balançou a cabeça concordando com ela. – Então, por que homens não chegariam ao extremo para tentar segurar suas mulheres?

– Bom, o resultado é que agora eu não tenho como deixá-lo. Não posso deixar com ele esse bebê tão novinho e indefeso. Quando eu vi Farzin com aquele sorriso irônico, como se tivesse ganhado um novo brinquedo, tive vontade de dizer a ele que cuidasse do bebê sozinho ou que o devolvesse, mas assim que eu o segurei nos meus braços, foi amor à primeira vista. Senti naquele momento que esse bebezinho precisa do meu amor e da minha proteção.

– Eu entendo, minha querida, suas palavras foram tão sinceras que realmente soaram maternais. Concordo, agora você se tornou também responsável por este bebê. Mas, você precisa se manter firme e decidida em algumas coisas; primeiro manter-se alerta a qualquer sinal de possível violência física da parte dele. Fique atenta! Estar te tratando bem nestes últimos dias não é garantia de nada. Segundo, não deixe de lado a sua liberdade. Estar casada não significa estar presa e muito menos morta para a vida!

– Sim, com certeza. Estava pensando nisso ontem à noite. Vou fazer as sessões de terapia que você me recomendou. Tenho vontade de fazer aulas de dança e também queria arrumar um trabalho. De repente fazer um voluntariado...

– Sim, e eu te apoiarei. Conheço obras de caridade maravilhosas em que você poderá ser muito útil e também se ajudar muito. Quando ajudamos o próximo, recebemos do universo como forma de pagamento muita felicidade e alegria.

Com a fisionomia mais séria, Silvia mudou de assunto:

– Após você ter me contado esta história da adoção ontem, pelo telefone, eu conversei com o Paulo e ambos ficamos um pouco duvidosos de sua legitimidade. Adoções no Brasil percorrem processos muito burocráticos, que implicam a apresentação de vários documentos dos pais e também muitas entrevistas com os possíveis pais adotivos. Achamos esta história um pouco confusa. Você pediu mais informações ao Farzin?

– Sim, também achei muito estranho. Mas, eu chequei os documentos e parece estar tudo correto. Há as certidões dele: de nascimento e também uma de adoção com ambos os nossos nomes como pais adotivos. Foi tudo muito corrido. No dia seguinte, saímos para fazer compras para o enxoval de Casper, e hoje Farzin já foi trabalhar.

– Você precisa checar...

– Checar o que, Silvia? – perguntou Farzin, que adentrou a varanda sorrateiramente, pegando as duas de surpresa. – Do que vocês estão conversando, posso saber?

Antes que Silvia pudesse responder, Zahra pensou rápido em uma desculpa e disse:

– As melhores obras de caridade. Isso, estávamos falando sobre obras de caridade. Estava dizendo à Silvia que tenho muita vontade de ser voluntária nem que seja um dia na semana, e ela estava me dizendo que é importante checar primeiro antes de decidir qual obra de caridade ajudar.

– Voluntariar-se? Por acaso você perdeu a cabeça? Você agora tem um filho pequeno, não pode deixar o apartamento assim. Muito menos para trabalhar de voluntária. Nós somos ricos, Zahra, nós doamos dinheiro. Não sujamos nossa mão sendo voluntários. Deixe de besteiras, você agora é uma mãe e deve focar no nosso lar.

Zahra ficou com vergonha de Silvia, pois Farzin naquele ponto falava em um tom de voz tão alto que parecia estar gritando.

– Eu sei que a chegada de Casper ainda é muito recente, porém, com o tempo ficarei mais acostumada à rotina de cuidar de um bebê e também tem Fátima, que pode me ajudar a cuidar dele, nem que seja um dia por semana...

Farzin soltou uma risada debochando da ideia e disse:

– Fátima mal consegue cuidar de si mesma. Atrapalhada como ela é, você acha que ela seja capaz de cuidar de um bebê? Sequer confio em você para cuidar dele, burra como é. Por isso, peço que tenha total atenção a ele!

Aquele insulto tocou fundo o coração de Zahra. Mais uma vez, Farzin a rebaixava, insinuando que ela não fosse capaz sequer de cuidar de um bebê, e o pior, o fazia na frente de Silvia. Uma sensação de choro lhe veio à garganta, porém segurou forte para não chorar na frente dele. Calou-se, pois sabia que, se tentasse abrir a boca para dizer uma única palavra, o choro aconteceria. Silvia tentou acalmar a situação. Não querendo irritar Farzin ainda mais, pensou que o melhor seria, naquele momento, concordar para que ele se acalmasse.

"Ele não pode me ver como uma inimiga, do contrário irá fazer de tudo para me afastar de Zahra e assim a isolar ainda mais. Ela precisa de mim, preciso engolir este sapo agora, para não prejudicá-la", pensou Silvia.

– Farzin está certo, Zahra. O melhor a fazer por agora é estar totalmente focada em sua família – Zahra a olhou confusa, sem entender o porquê da amiga estar concordando com o marido. Como todo controlador, Farzin gostava que as pessoas concordassem com suas ideias, e ver que Silvia o apoiava, o acalmou.

– Não se preocupe, Farzin, nós vamos deixar de lado esta ideia boba de voluntariado. Como você disse, é hora de Zahra focar em sua família. Marido e filho sempre em primeiro lugar.

– Viu, até Silvia concorda comigo. Você não pode descuidar agora. Sou eu e ele e nada mais! – Farzin saiu da varanda informando que iria trabalhar no escritório de casa e as deixou.

– Não entendi nada – disse Zahra, quase sussurrando, com medo que ele pudesse escutar. – Por que você concordou com ele?

Antes de responder, Silvia foi até a sala certificar-se de que Farzin não estava por perto e, só após constatar que ele não as podia ouvir, disse:

– Eu apenas concordei com Farzin porque ele estava muito alterado e ia se alterar mais e mais se eu o contrariasse. Eu quero ter cuidado, pois, se ele me vir como uma inimiga, além do que ele já vê, irá dificultar muito a nossa amizade. Nós estamos em situação muito delicada aqui. É realmente o que pensava, este bebê para ele é a sua forma de controlar e isolar você do mundo, ainda mais. Vamos agir com calma por agora. Tente não o contrariar, pois sinto que pode se tornar violento com você.

– É difícil não fazer nada. Agora mesmo, minha vontade é bater o pé e dizer que vou, sim, fazer o voluntariado se eu quiser, e vou também fazer aulas de dança, de música e seja lá o que me der na telha.

– Sim, eu sei, porém tem o bebê e, já que você não vai deixá-lo por enquanto por causa desta nova situação, você precisa tomar cuidado. Eu estarei sempre aqui ao seu lado para te ajudar a encontrar uma solução. Confie em mim.

Naquele momento, Silvia teve um ataque de tosse seca. Não conseguia parar de tossir. Zahra foi até a cozinha pegar um copo de água e voltou correndo. Após se recuperar, Silvia continuou:

– Eu vou marcar a psicóloga para você. Esta ajuda profissional será muito importante. Eu te telefono hoje à tarde, assim que marcar a consulta.

– E como farei para ir a essas consultas sem que ele saiba?

– Daremos um jeito, prometo. Deixe-me ir, querida.

Casper acordou e, da varanda, puderam ouvir seu choro. As duas se despediram, e Zahra foi até o quarto do bebê.

✳✳✳✳

Quando chegou à portaria do prédio, Silvia sentiu súbito mal-estar. Entrou em seu carro e sentiu-se fraca até para colocar o cinto de segurança.

"Que estranho este cansaço", pensou. "A gripe deve estar piorando. Tenho de ser forte, não posso deixar esta gripe tomar conta. Tenho muitos afazeres na editora e além do mais preciso de forças para ajudar minha amiga."

Silvia olhou para os céus e disse em voz alta:

– Meu Deus querido, me dê forças como o Senhor sempre me deu. Não é hora de uma gripe, por favor! – ela deu partida no carro e brincou consigo mesma: – Gripe, saia deste corpo porque ele não te pertence. E assim, entre risadas e tosse, partiu com o carro e seguiu para sua editora no bairro da Mooca.

Quando chegou ao local, encontrou sua mãe esperando por ela no escritório. Sentia-se exausta, uma forte fadiga a abateu, porém tentou ao máximo esconder de sua mãe a real situação.

– Filha, você está com uma aparência horrível!

Embora sem forças, Silvia soltou uma risada:

– Mãe! E isso é jeito de falar? Estou horrível?

– Silvia, não estou brincando. Você está pálida como eu nunca vi antes.

– Mãe, eu devo estar com uma gripe, mas estou lutando contra ela. Tenho um montão de trabalho acumulado aqui na editora e não posso parar agora.

– Vá para casa hoje, descanse e cuide desta gripe. O trabalho estará sempre aqui esperando por você, mas a saúde, essa não espera.

Silvia não tinha forças nem para conversar. Sentia-se mais e mais cansada a cada minuto que passava. Concordou com sua mãe e disse que faria apenas o necessário e dentro de uma hora, no máximo, iria para casa. Sua mãe, antes de deixá-la, deu várias recomendações dizendo que prepararia uma canja de galinha bem caprichada e que a levaria para ela mais tarde.

"Não posso ficar doente, não posso!", pensava consigo mesma após sua mãe deixar o escritório. Vamos, corpo, vamos lutar contra essa gripe!

# Capítulo 23

## A obsessão cega

Maria viajou horas em um ônibus de turismo. A viagem foi conturbada devido aos muitos buracos na estrada de terra. Maria estava tão perdida em seus próprios pensamentos que sequer chegou a admirar a linda paisagem ao longo do caminho. O ônibus passou por muitas cidades e vilarejos, cada lugar com sua beleza e encanto. Os cenários mudavam de tempos em tempos: palmeiras altas e majestosas e muitas plantações de cacau por todos os lados. Do mesmo modo que em Praia dos Encantos, os sabiás sobrevoavam os céus e enfeitavam ainda mais os cenários fora do ônibus. Maria ignorava tudo à sua volta. Estava completamente perdida em sua obsessão. Ela desconhecia a ideia de que o poder de transformação estava na viagem em si e não no destino.

"Querida, eu errei tanto. Me desculpe por ter te deixado... Eu não consigo mais viver sem você" – focada em seus devaneios, Maria imaginava o momento em que reencontraria José. Um abraço forte seguido por um beijo apaixonado. Ela imaginou inúmeras possibilidades para aquele reencontro, porém todas tinham um final feliz, que acabava com José voltando para casa com ela.

Assim que o ônibus chegou ao seu destino final, Maria foi tomada por euforia. Estava muito ansiosa para rever José e levá-lo de volta para casa. Ela tirou o pedaço de papel com o endereço de dentro de sua bolsa, e o entregou para o taxista na rodoviária. Como sempre, fora movida por sua impulsividade, sem medir as consequências. Não sabia o quão longe a casa de José ficava da rodoviária e nem ao menos parou para perguntar qual seria o custo daquela viagem. O taxista, ao perceber a desatenção de Maria quanto à distância e ao tempo de viagem até o suposto destino, tirou vantagens, levando-a por caminhos desnecessários. A jornada no táxi, que normalmente duraria não mais do que dez minutos, tardou quase cinquenta minutos. Maria não reparou quando o motorista apertou escondido um botão no taxímetro que imediatamente triplicou o valor marcado. Quando o taxista já estava satisfeito com o valor absurdo marcado em seu taxímetro, ele então estacionou em frente à casa do endereço marcado.

– Chegamos, senhorita. A casa é essa aí da frente – disse o motorista. Maria não respondeu. Ela estava olhando os dois meninos que brincavam de bola na frente da casa. O taxista falou mais alto: – Chegamos, mulher!

Maria deu um pulo de susto e quase bateu a cabeça no teto do carro.

– Obrigada, moço. Quanto lhe devo? – ele apontou para o taxímetro e ela tomou outro susto: – Meu Deus, moço, isso é quase todo o dinheiro que eu tenho. Se pagar isso para o senhor, vou ficar apenas com alguns poucos trocados.

– Esse é o valor. Não posso trabalhar de graça, moça. Já estamos rodando há mais de cinquenta minutos!

“Não tem problema, estarei com o José e ele pagará nossas despesas”, Maria pensou. Ela, então, pegou o dinheiro na bolsa e pagou o taxista. Assim que desceu e pisou na calçada em frente à casa, os meninos pararam de brincar com a bola, e o menino mais novo perguntou quem era ela, e, antes que ela pudesse responder, ele disse que a achava muito bonita, e o mais velho o repreendeu.

– Mainha não gosta que a gente fale com estranhos, Felipe!

– Oxente, mas ela não é estranha. Não tá vendo que ela é muito da bonita? "É estranha não". Não é verdade, moça? – perguntou o menino mais novo, que não aparentava ter mais do que quatro anos.

Maria riu. O menino mais novo era muito gracioso, e ela imediatamente sentiu simpatia por ele.

– Ele está certo, eu não sou uma estranha, fique tranquilo.

– Então, qual o seu nome, moça? – perguntou o mais velho.

– Maria, prazer. E vocês, como se chamam? O seu eu já sei que é Felipe – disse olhando para o pequeno.

– Nossa, Júnior, ela sabe meu nome! – disse o menino mais novo, espantado – e por acaso você é uma mulher que adivinha as coisas?

– Não sou uma adivinha, não, Felipe – Maria sorriu. – É que, quando cheguei, o seu irmão Júnior o chamou de Felipe, então, deduzi que você se chama Felipe.

– Felipe, deixa a moça em paz. Então, moça, a senhora veio fazer o que aqui?

– Eu venho atrás do José, meu marido.

– Xi, moça, o único José que eu conheço é o meu pai que já é casado com minha mãe. Não tem outro José aqui na rua, não, a senhora deve ter errado o caminho – disse Felipe, já querendo voltar a brincar com sua bola.

O coração de Maria acelerou naquele momento. Foi tomada por um mal súbito.

"Não é possível! Não pode ser. Esses meninos são muito crescidos para serem filhos do...", seus pensamentos foram interrompidos pela voz de uma jovem que chamava pelos garotos.

– Felipe, Júnior, com quem vocês estão conversando? – gritou a jovem.

– Mãe, essa moça aqui se chama Maria. Ela é muito inteligente – disse o pequeno Felipe.

A jovem, movida pelo instinto maternal, colocou suas mãos sobre os dois meninos e se apresentou à Maria. Ela disse que se chamava Cecília. Aparentava ser da mesma idade que Maria, embora sua aparência fosse leve, como a de alguém que está sempre feliz e de bem com a vida, ao contrário de Maria, que havia contraído uma expressão pesada no rosto com linhas de expressões precoces para a sua idade.

– E por acaso você vive nesta casa aí, Cecília? – perguntou Maria, apontando para a casa da frente.

– Ora, que pergunta mais estranha, por acaso não me viu saindo de dentro da casa, não? – Cecília era tão graciosa, que sua resposta soou leve, como se estivesse brincando. – E a senhora, vem de onde? Posso ajudá-la?

– Vim de longe, muito longe – respondeu Maria, ríspida. – Vim buscar meu marido!

Cecília entendeu imediatamente o que se passava. Ela pediu para que os meninos fossem para dentro de casa e pedissem para que o pai saísse.

– Você deve ser Maria, a ex de...

Maria a interrompeu, daquela vez, ainda mais ríspida:

– Ex não! Eu sou a mulher de José. Você é que deve ser a amante dele, aquela que destruiu a minha família.

Cecília levou suas mãos ao peito e, como quem suplica, pediu à Maria que a deixasse se explicar. Maria tornou-se mais agitada, gesticulava e falava alto. Cecília esperou até que Maria parasse de gritar e, então, com muita calma, disse:

– Eu não sabia da sua existência, Maria. Quando me apaixonei por José, me apaixonei pensando que ele fosse solteiro. Ele dizia que trabalhava no mar como pescador e por isso passava tanto tempo fora de casa. Eu engravidei do nosso primeiro filho, o Júnior, e logo depois engravidei de Felipe. Foi, então, alguns meses atrás, que ele confessou que já era casado com você.

Maria queria dar-lhe um soco e usar de violência com ela. Gritar, fazer um escândalo. Queria que os vizinhos saíssem para ficar sabendo que a vizinha deles era uma amante que havia destruido uma família, porém a delicadeza e a graciosidade de Cecília a desarmaram. Não sabia o porquê, mas enquanto ouvia Cecília falar, sentia forte empatia por ela. Assim como ela, Cecília também fora enganada por José.

Cecília continuou:

– Assim que descobri tudo, fiz questão de terminar com ele. Tive horror de estar com um homem que me enganou e, pior, que enganou outra mulher. Quando eu fiquei sabendo do nascimento do seu filho, cheguei a sentir vontade de te visitar, para saber se podia ajudá-la de alguma forma.

"Ajudar-me? Que presunçosa!", Maria pensou.

– Aconteceu que José retornou para casa, digo, retornou aqui para a minha casa – disse as palavras com muito cuidado, pois sabia que, ao pronunciá-las, ela estava machucando Maria e não queria causar nenhum mal a ela. – Ele disse que queria voltar e ficar comigo e com as crianças. Eu o aceitei de volta, porém lhe dei uma condição: que ele não faltasse para com você e seu filho. Quero que ele arque com seus deveres de pai e não falte com o seu filho.

Maria estava sem palavras. Olhava para Cecília e imaginava quão diferentes elas eram. Cecília era serena, calma e tinha uma graça contagiante. Em seus pensamentos durante a viagem de ônibus, imaginou como seria o encontro com a amante do marido: iriam brigar e se xingar de nomes horríveis. Os vizinhos sairiam de suas casas para ver a cena, e Maria esbravejaria para todos os vizinhos o quanto a amante de seu marido havia causado mal para ela e seu filho. A realidade, porém, estava sendo bem diferente da sua imaginação. Cecília era dócil e amável. Maria não tinha coragem sequer de continuar aquela conversa. Queria sair o mais rápido possível daquele local e chorar sem parar, sozinha, até não ter mais lágrimas para chorar. Quando estava prestes a sair correndo, José finalmente criou coragem e saiu veio para fora da casa. Assim que o viu, Cecília disse a Maria que achava melhor deixá-los sozinhos para conversarem com privacidade. Antes de deixá-los a sós, Cecília ainda convidou Maria para que entrasse e jantasse com a família. Maria não respondeu, sentiu que aquilo já seria demais.

– Olá, Maria... – disse José, sem coragem de encará-la.

– Conheci seus filhos e sua... – ela pausou por alguns instantes, o choro estava preso em sua garganta – e sua mulher. Linda família a sua, José. Pena que para construir esta família aqui, você acabou por destruir a nossa – um filme passou na mente de Maria, enquanto ela dizia aquelas palavras. Lembrou-se de seu filho Salvador que estava desaparecido e de seu sorriso encantador. Lembrou-se de suas noites em claro, chorando e bebendo sem parar até perder a consciência, para assim tentar superar a falta do filho. Lembrou-se do amor e da dedicação de Isabel para com ela. Sentiu, naquele momento, raiva de si mesma, raiva por ter dedicado todo o seu amor e energia a um homem que a esteve enganando o tempo todo.

– Fui tão idiota – desabafou alto, ao falar consigo mesma. – Todos esses anos, vivendo minha vida em função da sua. Dando o melhor que eu tinha, literalmente, para você. Eu sempre me coloquei em segundo plano, pois o melhor deveria sempre ser dado a você. A melhor mistura no prato, mais espaço em nossa cama para que pudesse dormir bem, o controle da televisão e o controle da minha vida. Você me tinha por inteira e, enquanto se alimentava com o meu amor e minhas energias, eu me esvaziava e murchava do mesmo jeito que uma flor que perde sua vida pouco a pouco, dia a dia.

– Desculpe-me. Quero que saiba que eu te amava e muito. Mas você me sufocava. Seu ciúme e suas cobranças me deixaram louco. Com o tempo, eu conheci Cecília e ela era tão delicada e suave... e...

Maria o interrompeu, ainda segurando o pranto:

– Não me diga mais nada. Já entendi tudo. Você a conheceu, se apaixonou e deixou de me amar. Ela é tudo o que eu não sou, entendi esta parte. Eu vim decidida a dar uns sopapos nela. Queria arrancar-lhe os cabelos do couro, mas, depois de conhecê-la, como posso fazer isso? – naquele momento uma lágrima venceu sua luta e escorreu-lhe pelo rosto. José tentou aproximar-se, mas foi imediatamente repelido por ela. – Primeiro ela engravidou de Júnior, te deu um filho antes que eu pudesse te dar, e depois veio Felipe. Viver com uma mulher neurótica, louca de ciúmes ou com uma mulher toda princesinha, que te deu dois filhos? Até eu sei qual seria a melhor escolha.

– Não pense assim, Maria, eu ia lhe procurar, juro. Estava apenas esperando as coisas se acalmarem com você. Quero lhe ajudar financeiramente e, claro, pagar pelos custos de nosso filho Salvador. Quero ser um bom pai para ele – disse José, tentando se aproximar novamente.

– Chega! Não precisamos de sua ajuda, José. Aliás, sei que sua ideia de ajudar veio de Cecília e não de você. Sequer perguntou como Salvador tem passado. Você simplesmente não se importa. Não ama ninguém. Quer saber, nós estamos muito bem. Tenho pena é de Cecília e desses dois meninos, porque, assim como você me deixou, há de deixá-los. Não estou desejando mal a ela e aos meninos, apenas sei que irá acontecer, pois esta é sua natureza. Você não ama ninguém.

– Me diga, como está o bebê? O nosso bebê.

– Tarde demais, José. Seu interesse já não nos interessa mais – Maria virou as costas e saiu andando sem olhar para trás. O pranto que estava preso em sua garganta explodiu, e as lágrimas logo tomaram conta de seu rosto.

\*\*\*\*

Maria caminhou pelas ruas de chão de terra a passos largos e apressados. Ela queria se distanciar da casa de José o mais rápido possível. Andava sem rumo, sem saber para onde ir. Em sua bolsa, tinha apenas alguns trocados e a passagem de volta à Praia dos Encantos. Pela primeira vez em anos, não se sentia mal pela rejeição de José, só sentia raiva. Sentia muita raiva de si própria por ter se colocado em segundo plano.

"Anos perdidos", pensava. "Perdi até meu filho lutando pelo amor dele, como sou idiota!"

Após alguns minutos caminhando sem rumo, Maria deparou-se com a rodoviária e percebeu que a casa de José ficava bem próxima.

"Fui enganada até pelo taxista. Pilantra! Todos os homens são pilantras!"

Logo avistou o mesmo ônibus em que chegara pronto para partir de volta. Era, então, pegar o ônibus e retornar para casa. Respirou fundo e, quando chegou à plataforma de onde o ônibus estava prestes a partir, entregou o bilhete da passagem para o motorista e sentou-se na poltrona da frente que estava vazia. Olhando pela janela, fixou seu olhar na fila do ônibus da plataforma ao lado e ficou a olhar uma jovem senhora que segurava um bebê em seus braços. Seu coração começou a bater forte. Em seguida, Maria empurrou a senhora que estava sentada ao seu lado e colou suas mãos e seu rosto na janela.

– É ele... É ele! Salvador, meu bebê! – disse eufórica. Ela pegou sua bolsa e sua mala correndo e pediu ao motorista que abrisse a porta do ônibus. – Aquela mulher está com meu filho, abra a porta já! – ela bateu na porta do ônibus freneticamente até o motorista abrir. Maria desceu os degraus do ônibus tão depressa que quase levou um tombo quando pisou no solo. Ela deixou a mala no chão e correu em direção à mulher com o bebê:

– Ei, você aí! Devolva meu filho, sua ladra! – gritou, enquanto corria em direção à senhora, que começou a se assustar.

# Capítulo 24

## Sintomas

    Silvia ardia em febre. O termômetro marcava quase quarenta graus. Ela resistiu aos apelos de sua mãe e de seu marido que insistiam para que fosse ao médico. Dizia que era apenas uma gripe forte e que, com uma noite de descanso, ficaria bem. Após tomar a deliciosa canja de galinha feita pela sua mãe, foi direto para a cama. Dona Regina e seu marido Paulo ficaram ao seu lado, preocupados com sua aparência.

    – Sai de mim, gripe, este corpo não te pertence – Silvia brincava, ainda que a dor estivesse muito forte.

    – Estamos preocupados com você e você fica aí fazendo piada, meu amor! – disse Paulo com o termômetro na mão, pronto para fazer nova medição.

    – Meu amado, isso é apenas uma gripe, e gripe não mata ninguém. Eu sou forte e quero me manter positiva. Assim, meu corpo lutará ainda mais para vencer esta gripe com mais rapidez.

– Filha, eu nunca te vi assim, é melhor irmos ao hospital. Você está pálida e tem olheiras profundas – pediu sua mãe, com seu pressentimento de mãe já lhe dizendo que algo estava errado.

– Falando assim, vocês dois vão me deixar mais doente do que eu já estou. Calma, eu estou bem. Tenho trabalhado muito nos últimos tempos. A editora, graças a Deus, está indo muito bem, e os trabalhos estão aumentando. Acho que minha imunidade está baixa, nada sério. Não se preocupem. Além do mais, já é tarde. Vou dormir, e o sono irá ajudar meu corpo a expulsar esta gripe para bem longe. Amanhã estarei bem – Silvia beijou o rosto de sua mãe e pediu que ela fosse para casa.

– Tem certeza de que não quer ir ao hospital? – perguntou dona Regina. Silvia lançou-lhe um olhar que ela conhecia bem. Olhar que queria dizer que não, e que não insistisse mais no assunto, pois não adiantaria. – Está bem, então, minha menina. Um beijo, durma com Deus. Eu te amo muito.

– Eu também te amo, mãe. Estarei nova em folha amanhã, você verá.

Paulo acompanhou a sogra até a porta de entrada da casa e deu-lhe um abraço carinhoso seguido por um beijo no rosto.

– Fique tranquila, dona Regina, eu cuido dela. Amanhã ela estará bem. Tomemos muita vitamina C para que a gente não pegue esta gripe.

– Tomarei vitamina C como quem toma água! – brincou a sogra, que tinha um senso de humor parecido com o da filha. – Um beijo, meu querido, fique bem. Nós nos vemos amanhã.

\* \* \* \*

Paulo acordou de madrugada, ao sentir o lençol molhado.

"Deve ser suor. A febre dela deve ter aumentado", pensou assustado. Assim que Paulo aproximou-se da esposa, sentiu que ela ardia em febre.

144 *Será amor ou obsessão*

– Querido, eu não me sinto bem – disse Silvia com a voz fraca e ainda com seus olhos fechados.

Paulo deu um pulo da cama e correu para acender a luz do quarto. Após acender a luz, Paulo deu um grito de susto, horrorizado com o que viu: o lençol estava ensopado de sangue. Silvia estava tão fraca que sequer abriu os olhos.

– Meu Deus, querida, temos de correr para o hospital – disse Paulo com as pernas bambas. Silvia não respondeu. Ela estava inconsciente. – Meu amor, fala comigo – pedia ele, enquanto tocava o rosto da esposa.

Paulo ligou para o hospital do bairro e pediu, desesperado, que mandassem uma ambulância o mais rápido possível. Enquanto esperava, retirou o lençol ensanguentado de cima da esposa e entrou em pânico ao ver a grande quantidade de sangue que ela tinha perdido.

– Minha amada, fale comigo, por favor – Silvia não reagia. – Eu já chamei os médicos e uma ambulância está chegando. Seja forte, por favor.

A ambulância chegou e, em questão de minutos, já estavam a caminho do hospital. Ao lado de Silvia, Paulo orava pedindo a Deus que não deixasse sua esposa morrer.

\* \* \* \*

Horas mais tarde, dona Regina e Paulo caminhavam em círculos no corredor do hospital onde ficava a sala de espera para familiares de pacientes. Ambos em silêncio, focados em suas preces, suplicavam a Deus que não levasse Silvia.

Paulo lembrou-se do discurso que a esposa havia feito no dia do seu casamento. Antes de trocarem as alianças, Silvia o olhou bem fundo nos olhos, diante da plateia composta por familiares e amigos, e disse:

"Eu estava perdida, vivendo em um mundo escuro e cheio de trevas. Achei que tinha encontrado um amor, quando, na verdade, havia apenas encontrado um sentimento obsessivo, que me levou a muito sofrimento e dor. Fui ao fundo do poço até aprender minha maior lição: a lição de que o amor é livre, ele aflora nos nossos corações e para sobreviver ele requer liberdade de ambas as partes. Assim que eu aprendi esta lição, Deus me deu, então, o meu maior presente: você. Você, Paulo, me mostrou que, para amar, não é preciso aprisionar, mas sim nutrir a relação com muito carinho e respeito. Ao seu lado, meu mundo é um arco-íris de emoções, que me leva à total felicidade. Você me faz sentir amada e respeitada todos os dias da minha vida, desde o dia em que o conheci, e por isso digo que, com muita felicidade, aceito ser a sua esposa e companheira."

Suas lembranças do dia do seu casamento com Silvia foram interrompidas pelo médico, que se aproximou com feição nada positiva.

– Senhor Di Agostini, eu sou o médico que está cuidando da sua esposa.

– Fale, doutor, por favor, como ela está? – perguntou Paulo aflito.

– As notícias são um pouco difíceis.

Dona Regina e Paulo deram as mãos em aflição à espera do pronunciamento do médico.

# Capítulo 25

## A baiana do acarajé

  Conforme Maria se aproximava, a mulher começou a entrar em pânico e pediu ajuda às pessoas que estavam na fila. Quando Maria chegou próximo dela, as pessoas da fila já haviam formado uma barreira em volta da mulher.

  – Ela está com o meu bebê! – Maria gritou alto enquanto tentava agarrar o bebê com suas mãos. Assim que ela acusou a mulher de estar com seu bebê, as pessoas logo se dividiram. Algumas ficaram a seu favor querendo ajudá-la a retomar o bebê, enquanto outras pessoas continuavam a proteger a mulher.

  – Esta mulher está louca, este é o meu bebê. Eu nunca vi esta maluca na minha vida! – disse a mulher curvando-se toda e protegendo sua filha.

  – É o meu filho Salvador quem está em seus braços. Você o roubou de mim, o tirou de seu berço, se aproveitando que eu dormia. Devolva o meu filho...

– É uma menina, não é menino. Eu nunca te vi em toda minha vida, sua doida! Saia de perto de mim.

Maria conseguiu escapar das mãos de um homem que a segurava e, rapidamente, deu um golpe na mulher e conseguiu remover o lençol que cobria o rosto do bebê. Naquele momento, ela constatou que a mulher dizia a verdade, tratava-se de uma menina. A pele da menina era bem clara e diferente da de Salvador que era morena. Assim que ela percebeu que não se tratava de seu filho, foi ao chão de joelhos chorando desesperadamente. O motorista do ônibus pediu a todos da fila que entrassem e tomassem seus assentos e, em questão de poucos minutos, Maria ficou só na plataforma.

– Preciso achar meu Salvador. Meu filho precisa de mim – Maria dizia para si mesma, enquanto as lágrimas rolavam pelo seu rosto. Ao fundo, escutou um dos funcionários da rodoviária gritar avisando que o ônibus com destino à cidade de Salvador partiria em dez minutos. Ela, então, teve uma ideia: trocar sua passagem e, em vez de retornar para casa, iria à capital pedir ajuda da polícia para encontrar seu filho. Levantou-se rapidamente do chão e correu até o ônibus que estava de partida para Praia dos Encantos. O motorista que já estava impaciente, deu-lhe uma bronca dizendo que todos os passageiros estavam à sua espera. Com o rosto vermelho de tanto chorar, Maria pediu ao motorista sua passagem de volta a fim de trocá-la por uma passagem para a cidade de Salvador. O motorista, já nervoso com aquele atraso, entregou a passagem a ela e entrou depressa no ônibus partindo rapidamente, antes que Maria mudasse de ideia. Determinada, Maria foi até a plataforma onde o ônibus para Salvador estava estacionado e pediu ao funcionário da companhia para que trocasse a passagem e a deixasse viajar para a capital. O funcionário, com medo de que ela desse novo escândalo, não fez objeção e a deixou embarcar.

Maria estava decidida, iria procurar ajuda das autoridades na capital do Estado para encontrar seu bebê. O ônibus partiu em questão de minutos rumo à capital baiana. Com a cabeça encostada na janela do ônibus, fechou os olhos permitindo-se sonhar com o momento do reencontro com seu filho Salvador.

Maria acordou com o motorista cutucando o seu ombro e anunciando que haviam chegado ao destino final. Exausta, ela havia dormido durante toda a viagem. Pegou sua bolsa e sua mala que estavam no compartimento superior do ônibus e desembarcou. Era muito cedo, o sol ainda não havia nascido e a rodoviária já estava lotada de pessoas. Maria, que nunca havia visitado uma cidade grande, ficou espantada com o número de pessoas que superlotavam a rodoviária. Ela abriu sua bolsa e contou o dinheiro. Foi, então, que constatou que os poucos trocados que tinha não dariam nem para uma refeição. Sequer havia pensado em sua estada, despesas com transporte e como faria para voltar para sua casa no sul do Estado. Maria tirou a franja que cismava em cair sobre o seu rosto e ajeitou seus cabelos em forma de um coque. Tirou uma caneta de dentro da bolsa e prendeu seu cabelo com o novo penteado.

Ela estava nervosa e suava frio. Ali, parada no meio da rodoviária, entendeu que sua situação estava muito difícil.

"Estava tão focada em José que sequer me dei conta de que dei quase todo o meu dinheiro àquele taxista!", pensou aflita. Respirou fundo e, decidida, disse a si mesma:

– Tenho de seguir com meu plano. Ir até uma delegacia de polícia aqui na capital e pedir ajuda. Obstáculo nenhum irá me impedir de encontrar meu bebê. Após pedir informação para uma funcionária da rodoviária, Maria pegou um ônibus urbano e foi até o centro da cidade. No caminho da rodoviária ao centro da cidade, ficou tão encantada com os prédios e monumentos históricos, em sua maioria construídos no século XVII, que acabou, por alguns minutos, esquecendo-se dos problemas e da fome que sentia. Salvador, a cidade que serviu como primeiro porto de escravos do continente americano, foi também a primeira cidade colonial do Brasil e uma das cidades mais antigas do mundo. O local, que era repleto de história e banhado pelo Oceano Atlântico, tirava o fôlego de Maria, que, fascinada, observava todos os detalhes com um misto de admiração e ao mesmo tempo de medo.

"Quantas ruas e pessoas, é tudo muito grande", pensou quando chegou ao ponto final do ônibus.

– A delegacia central é logo ali, moça – respondeu a senhora, ao mesmo tempo em que apontava para o prédio onde funcionava a delegacia central.

Maria apressou o passo, querendo chegar logo à delegacia para resolver seu problema. Para ela, seria fácil: contaria sobre o desaparecimento do seu filho, os policiais acionariam as delegacias dos outros Estados do país e, rapidamente, alguém entraria em contato com informações sobre o paradeiro de seu filho. O bebê, então, lhe seria entregue e, enquanto esperava, receberia ajuda da polícia. Fácil assim.

*\* \* \* \**

Ela saiu da delegacia desolada. Fora recebida com desdém pelo policial que, após a fazer esperar por horas, lhe disse que havia verificado o sistema e o desaparecimento já havia sido notificado pela equipe policial de Ilhéus. O caso já estava sendo investigado e não tinha nada que eles pudessem fazer. Quando informou ao policial de sua falta de provisão frente às despesas na cidade, ele simplesmente ignorou e deu as costas a ela a fim de atender outra pessoa.

Maria sentou-se na beirada da calçada, de frente para a Praça Castro Alves e segurou sua bolsa contra o peito tentando abafar a sensação de fome que sentia. Seu estômago roncava alto e começou a sentir de leve uma dor de cabeça. Passou a olhar o mar à sua frente e lembrou-se de sua casa, de Magrelo e de Isabel. Estava a muitos quilômetros de distância de casa. Ali, não tinha Isabel com todo o seu carinho e amor para protegê-la e Magrelo para fazer-lhe companhia. Estava totalmente só.

Sua mente foi tomada por pensamentos negativos:

"Será esse o meu fim? Sozinha, morrerei de fome em uma cidade onde não conheço ninguém. Assim, Deus irá finalizar uma lista de catástrofes em minha vida", pensou.

Olhou para os céus e, gesticulando, disse com raiva em seu tom de voz:

– E dizem que o Senhor é pai! Para mim é nada mais que um padrasto, e daqueles bem ruins. O que mais quer de mim? Já não sofri demais? Só me falta agora ser atropelada por um avião. Sim, porque do jeito que o Senhor me detesta, com certeza, irá usar os Seus poderes para desviar um avião dos céus até mim e me atropelar aqui, no meio desta praça, e assim terminará minha história trágica de vida.

– Eu, hein, mas que dramática você, menina! – disse uma senhora vestida em trajes típicos: vestido branco de renda, turbante na cabeça e guias coloridas. – Estou aqui tentando fazer minhas orações, e você aí reclamando da vida. Assim não há quem aguente!

Maria levantou-se irritada:

– Desculpe se estou atrapalhando as suas orações, mas saiba que eu estou aqui, dentro dos meus direitos, brigando com Deus. E a senhora que não se intrometa!

– Ôxe! E você pensa que é quem para reclamar com Deus, minha filha? – perguntou a baiana, sem mudar o seu tom sereno de voz.

– Eu sou uma pobre coitada que perdeu o marido, perdeu o filho, quase morreu afogada nas pedras da praia, ao mesmo tempo em que quase foi responsável pela morte da melhor amiga, e agora está aqui, a centenas de quilômetros de distância de casa, sem dinheiro, sem ter aonde ir e morrendo de fome. E ainda faltou lhe dizer que quase foi violentada! A senhora agora acha que essa pessoa tem motivos suficientes para brigar com Deus?

– "Acho não" – respondeu a senhora calmamente. – Acho que você é muito da dramática.

– Dramática? – perguntou Maria, indignada.

– Sim! Me diga, o que fazem as baianas todo dia antes de vender seus acarajés? – Maria ficou muda sem saber o que dizer. A baiana insistiu: – Me responda, menina. E você não é baiana? Se é baiana, conhece nossa tradição, não conhece? O que fazem as baianas todos os dias antes de começarem a vender seus acarajés?

Maria respondeu com um tom baixo de voz, ainda sem entender aonde a senhora queria chegar:

– Elas fazem sua oração, depois tomam banho. Em seguida, vão para a rua. Elas varrem o local onde vão colocar o tabuleiro. E, antes de começar a vender seus bolinhos, elas jogam água no ponto e jogam perfume...

– E o que mais?

– Elas jogam nove acarajés pequenos como oferenda – respondeu Maria, ainda sem entender aonde a baiana pretendia chegar.

– Pois sim, e você acha que eu vou jogar nove acarajés no chão como oferenda, sabendo que você está aqui, na minha frente, sentindo fome? Hoje, a minha oferenda será feita a você que tem fome. Deus te colocou neste ponto aqui para que eu lhe oferecesse de comer. Espere um pouco e já frito alguns bolinhos para você. Enquanto isso, trate de orar e agradecer a Deus pela ajuda.

A baiana fez o seu ritual e, após agradecer a Deus por mais aquele dia, fritou dois acarajés grandes e bem recheados para Maria, que os devorou rapidamente, saciando sua fome de mais de vinte e quatro horas.

– Ôxe! Você estava com fome mesmo. Se quiser, eu frito mais. A propósito, meu nome é Aderivalda, mas pode me chamar de Dedeca. É assim que todos me chamam.

– Prazer, dona Dedeca. Me chamo Maria – disse a moça, ainda mastigando o último pedaço do segundo acarajé.

– Agora que já matou sua fome, me conte direito a sua história. Pelo que entendi, você perdeu um montão de gente aí, não foi? – perguntou Dedeca enquanto continuava a arrumar o seu tabuleiro. – Perdeu marido, filho, cachorro, papagaio, não foi isso?

Maria contou todos os acontecimentos recentes de sua vida, desde a partida de José, o desaparecimento de seu filho, até o momento em que conheceu a nova família de José. Enquanto narrava, Maria gesticulava e dramatizava e exagerava os acontecimentos. Dedeca, ao ouvir toda a história, disse:

– Menina, mas que drama! Só de te ouvir contar toda essa história, eu já estou é cansada – Dedeca parou para atender o primeiro cliente do dia que chegou e lhe pediu um acarajé. Assim que o rapaz pagou e se foi, ela continuou: – Preciso dizer que te achei muito ansiosa e, olha, ansiedade não faz bem para ninguém. Ansiedade é um veneno para nossa alma, causa doenças físicas e mentais. Antes de tudo, você tem de se acalmar. Serenidade é uma graça a ser alcançada! Lembre-se disso, viu!

– Sabe que minha melhor amiga, Isabel, também me diz a mesma coisa. Ela diz que eu é que crio todos os meus problemas.

– Não sei quanto a criar problemas, mas, com certeza, ansiedade faz com que acabe por aumentar os problemas, dramatizando tudo. A ansiedade não nos deixa enxergar a realidade como ela é, mas sim distorcida e negativa.

– Mas, me diga, depois de tudo que lhe contei, não acha que minha realidade é muito dramática? Se fosse novela, ninguém acreditaria ser possível acontecer na vida real. Aqui estou, sem dinheiro, sem teto e sem família.

Turistas e foliões começaram a chegar, e a praça rapidamente tornou-se lotada. Clientes passaram a cercar Dedeca pedindo seus bolinhos.

– Vamos fazer o seguinte, infelizmente não tenho muito o que fazer quanto à sua família, porém posso te ajudar com comida e teto. Volte aqui por volta das seis da tarde e, assim que acabar aqui, te levo para minha casa. Poderá ficar lá até se ajeitar.

Maria deu um pulo de felicidade e um abraço forte na baiana. Sentiu imediata empatia por ela. Dedeca passava uma forte energia maternal, era calma e ao mesmo tempo firme. Maria confirmou que retornaria às seis da tarde e, quando deixou o local, Dedeca já atendia a vários clientes que a chamavam carinhosamente pelo nome e pediam seus deliciosos acarajés.

# Capítulo

## 26

## A fé de Silvia

Após ouvir o diagnóstico, dona Regina e Paulo entraram no quarto para ver Silvia, que estava sob efeito de sedação. Ela tinha os olhos semiabertos e aparentava estar bastante fraca.

– Meus amores – balbuciou Silvia. Notando que o marido e a mãe estavam tristes e preocupados, ela disse: – Não se preocupem. O doutor já falou comigo; e eu hei de lutar contra esta doença – Silvia ficou sem ar devido ao esforço que fez para falar. Sua mãe pediu que não falasse mais para não se esforçar tanto. Silvia continuou: – Eu sou forte, e eu prometo que esta doença não vai ser mais forte do que eu.

– Sim, meu amor, e nós estaremos ao seu lado, lutando juntos – disse Paulo, enquanto fazia carinho em suas mãos.

– A leucemia não vai me vencer! Eu tenho fé! Muita fé – disse Silvia, fechando os olhos e caindo no sono.

Regina e Paulo ficaram assistindo a Silvia dormir em silêncio. Sabiam que essa batalha, que iria requerer muita fé e muita força, estava apenas começando.

\* \* \* \*

Horas mais tarde, Zahra chegou ao hospital após ser avisada por Paulo, a pedido de Silvia. Ela entrou no quarto preocupada, com os olhos turvos. Embora não conseguisse abrir o mesmo sorriso largo de sempre, devido à fadiga causada pela doença, Silvia, assim que a viu entrar, cumprimentou-a com alegria.

– Minha amiga querida! – reparando as lágrimas no canto dos olhos de Zahra prestes a cair, disse: – Eu estou bem, acredite em mim. Não vamos aumentar o poder desta doença ainda mais. Está tudo aqui e também aqui na mente – disse, apontando para o coração e depois para a sua cabeça. – Eu vou vencer. Esta doença será apenas um probleminha em minha vida, você verá.

Zahra balançou a cabeça e soltou um sorriso tímido. Não disse nada, pois sabia que se tentasse falar, acabaria chorando. Paulo cumprimentou Zahra e disse que aproveitaria a sua presença para ir até em casa tomar um banho e pegar algumas roupas, pois passaria a noite no hospital. Antes de sair, ele deu um beijo na testa da esposa e avisou que voltaria em duas horas.

– Então, me conte de você, como anda a nova vida como mamãe? E o Farzin tem te tratado bem?

Zahra, naquele momento, derrubou uma lágrima.

– Você, mesmo passando por isso, ainda pensa em mim e nos outros à sua volta – disse emocionada. – Eu vim aqui te visitar e te dar apoio, e é você quem se preocupa comigo! Você é realmente uma pessoa muito iluminada.

– Não chore, querida – Silvia reuniu forças para dizer a última sentença. A fadiga voltou a abatê-la.

– Você se tornou muito importante para mim. Tenho você como se fosse mais do que uma amiga. Você é como se fosse minha família – disse Zahra emocionada.

Silvia reuniu forças e, então, disse antes de cair no sono:

– Família, amigos, tudo a mesma coisa. Amigos são a família que escolhemos. Por isso, é importante escolher muito bem nossos amigos. Eu escolhi muito bem, minha querida. Você é parte da minha família.

Dona Regina entrou no quarto e encontrou Zahra acariciando a cabeça de sua filha. Assim que a viu entrar, Zahra sinalizou, com um movimento de cabeça, que Silvia estava dormindo. Aproveitando a oportunidade, dona Regina igualmente sinalizou a Zahra pedindo para que saísse do quarto a fim de conversarem. Uma vez fora do quarto, elas se abraçaram e ficaram assim no corredor do hospital por muito tempo, ambas deixando as lágrimas rolarem.

– Estas lágrimas estavam presas na garganta – disse dona Regina, enquanto enxugava o rosto. – Precisava botá-las para fora. Agora é hora de ficar forte e seguir em frente.

– Paulo me explicou tudo muito rápido ao telefone e, quando cheguei, ele logo se foi. Como foi que tudo aconteceu e o que foi exatamente que os médicos disseram?

– Os sintomas que ela vinha apresentando não eram de gripe. Quando ela aqui chegou de madrugada, os médicos, após realizarem uma bateria de exames, constataram que a contagem dos glóbulos brancos estava muito alterada. A princípio, eles suspeitaram de leucemia linfoide aguda, o que foi confirmado com o exame da medula óssea.

– Ela está com uma aparência tão pálida e tem vários hematomas no rosto.

– O médico explicou tudo. A leucemia está causando uma anemia forte. Os hematomas e a fraqueza são um dos vários sintomas e sinais. Dona Regina pegou na mão de Zahra quando lhe disse: – Mas não deixe isso tudo te impressionar, pois o momento agora é de demonstrarmos força e positividade a ela!

– Sim, você está certa, mas é que hospitais me dão calafrios, sabe. São lugares tristes.

– Não pense assim de jeito nenhum. Os hospitais não são lugares tristes, mas sim lugares de esperança. Todos aqui têm esperança de ser curados. Pessoas lutando pela vida. E a nossa tarefa é elevarmos nossos pensamentos e termos fé. Os médicos disseram que ela vai começar a quimioterapia amanhã mesmo. Querem iniciar o combate à doença o mais rápido possível. Ela poderá ficar aqui no hospital por muitas semanas, e nós seremos os responsáveis por mantê-la alegre, altruísta e esperançosa de que ficará bem.

– Em se tratando da sua filha, dona Regina, sinto que é ela que nos manterá alegres e confiantes. Nunca conheci em toda minha vida alguém tão positiva e tão cheia de vida como ela.

Dona Regina soltou uma risada leve e concordou com Zahra:

– Isso é verdade, Silvia é muito especial.

\* \* \* \*

Naquela noite, na volta para o seu lar, Zahra decidiu pedir ao taxista que a deixasse em frente à livraria, perto de onde havia sofrido o acidente com Gabriel. O livro que havia ganhado de Silvia estava todo encharcado com a água da chuva e totalmente ilegível. Zahra entrou na livraria e pediu ao atendente que lhe informasse a sessão onde encontraria o livro. Zahra, então, disse o nome de Silvia para o atendente, que respondeu prontamente:

– Nós temos uma sessão só com livros dessa autora. Ela é bastante conhecida – o atendente levou Zahra até a respectiva sessão. Estavam expostos vários títulos de livros escritos por Silvia. No centro da sessão, havia um pequeno pôster com uma foto muito bonita dela. Na foto, ela parecia um pouco mais jovem. Zahra sentiu um aperto no peito assim que viu a foto. A lembrança de Silvia, toda frágil, na cama de hospital, lhe veio à mente. Zahra ficou a admirar a foto do pôster em que Silvia estava com o seu sorriso largo de costume e lindamente vestida com um blazer vermelho sobre um top branco.

"Minha amiga, você vai ficar bem!", disse Zahra em pensamento, como se estivesse conversando com a Silvia da imagem no pôster.

Zahra encontrou um exemplar do mesmo título que Silvia tinha lhe dado e resolveu comprar todos os outros títulos disponíveis.

– Nossa, a senhora deve ser uma grande fã da autora. Está levando doze títulos dela – o rapaz disse, enquanto escaneava as informações dos livros na caixa registradora e os colocava na sacola de compras.

– Você acertou, eu sou uma grande fã – Zahra agradeceu e deixou a livraria rumo ao seu lar.

Quando ela chegou em seu apartamento, sua intuição dizia que Farzin a estaria esperando e, com certeza, viria uma bronca. Ao receber a ligação de Paulo informando sobre a internação de Silvia, Zahra decidiu rumar para o hospital. Antes, solicitou à Fátima que cuidasse do bebê Casper e desse o recado a Farzin de que não poderia precisar a hora que sairia do hospital.

"Ele que não ouse me dar bronca, pois irá escutar de mim. Eu não vou me calar", pensou decidida, assim que entrou no apartamento.

– Onde você estava? Por acaso está ficando louca, deixar o seu bebê assim nas mãos da destrambelhada da empregada? – esbravejou Farzin logo que Zahra entrou em casa.

– E por acaso a Fátima não lhe disse que Silvia está internada?

– Contou, e o que você tem a ver com isso?

– Ela é minha amiga, Farzin! Eu fui visitá-la e ficar com ela neste momento difícil.

Ainda muito nervoso, ele jogou suas mãos para o alto:

– Amiga! Ora, amigo não existe. Amigo é ter dinheiro no bolso, Zahra! Não existe essa de amigo. Acorde para a vida. Sou eu e agora o nosso filho quem deve importar para você, ninguém mais. Pare já com essa história de acreditar em amizade. Família é tudo com que você deve se preocupar. O resto não importa.

Zahra o deixou falando sozinho e foi direto ao quarto do bebê para ver como ele estava e liberar Fátima do trabalho. Farzin foi atrás dela, ainda mais nervoso do que antes. Gritava pelo apartamento, cada vez mais alto. Antes de entrar no quarto do bebê, Zahra virou-se e olhando nos olhos do marido, com bastante firmeza em sua voz, disse:

– Eu não quero você perto do nosso filho enquanto estiver assim, descontrolado. Essa energia não é boa e não o quero por perto enquanto estiver agindo com essa raiva. E você pode ir se acostumando, pois eu irei, sim, visitar minha amiga no hospital o quanto for preciso – ela entrou no quarto do bebê e fechou a porta, deixando-o do lado de fora.

Farzin espumava de raiva. Ele esmurrou a parede do corredor e caminhou a passos largos até seu quarto, onde entrou e bateu a porta com força.

"Agora esta Silvia, com essa doença que ela arrumou, vai ocupar ainda mais espaço na vida da minha mulher. Ela é minha. Minha!", pensou enquanto esmurrava o móvel de madeira do quarto. Naquele momento Farzin não via nada ao seu redor. Era como se conseguisse imaginar somente coisas ruins acontecendo para si. Teorias conspiratórias povoavam sua mente. Imaginou sua mulher se encontrando com outros homens e o traindo, enquanto mentia dizendo estar no hospital visitando a amiga. Mil cenários passavam pela sua mente. Como todos aqueles que mentem e traem, ele projetava em sua esposa os erros que ele cometia. Por traí-la e mentir para ela, pensava que ela faria o mesmo com ele, e por isso suas crises de ciúmes. Era por este motivo que ele a controlava. Para Farzin, controlar sua esposa era a forma de impedir que ela fizesse com ele o mesmo que ele fazia com ela.

# Capítulo 27

## O fundo do poço

Maria caminhava pelas ruas de Salvador, para passar o tempo até dar a hora de encontrar Dedeca. Caminhava pela cidade baixa, olhando atenta por todos os lados como se fosse encontrar seu bebê a qualquer momento. Prestava atenção em todas as pessoas que passavam por ela, como se todos fossem suspeitos de terem roubado Salvador.

Já quase no final da tarde, perto da hora marcada de encontrar Dedeca, andando pela orla marítima, Maria passou em frente ao mesmo hotel em que Farzin dias atrás encontrara a líder da quadrilha, Roberta, pagando-lhe uma pequena fortuna em troca do bebê. Quando caminhava na calçada do hotel, esbarrou em Roberta, que estava a caminho de encontrar um novo cliente. O esbarrão fora tão forte que Maria chegou a perder o equilíbrio e quase foi ao chão. Roberta, com expressão de nojo em seu rosto, a mediu de cima a baixo, virou-se em direção ao hotel e prosseguiu em seu caminho. Maria ficou a olhar para ela sem palavras. Sentiu forte sensação de angústia que demorou a passar. Sentiu-se humilhada com o olhar de Roberta. Teve vontade de beber e pensou que somente assim conseguiria esquecer aquele sentimento de inferioridade. Olhou no relógio e verificou que ainda tinha meia hora até encontrar Dedeca. Lembrou-se de ter visto um bar a cerca de dois quarteirões. Correu pelas ruas até o local.

"Só um gole e eu ficarei bem. Apenas um gole, é tudo de que preciso!", pensou enquanto corria até o bar.

Maria abriu sua bolsa de lado a lado e vasculhou tirando todas as moedas para fora.

– Uma dose, por favor – ela pediu ao funcionário do bar.

Ele lhe entregou um copo com uma dose de bebida e ela lhe pagou em moedas. Maria bebeu toda a dose em uma golada só e pediu mais uma dose ao rapaz. Mais uma vez, ele lhe entregou um copo com uma dose e ela bebeu em um único gole. E assim a cena se repetiu várias vezes, até o dinheiro de Maria acabar por completo.

– Desse jeito a senhorita não vai conseguir levantar do banco. Já deve estar bebinha – disse o funcionário, tirando o sarro dela.

– Me dá mais um copo – ordenou Maria já totalmente alterada devido ao álcool. Suas mãos seguravam sua cabeça sobre o balcão do bar. Tudo ao seu redor começou a girar.

O funcionário do bar, se divertindo ao ver o estado deplorável de Maria, encheu um copo inteiro com a bebida:

– Este é por conta da casa! Pode se esbaldar de beber – ele chamou os outros funcionários do bar e apontou para Maria, fazendo piada dela.

Maria já não se lembrava de seu compromisso com Dedeca e sequer passava pela sua cabeça que não teria um local para dormir naquela noite. O bar estava repleto de homens que, ao perceberem o seu estado, começaram a se aproximar feito animais rodeando sua presa. Pressentindo o perigo, Maria tentou se levantar do banco onde estava sentada, mas sem sucesso, pois não tinha equilíbrio. Com seus sentimentos exacerbados pelo álcool, Maria entrou em desespero e foi tomada por medo.

– Ei, bonitinha, aonde pensa que vai? Fique aqui com o papai! – disse um dos clientes do bar que também estava embriagado.

– Me solte! – ela gritou. – Meu marido vem aí e vai te dar uma surra – ela deu um empurrão no homem e correu em direção à saída do bar. Sua visão estava embaçada e confusa e por isso, não enxergando os degraus, Maria caiu abruptamente para fora do bar, na calçada.

As pessoas dentro do bar e as que passavam na rua riam e debochavam dela. Maria levantou-se e, cambaleando, saiu correndo pelas ruas. Ignorando os carros, atravessou a movimentada orla e quase causou um acidente de trânsito quando dois carros precisaram frear bruscamente a fim de não causar um atropelamento.

Dedeca, que já estava desistindo de esperar por ela, pois passavam das sete e meia da noite, estava pronta para deixar o seu local de trabalho quando avistou Maria caminhado em zigue-zague em sua direção. Ficou apavorada quando viu Maria quase ser atropelada, andando pela rua entre os carros. Sem entender o que estava acontecendo, Dedeca foi ao seu encontro e a segurou com firmeza pelo braço, puxando-a de volta para a calçada.

– Dona "Dodoca"! A mulher dos acarajé! Como a senhora está? – Maria ria sem parar.

– Você está totalmente embriagada, menina!

– Dona "Dodoca", a senhora está certíssima, eu tomei todas! Estava me sentindo triste e enchi o caneco, como o povo diz! – Maria gesticulava e ria alto.

– O que eu faço com você, menina?

Maria sentou-se na calçada e disse:

– Não se preocupe comigo, "dona Dodoca". Eu vou ficar aqui, na praia mesmo. Já perdi marido, filho, amiga, cachorro... Não me falta mais nada! – e estericamente começou a chorar.

Dedeca teve uma ideia. Foi até o ponto de táxi e pediu a um dos taxistas, que era seu amigo, para ajudá-la. Ela explicou toda a situação a ele e disse que queria ajudar a moça. Em sua casa, poderia dar um banho de água fria para curar a bebedeira e pensar em uma forma de ajudá-la. Não poderia deixá-la sozinha nas ruas. O taxista, que gostava muito de dona Dedeca, a ajudou, após muito esforço, a colocar Maria no banco traseiro da van. Dona Dedeca deu partida e seguiu para sua casa.

# Capítulo

## 28

# Os sinais de um relacionamento abusivo

Quando o bebê dormiu, Zahra pegou um dos livros de autoria de Silvia, de dentro da sacola de compras, e o abriu para ler. O título era: "Como eu escapei de um relacionamento abusivo"[5], por Silvia Di Agostini.

*Prefácio*

*Decidi escrever este livro para, com minha experiência, poder ajudar a mulheres que, assim como eu, também vivem ou viveram um relacionamento abusivo.*

*O mais importante é aprender que não somos culpadas, mas sim vítimas. Parar de se culpar e de tentar encontrar desculpas para a ação violenta e abusiva de nossos parceiros (namorados, maridos, não importa a relação). Não importa o motivo que os levam a cometer tais ações, temos de aprender que nada justifica abuso e violência.*

---

5    Este livro não existe. Trata-se de um título fictício.

## Capítulo 28 — Os sinais de um relacionamento abusivo

*Eu vivi onze anos da minha vida com um homem que, no começo de nossa relação, pensei ser meu herói e que, porém, com o tempo, acabei por aprender que ele era o meu maior inimigo.*

*Neste livro, espero que vocês, leitoras e leitores – sim, muitos homens também sofrem em relações abusivas com suas parceiras e parceiros – venham a aprender com minha história um pouco sobre os sinais de um relacionamento abusivo e, o mais importante, aprender que existe uma saída, existe um mundo bonito e seguro onde você pode ser feliz fora do relacionamento abusivo em que você vive.*

*Os sinais de que você está vivendo um relacionamento abusivo:*

*Fique sempre atento(a) aos seguintes sinais:*

*– Ciúme excessivo e descontrolado.*

*– Ele(a) lhe isola, fazendo com que se separe de amigos e familiares.*

*– Ele(a) lhe diminui, lhe trata como inferior; agressões verbais.*

*– Ele(a) é violento(a).*

*– Ele(a) não tem respeito pela família e também por outras pessoas.*

Ao ler o prólogo, Zahra pôde imaginar claramente Silvia dizendo aquelas palavras. Por instantes, pensou em sua amiga na cama do hospital, frágil e lutando para viver. Em questão de segundos, lembrou-se da força de Silvia. Zahra imaginou que tudo o que Silvia gostaria naquele momento seria vê-la confiante, pensando positivamente e não pensar nela com dó, mas sim com esperança e fé. Zahra, então, começou a ler o primeiro capítulo:

*Marcelo era o galanteador do colégio. Todas as meninas eram loucas por ele. Bonito, simpático e bem-articulado, ele era capaz de fazer com que qualquer pessoa viesse a gostar dele. Eu me senti extremamente orgulhosa de mim mesma quando ele demonstrou estar interessado em mim. Era como se dentre todas as garotas do colégio e do bairro, eu tivesse sido a única a ser escolhida e ganhado a atenção tão concorrida dele.*

*Não me leve a mal, eu não era uma das garotas sem autoestima e sem amigos que estava desesperada pela atenção de um rapaz. Pelo contrário, eu era a melhor estudante, vivia rodeada de bons amigos, era a melhor nos esportes e hoje, com toda minha maturidade, admito que, sim, era muito bonita. Algo se transformou dentro de mim quando eu recebi a atenção de Marcelo. Eu resisti no começo. Era muito ocupada com meus amigos e meus estudos e tinha planos de entrar na faculdade de jornalismo. Como a faculdade que eu queria cursar era bastante concorrida e as vagas eram limitadas, eu estudava muito para conseguir passar no concorridíssimo vestibular da universidade. Não queria namorar, mas, com o tempo, fui me sentindo especial com todas as investidas de Marcelo. Ele chegou a mandar buquês de flores quase todos os dias para a minha casa e chegou até a fazer uma serenata, tocando violão e tudo o mais, na porta da minha casa. Apesar de resistir por muitas semanas, eu acabei cedendo aos seus encantos e galanteios.*

*O começo do nosso namoro foi de muita paixão. Nós passamos a nos ver todos os dias. Desde o começo da relação, ele já demonstrava muito ciúme, porém eu não me importava. Eu pensava que seu ciúme era uma forma dele demonstrar seu amor. Ele tinha ciúmes dos meus amigos de classe, dos meus amigos mais antigos e até do meu professor de português – quem ele cismou que era apaixonado por mim. O seu ciúme no começo não me sufocava, pelo contrário, eu queria que ele sentisse. Para mim, era como se fosse um atestado de seu amor por mim – com o tempo, descobri que aquele ciúme era o primeiro sinal de um amor doentio. Aprendi com muita dor que ciúme nunca é saudável, nunca faz bem. O ciúme causa feridas nas duas partes, tanto em quem sente quanto em quem é o alvo.*

Capítulo 29

# O primeiro passo para a recuperação

Com muito esforço, dona Dedeca conseguiu colocar Maria debaixo do chuveiro sob água bem gelada. Dentro da van, a caminho de casa, ela tinha dado muito trabalho – Maria chorou e gritou alto durante todo o percurso.

Após o banho de água gelada, Maria vestiu o conjunto de roupas limpas que dona Dedeca havia lhe dado. Sua cabeça doía, mas pior era a sua consciência. Sentia-se muito envergonhada pelos acontecimentos.

– Sente aí, menina, vamos conversar – disse dona Dedeca, apontando para a cadeira ao lado da mesa da cozinha. Dona Dedeca passou-lhe uma xícara de chá de erva-cidreira que havia fervido para ela.

Calada, Maria sentou-se e tomou um gole do chá. Seus lábios começaram a tremer, anunciando o choro que estava chegando. Maria começou a soluçar e logo entrou em prantos.

Dona Dedeca se aproximou dela e, antes que pudesse dizer algo, Maria disse:

– Eu preciso de ajuda! Eu não consigo parar de beber... – disse Maria, aos prantos.

Quando Dona Dedeca chegou ainda mais perto, ela foi abraçada bem forte por Maria que soluçava de tanto chorar.

– Calma, menina, calma – dizia dona Dedeca de forma suave e maternal.

– Eu cansei. A Isabel está certa, eu tenho um problema com a bebida. Hoje à tarde eu estava a caminho da praça onde combinamos de nos encontrar, quando uma mulher esbarrou em mim e me lançou um olhar tão ruim, que me fez sentir tão inferior e tão miserável. Foi, então, que eu senti a vontade de beber. Eu não conseguia parar de pensar em beber... Pensava que a bebida pudesse me ajudar naquela hora.

– Ninguém nos faz sentir algo que nós não permitimos. Você se permitiu sentir-se inferior, minha filha. Você poderia ter escolhido não deixar se sentir mal com o olhar daquela mulher estranha. Poderia ter escolhido seguir em frente sem ao menos pensar nela. Assim, você teria me encontrado na hora marcada e teríamos vindo para minha casa e tido uma noite agradável. Porém, você se permitiu receber a energia ruim daquela mulher e se sabotou. Foi então beber, sabe-se lá onde e sabe-se lá o que aconteceu antes de eu ter te encontrado na rua onde você quase foi atropelada. Pare para pensar, minha filha – uma escolha errada e olha quantos acontecimentos ruins foram gerados desta sua má escolha.

– É como se já estivesse prestes a desistir de viver. Nada parece dar certo na minha vida. São problemas atrás de problemas.

– Não se esqueça de que a vida é um presente de Deus. Quanto mais você desiste da vida, mais as repostas para os seus problemas se afastam de você. Lute. Não desista! Tenha fé e logo as respostas para os seus problemas chegarão até você.

– Há muito tempo venho bebendo... Comecei anos atrás, na época em que José sumiu pela primeira vez. Não sabia o que fazer. Quando vi que ele não chegava em casa, entrei em pânico. Senti falta de ar, sentia meu coração palpitar parecendo que estava tendo um ataque cardíaco. Só de pensar em ficar sem ele ao meu lado, já me sentia mal. Experimentei, então, o álcool naquela primeira vez que ele não voltou. O álcool me acalmou...

– Você tem certeza de que o álcool te acalmou? Ou será que agravou ainda mais seu desespero?

– Antes pensava que sim... Que o álcool era como um remédio para mim. Só ele me fazia esquecer aquele sentimento ruim que tinha quando José não estava ao meu lado e eu me sentia rejeitada. Mas, pensando bem... – Maria pausou por alguns instantes enquanto relembrava todos os momentos difíceis de sua vida e que o álcool acabou por torná-los ainda piores. – Pensando bem, você está certa, hoje percebo que o álcool apenas piorou tudo!

– Esse é o passo mais importante – você entender e aceitar que tem um problema com o álcool. Assim você já está na metade do caminho para sua nova vida. Mudança, é disso que você precisa.

– Eu entendo. Agora eu entendo e tenho medo de nunca conseguir mudar – disse Maria.

– Ah, mas você vai mudar. Vai ter de mudar! – dona Dedeca exclamou. Ela tirou um pedaço de papel de dentro do seu bolso e mostrou um endereço escrito à caneta. – Enquanto você tomava banho, eu liguei para uma amiga e peguei o endereço dos Alcoólicos Anônimos aqui do bairro. Se você está realmente decidida a mudar de vida, o primeiro passo está aqui. Você precisa de ajuda de pessoas que entendem do assunto e sabem como te ajudar.

Maria balançou a cabeça afirmativamente, concordando que estava na hora de trabalhar em sua recuperação. Dona Dedeca lhe passava muita segurança, sentia-se ajudada por uma mãe.

– Você me disse que perdeu tudo, inclusive o seu dinheiro, verdade? – perguntou a senhora. Maria balançou a cabeça afirmativamente. – Pois bem, eu também pensei e decidi lhe oferecer ficar aqui em casa por uns tempos. Minhas filhas todas já estão casadas e morando fora e meu marido morreu faz alguns anos, então tenho quartos vagos de sobra nesta casa.

– Obrigada, dona Dedeca. A senhora caiu do céu, eu não tenho como agradecer toda a sua ajuda.

– Bom, na verdade, você tem. Eu costumava ter a ajuda de uma vizinha lá no meu ponto vendendo acarajé comigo, mas ela fez uma operação e está de cama, então, pensei em você para me ajudar a preparar os bolinhos e o tabuleiro e depois ir comigo e passar o dia vendendo lá no ponto. Mas não se preocupe, é um trabalho, não é exploração. Eu vou te pagar pelo seu trabalho.

– Não precisa me pagar. A senhora já está me ajudando muito me dando um lugar para ficar e...

Dona Dedeca insistiu:

– Não, está decidido, eu vou te pagar pelo trabalho com os bolinhos. Quanto a ficar aqui, você já estará me pagando se me prometer que irá frequentar o grupo dos Alcoólicos Anônimos e parar de se autossabotar – ela foi até o fogão e acendeu o fogo para esquentar uma das panelas: – Agora, vamos jantar. Eu vou esquentar a sopa que eu fiz. Está uma delícia – ela disse, então menos séria e abrindo um sorriso.

– Me conte mais sobre o seu filho. Vamos ver se consigo pensar em uma forma de te ajudar a encontrá-lo – dona Dedeca disse, enquanto mexia a sopa com uma colher de pau.

Maria narrou sua história e também contou acerca do que a polícia tinha feito pelo caso até aquele momento. Dona Dedeca serviu a sopa, e as duas conversaram por várias horas sentadas na cozinha.

# Capítulo

# 30

# *Minando a autoestima*

– Você não vai sair de casa hoje! – esbravejou Farzin, levantando-se da mesa de café da manhã – você tem um filho para cuidar!

– Farzin, eu vou visitar Silvia no hospital hoje no horário de visita, sim! E fale baixo. Fátima está aqui ouvindo você gritar comigo.

– Eu falo como quiser. Eu mando neste apartamento, não se esqueça. Você vive aqui com o dinheiro do meu trabalho, e eu grito o quanto quiser!

– Eu quero trabalhar e é você quem não deixa, mas, quer saber, eu vou procurar um trabalho para não precisar nunca mais ouvir isso de você – disse Zahra nervosa.

Farzin soltou uma gargalhada irônica e disse em voz alta:

– E você acha que vai arrumar trabalho onde? Você por acaso se acha inteligente o suficiente para conseguir um trabalho que preste? Se conseguir algo, será um emprego que te pagará uma miséria e você não terá dinheiro para nada!

– Chega, Farzin, você está me humilhando.

– Olhe ao seu redor, olhe para este apartamento de luxo. Olhe para as roupas e sapatos que você veste. Por acaso, você acha que irá conseguir um trabalho que te pague o suficiente para manter todo este luxo? – ele pegou sua maleta de trabalho e finalizou dizendo: – Pois saiba que não. Sem mim você não é nada! – Farzin saiu e bateu a porta do apartamento com violência.

Zahra ficou sentada sem vontade de terminar o café da manhã. Perdera totalmente a fome e o ânimo. Sentia-se humilhada, não era a primeira vez que Farzin dizia aquelas palavras, porém não conseguia se acostumar com tamanho abuso. Todas as vezes que ele a agredia verbalmente, doía fundo e sentia-se extremamente humilhada. Lembrou-se do livro de Silvia e do trecho da introdução, que ensinava aos leitores os sinais de uma relação abusiva:

*Ele(a) lhe diminui, lhe trata como inferior; agressões verbais...*

Zahra foi até o quarto do bebê, entrou bem devagar para não acordá-lo e pegou o livro que estava em cima da poltrona. Ela, então, folheou o livro até encontrar o capítulo que explicava o sinal:

*Ele(a) lhe diminui, lhe trata como inferior; agressões verbais...*

*Com o tempo, ele começou a minar minha autoestima com agressões verbais. Chamava-me de burra, dizia que eu era incapaz de exercer qualquer função simples. Se eu derrubasse um copo de vidro e o quebrasse, por exemplo, já era motivo para ele começar a me agredir verbalmente. Dizia que eu era desastrada, que eu não servia para nada e chegava até a gritar comigo. Meus amigos e até minha família tentaram me alertar, no começo de nossa relação, porém eu não lhes dei ouvido. Os abusos eram constantes e, com o tempo, passei a acreditar no que ele dizia e fui perdendo minha autoestima e minha alegria de viver. Eu vivia em pânico. Tinha pânico de fazer algo errado, como simplesmente quebrar um copo, ou de dizer algo errado e ser agredida verbalmente por ele. Vivia em constante medo de que ele fosse me humilhar e me agredir com seus insultos.*

*Hoje eu sei que seus xingamentos eram abusivos, violência verbal, porém, na época, quando minha autoestima estava bem baixa, eu simplesmente acreditava em seus insultos e que eu era merecedora de tais abusos. (...)*

Zahra fechou o livro e ficou a pensar naquelas palavras. Não conseguia imaginar Silvia, uma mulher tão alegre, tão forte e de autoestima tão elevada, passando por todo aquele abuso.

"Ela é a prova viva de que qualquer um pode sobreviver a um relacionamento horrível destes", pensou.

Pensar em Silvia e em sua alegria, apesar dos momentos difíceis que havia vivido em seu passado, lhe deu forças e a inspirou. Zahra respirou fundo e sorriu, retomando a sua motivação. Naquele momento, ela olhou para o berço e viu que o bebê havia despertado e estava olhando para ela e sorrindo. Ele era um bebê muito calmo e tranquilo e transmitia muita paz.

# Capítulo

# 31

# O poder dos nossos pensamentos

Dona Dedeca despertou Maria bem cedo naquela manhã. Começava seus trabalhos todos os dias bem cedo para dar tempo de preparar os bolinhos. Maria ainda tinha sono, mas logo se sentiu disposta, contagiada pela alegria e energia de dona Dedeca.

– Olha que dia bonito lá fora! – disse dona Dedeca toda animada, terminando de arrumar os bolinhos em um grande recipiente de plástico. Movia-se pela cozinha sem parar, organizando seus materiais de trabalho.

– Mas que alegria toda é essa, dona Dedeca? Não são nem seis da manhã ainda.

– Filha, nós temos a bênção de ter mais um dia lindo lá fora esperando por nós. Vamos agradecer esta oportunidade e aproveitar! Cada dia de vida é um presente, mais uma chance de recomeçarmos.

– Gostaria de pensar assim como a senhora, mas...

– Sem mas, pode parar! – disse dona Dedeca, organizando suas coisas. – Lembra-se do que conversamos ontem à noite?

Nossos pensamentos são importantes e determinam nossas vidas. Pense positivo, mentalize que o dia de hoje trará boas notícias, alegrias e assim será. Você pensa e o universo retribui enviando a mesma energia. Pense positivo e você receberá positividade, pense negativamente e você receberá...?

– Negatividade – completou Maria.

– Exato! – dona Dedeca parou na frente de Maria, levantou o rosto dela gentilmente e disse: – Agora, vamos mudar esses pensamentos e começar de novo. Com brilho em seu olhar, perguntou: – O que vai acontecer hoje?

– Coisas boas! – respondeu Maria, já contagiada pela alegria da senhora.

– Resposta certa. Agora vamos, eu pensei muito ontem à noite em como posso te ajudar a reencontrar o seu bebê e lembrei que eu conheço um rapaz que trabalha em uma estação de rádio. Ele vem sempre na hora do almoço para comer um acarajé, e então pensei em pedir para ele anunciar o desaparecimento na rádio. Quem sabe eles podem até dar um espaço no ar para você contar a sua história. E assim você vai conseguir chamar atenção para o caso.

– Que ideia maravilhosa, dona Dedeca. Claro que esse plano dará certo, os ouvintes irão se comover e ajudar a procurar meu filho Salvador.

– Calma. Sejamos confiantes, mas vamos trabalhar na divulgação. Depois da rádio, podemos acionar as televisões, jornais e botar a boca no mundo!

Maria deu um pulo de alegria e abraçou dona Dedeca.

– Obrigada por tudo! – Maria deu um beijo estalado na bochecha da senhora.

\* \* \* \*

O rapaz que trabalhava na rádio foi ao ponto de acarajé de dona Dedeca na hora do almoço, como era de costume. Após ser apresentado à Maria, ele ouviu toda a sua história e concordou em convidá-la para o programa da tarde, o mais ouvido da rádio, e entrevistá-la. A ideia era fazer um apelo para que as pessoas se mobilizassem e ajudassem a procurar Salvador. A estação de rádio ficava a poucos metros da praça onde dona Dedeca vendia seus acarajés. Ele marcou a entrevista para aquela tarde mesmo. O programa seria ao vivo, e Maria teria a chance de fazer seu apelo para milhares de ouvintes na cidade de Salvador e municípios vizinhos.

Maria estava contente com aquela oportunidade, pois, até então, sentia-se de mãos atadas, esperando pelo trabalho da polícia.

Algumas horas mais tarde, à hora marcada, Maria estava lá na recepção da rádio aguardando. A produtora do programa da rádio a recebeu e explicou como seria a entrevista. Ela passou as perguntas que seriam feitas durante o programa e ensaiou com Maria as respostas. Pediu que Maria não poupasse as lágrimas, quanto mais dramático seu depoimento fosse, mais audiência o programa teria.

# Capítulo
## 32

# O amor e a amizade

– Boa tarde! – cumprimentou Zahra, forçando um sorriso ao entrar no quarto de hospital.

– Boa tarde, minha querida – respondeu Silvia deitada na cama do hospital.

– Você está sozinha?

– Sim, na verdade o Paulo acabou de deixar o hospital. Ele foi resolver alguns assuntos da editora para mim, e minha mãe foi almoçar. Eles têm estado o tempo todo comigo e estão me dando muita força.

– E a primeira quimioterapia, como foi? Sentiu alguma dor?

– Não senti nada. Dizem que é no dia seguinte ou dois dias depois que vou sentir os efeitos colaterais. Ouço tanta gente reclamar desta tal quimioterapia, mas, quer saber, mesmo que eu venha a sentir algo no futuro, juro que vou continuar agradecendo. Se é esta quimioterapia que vai me ajudar, então, pode mandar que eu aguento!

– Te ver assim, tão forte, confiante, é uma inspiração. Mesmo neste momento difícil, você está me dando forças!

– Me conte, o que você está escondendo por trás deste sorriso? Me diga, o que foi que o Farzin fez desta vez?

– Não se preocupe. Você já me ajudou demais. Quer saber, olha o que está me ajudando muito – Zahra tirou de dentro de sua bolsa o livro de autoria de Silvia que ela estava lendo e mostrou para a amiga. – Eu li e reli o primeiro capítulo três vezes. Quero prestar muita atenção em tudo o que você escreveu. Você não imagina o quanto está me ajudando por meio deste livro! Mesmo não estando juntas fisicamente, você está comigo agora em toda parte que eu vou. É só abrir o livro que lá está você pertinho de mim.

Silvia, com muito esforço, estendeu seus braços e pediu:

– Oh, vem cá, minha amiga, deixe-me te dar um abraço. Assim que Zahra a abraçou, Silvia disse: – Não se esqueça nunca: você é linda, é forte e não precisa de ninguém para ser feliz. Força, minha amiga! Você vai vencer esta batalha.

Zahra soltou-se do abraço e, eufórica, exclamou:

– Meu Deus, como fui me esquecer de te dizer. Eu marquei minha primeira sessão com a psicóloga!

– Você o quê? – perguntou Silvia, feliz.

– Isso mesmo! Eu telefonei e deu certo, a psicóloga tinha um horário livre para amanhã. Fátima vai me ajudar, vamos juntas e ela ficará cuidando de Casper enquanto eu vejo a terapeuta. Minha intenção é fazer duas sessões por semana.

– Estou tão feliz! A ajuda de um profissional irá te fazer bem, você verá. As sessões com a psicóloga irão te ajudar a reencontrar sua autoestima e te dar suporte para sair deste sofrimento. Silvia segurou a mão de Zahra e, preocupada, disse: – Preste atenção no que vou dizer: tome muito cuidado para que ele não perceba que você está procurando ajuda. O agressor, no caso um marido abusivo como ele, pode entrar em crise se souber que você está pensando em deixá-lo e pode se tornar violento! Estou falando de violência física! É muito importante que você aja com muita cautela.

– Você ainda acha que ele pode se tornar violento comigo?

– Entenda uma coisa, Zahra. Violento ele já é. Violência não é apenas a violência física, quando alguém te machuca fisicamente, violência pode ser também psicológica e emocional. Os insultos que ele faz, a forma como tenta te diminuir dizendo que você não é nada sem ele e também o jeito como te controla, monitorando com quem você se relaciona, aonde vai, além de tirar sua liberdade. Tudo isso são formas de agressão, formas de violência contra você.

Zahra balançou a cabeça afirmativamente, em silêncio, pensando no que Silvia lhe dizia. Nunca antes em sua vida havia parado para pensar. Até, então, imaginava ser merecedora de todos os insultos que Farzin fazia. Silvia continuou:

– Um relacionamento saudável deve ser baseado no respeito mútuo, no companheirismo e carinho. Não pode, de forma alguma, existir insultos, agressões e controle. Você deve se sentir bem, feliz o tempo todo ao lado do companheiro. Se isso não acontece, é porque algo está errado, muito errado. Vá amanhã à psicóloga e ela te dará o apoio necessário. Mas não se esqueça, cuidado com o Farzin. Ele pode se tornar fisicamente violento se perceber que você está contemplando a ideia de deixá-lo.

Silvia começou a sentir a cabeça pesar, um sono forte bateu e ela, aos poucos, foi fechando os olhos. Zahra sentou-se na poltrona ao lado e ficou ali com a amiga, a segurar a sua mão, enquanto ela dormia.

# Capítulo 33

## Rumo à libertação do vício

Já era final de tarde e dona Dedeca se preparava para desmontar seu tabuleiro.

— Um sucesso! – disse Maria à dona Dedeca, comemorando sua entrevista na rádio. – A produtora do programa disse que a audiência do programa foi ótima e muitos ouvintes ligaram para eles com pistas. Eles entregaram todas as pistas para a polícia e, com muita sorte, algumas dessas pistas irão me levar até o meu filho, meu Salvador. Alguns jornalistas foram até a rádio e disseram que irão publicar meu depoimento amanhã nos jornais aqui da cidade. Ah! E a melhor notícia de todas, eu fui chamada para participar de um programa de televisão. O programa irá ao ar para todo o Estado da Bahia!

— Minha filha, que notícia boa. Assim, quanto mais pessoas falando sobre o desaparecimento do seu filho, mais chances você tem de alguém ajudá-la a encontrá-lo – dona Dedeca disse contente, enquanto armazenava todos os condimentos em seus recipientes.

Maria ajudou dona Dedeca a guardar todos os utensílios. De repente, sentiu-se apreensiva. O sorriso de seu rosto cedeu espaço a uma feição mais séria, preocupada.

– Que cara é essa, menina? Agora mesmo você estava tão feliz.

– É que me lembrei de que hoje à noite tem a reunião dos Alcoólicos Anônimos e... – Maria calou-se.

– E você está se sentindo com medo e ansiosa, estou certa? – perguntou dona Dedeca. Maria balançou a cabeça afirmativamente. Dona Dedeca, então, lhe assegurou: – Não precisa temer, Maria. Se quiser, eu vou com você. O importante é que você esteja dando este primeiro e importante passo rumo à libertação deste vício que é destruidor.

– Você está certa. Preciso mesmo dar este passo. Tenho de deixar este vício, antes que ele destrua totalmente a minha vida.

Dona Dedeca colocou a última caixa em sua van e segurou a mão de Maria dizendo: – Seja forte, tenha fé e você vai vencer. A bebida alcoólica tornou-se o seu inimigo diário. Está na hora de enfrentá-lo... Agora vamos para casa. Se Deus quiser, e Ele há de querer, hoje é o primeiro dia da sua nova vida, como uma nova mulher, mais confiante, de autoestima elevada e cheia de amor-próprio!

– Sim! – exclamou Maria contente. – E também o dia em que irei receber notícias do paradeiro do meu bebê.

– Isso mesmo. Pensamento positivo. Fé! E que Deus a abençoe, minha filha!

# Capítulo 34

## Próximo da violência

Farzin estava sentado em sua cadeira, no escritório na zona central da cidade. Ele estava muito nervoso, tinha telefonado para o celular de Zahra dezenas de vezes, mas ela não atendia. Em sua cabeça, imaginava mil motivos que levariam Zahra a não atender o telefone. Chegou a pensar que a mulher o estivesse traindo.

"Na certa tem um amante!", pensou. "Mas eu acabo com ela! Se eu descobrir que ela me trai, eu sou capaz de matá-la!" A raiva era tanta que ele quebrou o lápis que segurava e jogou os pedaços longe.

Sua obsessão pela esposa tinha aumentado de tal forma que ele não conseguia sequer se concentrar nos negócios. Tinha uma pilha de documentos importantes para serem despachados e também vários fornecedores e clientes à sua espera para resolver pendências, porém Farzin não tinha cabeça para mais nada. Tudo o que conseguia era pensar em Zahra e fazer conjecturas sobre uma provável traição da esposa.

Farzin pegou seu celular e telefonou novamente para Zahra. Telefonou várias vezes, sem parar. Sem conseguir falar com ela, decidiu voltar para o apartamento e esperá-la.

"Vou aprontar um escândalo quando ela chegar em casa, ela vai aprender a nunca mais deixar de atender os meus telefonemas", pensou irado.

\* \* \* \*

Dentro do táxi, enquanto voltava para o seu apartamento, Zahra pensava em Silvia. Era triste ver o quanto a aparência física de Silvia mudara em tão pouco tempo. Silvia havia perdido bastante peso e sua pele estava pálida e repleta de hematomas. Embora seu corpo estivesse bastante debilitado, Silvia continuava alegre e confiante de que tudo ficaria bem. Sua fé em Deus dava forças a ela para lutar contra a doença. Zahra a tinha por fonte inspiradora.

"Se ela está passando por toda essa dificuldade com tanta positividade, eu também posso vencer qualquer problema", pensou já dentro do elevador do seu prédio, rumo ao seu apartamento, pressentindo que enfrentaria mais uma batalha com o marido.

– Onde você esteve? – perguntou Farzin aos berros, assim que Zahra abriu a porta do apartamento.

– Não acredito que vamos ter a mesma discussão que tivemos ontem! Você sabe muito bem onde eu estava. Saí por duas horas para visitar Silvia. Tenho certeza de que você recebeu minha mensagem de texto e também foi informado pela Fátima.

– Não me responda desta maneira! Eu estou muito nervoso com você. Te liguei milhares de vezes no seu celular e nada de você atender.

– Farzin, eu estava em um hospital visitando minha amiga que está muito doente. Você acha que eu vou ficar atendendo o telefone quando tenho uma pessoa doente ao meu lado, que precisa de paz e tranquilidade para se recuperar?

– Eu não dou a mínima para essa sua amiga. Quando eu ligar, você tem de atender o seu telefone. Fim da história.

O coração de Zahra batia rápido, sentia-se nervosa, mas resolveu não dizer mais nada. Tudo o que queria era tomar um banho e ficar no quarto com o seu bebê. Ela deixou sua bolsa sobre a mesinha que ficava no hall de entrada e seguiu para o quarto, queria avisar Fátima que havia chegado e que tomaria um banho antes de cuidar de Salvador. Quando estava perto do quarto, lembrou-se de ter deixado o livro que estava lendo dentro da bolsa e resolveu voltar para buscá-lo. Ao chegar à sala de estar, encontrou Farzin vasculhando sua bolsa. Todos os seus pertences estavam fora da bolsa e, naquele momento, Farzin estava lendo sua agenda. Zahra ficou furiosa.

– O que está fazendo, Farzin? Quem lhe deu a liberdade para mexer nas minhas coisas?!

– Me poupe, Zahra – ele respondeu debochando da esposa. – Este apartamento é meu, assim como tudo aqui dentro. Eu aqui faço o que quero, não se esqueça disso.

– E a minha privacidade, como fica? Você não tem direito de invadir minha privacidade! – ela exclamou nervosa.

– Privacidade? Isso não existe. Eu sou o seu marido, e faço o que quiser. Em seguida, ele pegou o livro que Zahra estava lendo e leu a capa em voz alta: – "Como escapei de um relacionamento abusivo". Autora Silvia Di Agostini! Ora, ora! – soltou um sorriso irônico: – E esta não é a tua amiguinha que está morrendo de câncer?

Zahra foi para cima do marido e tirou o livro das mãos dele. Farzin segurou as mãos dela, se preparando para lhe dar um soco, porém parou quando seu punho estava próximo ao rosto dela. Em seguida, ele a jogou para trás, e ela caiu em cima do sofá.

– Não me desafie! – ele gritou. – Seus olhos demonstravam toda a sua ira. – Eu acabo com você se descobrir que está fazendo algo errado! Repito: Acabo com você! – ele, então, deixou a sala e foi até o seu quarto.

Zahra segurou o livro contra o peito e, sentindo muito medo, chorou com muita tristeza. Sentiu-se indefesa, sem saber o que fazer. Pela primeira vez na relação, sentiu medo de que Farzin pudesse usar de violência física contra ela.

"Ele não me ama... Isso não é amor", pensou enquanto chorava agarrada ao livro.

# Capítulo 35

## Ciúme obsessivo

As suas agressões passaram a ser mais frequentes. Comecei a viver um inferno quase que diário, sem saber quando iria despertar a ira dele. Às vezes, o simples fato de não atender os seus telefonemas já lhe dava motivos para desconfiar de mim, e fazê-lo partir para agressões verbais, com muitos gritos e xingamentos.

Ele criava teorias conspiratórias em sua mente e me culpava por coisas que eu nunca tinha feito. Nas ruas, eu tinha medo de que algum homem me olhasse e esse simples fato pudesse despertar em meu marido a desconfiança e a raiva. Um dia ele chegou a cismar que o jovem atendente da padaria e eu estávamos flertando simplesmente porque um dia fomos juntos à padaria e o jovem atendente sorriu e me disse 'bom dia, dona Silvia'. Meu marido ficou nervoso imediatamente. Puxou-me pelo braço na frente de todos e, quando entramos no carro, começou a me xingar. Disse que tinha notado como o jovem rapaz havia me olhado e que a *prova era o fato de o rapaz saber meu nome. E eu nem imaginava como o tal rapaz sabia meu nome. Tentei explicar que talvez ele tivesse ouvido alguém me chamar pelo nome, mas meu argumento não funcionou. Ele foi brigando pelo caminho todo até nossa casa, fazendo caras feias e me xingando. Lembro que ele ficou o fim de semana todo me ignorando. Como se estivesse me punindo.*

*Passei a ter pânico de tudo. Vivia com medo. Sabia que qualquer passo meu, que não fosse de acordo com suas vontades, seria motivo para ele me xingar e me abusar verbalmente.*

Zahra leu aquele trecho do livro e, em seguida, fechou o livro a fim de refletir naquelas palavras. Conseguia ver claramente as atitudes de Farzin, exatamente como Silvia descrevera em seu livro. Lembrou-se das várias ocasiões em que Farzin a agrediu verbalmente pelo simples fato dela ter demorado para atender o telefone ou por achar que alguém na rua teria olhado para ela de um jeito mais galanteador. No começo do relacionamento, Zahra acreditava que aquele ciúme fosse uma forma dele expressar seu amor por ela. Com o tempo, tornou-se sufocante e paranoico e o motivo de brigas quase que diárias.

# Capítulo 36

## O passeio noturno de Silvia

Gabriel segurava as mãos de Zahra e as apertava com certa pressão. Olhos nos olhos, os rostos de ambos estavam tão próximos que podiam sentir a respiração um do outro. Gabriel encostou seus lábios morenos nos lábios dela e, naquele instante, os dois voltaram a sentir seus corpos serem tomados por um calor que ardia em chamas.

– Meu príncipe! – ela disse antes de se deixar levar pela paixão e aceitar o beijo.

De repente, Gabriel deu um salto, despertando do sonho. Seu alarme avisava que seu horário de descanso chegava ao fim. Tinha de voltar ao plantão.

"Sonhei com ela mais uma vez. E, desta vez, até pude sentir seu perfume... O mesmo perfume que usava naquela noite e que até hoje não consigo esquecer. Onde será que ela está agora? Será que se lembra de mim? Será que signifiquei algo em sua vida?", pensou antes de deixar o quarto de descanso dos médicos e ir para a sua ronda da noite.

Caminhou até a enfermaria e checou com as enfermeiras de plantão o estado dos pacientes. Aquele tinha sido um plantão calmo, sem nenhuma emergência. O relógio marcava duas e meia da manhã. Gabriel analisou o relatório dos pacientes e foi surpreendido por Silvia, que caminhava pelo corredor.

– Dona Silvia, a senhora acordada e andando pelo hospital a esta hora?

– Olá, doutor Gabriel – respondeu Silvia. Apontando para o suporte de soro que carregava, ela brincou e disse: – Eu e meu amigo aqui, sem conseguir dormir, resolvemos dar uma volta.

– Deveria estar descansando, na sua condição o corpo precisa de bastante repouso para poder lutar.

– E o senhor por acaso já ficou em uma cama de hospital em sua vida? – Gabriel balançou a cabeça negativamente. Silvia continuou: – Pois então lhe digo, é a situação mais entediante do mundo! As horas não passam.

Rindo, Gabriel disse com um tom gentil: – Eu só vou deixar a senhora continuar seu passeio se permitir que eu lhe acompanhe. Quero me certificar de que esteja bem. Do contrário, vou pedir a uma enfermeira que lhe acompanhe de volta para o quarto.

– Sendo assim, o senhor é o meu convidado, doutor. Vamos dar uma volta.

Gabriel estendeu sua mão para Silvia e ela a segurou usando a mão que estava livre do soro. Os dois caminharam até o final do corredor. Gabriel apontou para um conjunto de sofás próximo a uma janela e pediu que ela se sentasse.

– Como se sente? – Gabriel perguntou.

– Cansada. De vez em quando sinto que fica mais difícil, porém logo em seguida volto a juntar forças, focar minha mente em pensamentos bons e de cura e, então, fico bem.

– Quero saber como a senhora se sente com relação à doença. Já passou o choque?

– Tento não pensar em todos os prognósticos e tudo o que ouvi acerca da doença. Creio que, se ficar pensando nas coisas negativas, essa luta se tornará muito difícil, se não impossível. Eu penso que o melhor é continuar sendo positiva, pensar com alegria na vida e focar em todas as coisas que eu ainda quero fazer.

– É muito importante que o paciente receba todas as informações sobre a doença. Nós da equipe precisamos ser realistas, mas sinceramente, falando de ser humano para ser humano, eu também concordo com a senhora, manter o pensamento sempre positivo será uma das suas maiores armas contra a doença.

Gabriel havia conhecido Silvia no dia em que ela deu entrada no hospital. Era um dos médicos da equipe médica que tomava conta do caso dela. Desde o primeiro momento em que a conheceu, sentiu forte simpatia por ela. Gostava do jeito otimista e alegre com o qual ela levava a vida. Silvia estava sempre brincando com as equipes de enfermeiras e médicos do hospital. Mesmo nas horas mais difíceis, ela se mantinha firme, igual a uma guerreira. Todos no hospital passaram a nutrir imenso carinho por ela, que era retribuído à altura.

– A senhora me lembra muito a minha mãe. Não fisicamente, porém ela também é assim como a senhora: alegre e otimista. Não creio que tenha visto minha mãe algum dia se queixar da vida. Não importa os obstáculos que ela esteja enfrentando na vida, ela nunca perde a fé. Ela sempre diz que dificuldades, todos nós enfrentamos. Pobres, ricos, altos, baixos, não importa. Ter momentos difíceis faz parte da vida, pois são momentos em que aprendemos e crescemos. É como decidimos lidar com os momentos difíceis que os fazem se tornar lições de vida ou problemas impossíveis de serem resolvidos. Ela sempre escolhe encarar os momentos difíceis como aprendizados. Nunca lhes dá mais valor do que eles merecem.

– Ela está certa. Vamos nos queixar do quê, doutor Gabriel? A vida é um presente que nos é dado por Deus. Precisamos agradecer e não nos queixar. Deus nos dá todas as ferramentas para sermos felizes, basta a gente usá-las. Sabe, eu não encaro a minha doença como uma desgraça ou uma punição de Deus. Pelo contrário. Encaro como uma lição que eu estou passando na vida. De repente, é um momento de provar a minha fé em Deus e acreditar que Ele sabe o melhor para todos nós. Ainda não sei qual é a lição, porém acredito com muita fé que todos os momentos difíceis em nossas vidas são para nos ensinar e nos fazer seres melhores. A vida aqui na Terra é uma grande escola e em tudo há uma lição! Não sou do tipo que valoriza os momentos difíceis mais do que eles merecem. Acredito que para todo momento de dificuldade nesta vida, há uma solução. Basta termos serenidade na hora para sabermos qual ferramenta usar. Algumas pessoas tornam tudo um mar de sacrilégios e só aumentam o problema.

Gabriel a olhava admirando a sua força. Ouvindo Silvia dizer aquelas palavras, não soava como um sermão ou alguém que tentava pregar uma doutrina. Aquelas palavras ditas por Silvia soavam leves e de uma forma natural. Ele sorriu para ela como se estivesse sorrindo para sua mãe.

– Mudando o rumo da nossa conversa, doutor, chega de falar de doença. Me conte um pouco mais sobre você. Fale um pouco de seus pais e de sua família.

– Meus pais moram na Bahia. Geralmente, nesta época do ano, eu estou com eles em férias, porém este ano eu não fui visitá-los. Consegui a residência aqui neste hospital e não poderia perder a chance de trabalhar com essa equipe médica de grandes especialistas.

– Verdade, eu sinto que estou em boas mãos! – Silvia passou a mão sobre a mão dele para demonstrar sua confiança.

Os olhos de Silvia começaram a pesar. Gabriel notou o seu cansaço e sugeriu que ela voltasse ao seu quarto. Quando chegaram, encontraram Paulo dormindo na cama de acompanhantes. Não havia notado a ausência de Silvia no quarto. Silvia apontou para ele e brincou dizendo, bem baixinho, para Gabriel:

– Olha aí o meu marido, sequer notou que saí do quarto! – disse sorrindo, quase cochichando.

# Capítulo 37
## Aprendendo a se amar

À primeira visita, Maria achava que o grupo dos Alcoólicos Anônimos tinha lhe ajudado e muito. Conhecera o caso de outras pessoas que, assim como ela, lutavam para se livrar do terrível vício da bebida. Saíra de lá sentindo-se melhor e com forças para continuar sua luta, pois o grupo de pessoas havia servido de inspiração, dando-lhe esperança.

Quando chegou em casa, dona Dedeca esperava por ela com o jantar pronto e caprichosamente posto à mesa. As duas jantaram e, após a deliciosa refeição, foram até a sala de estar. Dona Dedeca queria saber a respeito da infância de Maria. Havia pedido que ela se abrisse com ela, no entanto, a moça relutava em lhe contar sua história.

– Tente lembrar, é importante – insistiu.

– Não gosto de revirar o passado. Dói demais. Para mim o passado é como a caixa de Pandora.[6]

– Muitas ações nossas podem ter por raiz traumas do passado. É bom tentar relembrar para assim tratar a causa das nossas aflições. Você mencionou a caixa de Pandora – Maria concordou. – Você sabe o que existe nessa caixa?

– Tristeza, dor, os males do mundo? – respondeu Maria, incerta de sua resposta.

– Sim, correto, porém, lá no fundo da caixa, depois de todos os males do mundo, existe a esperança! Após superarmos todos os males e as situações difíceis, encontraremos a esperança, que é a chave para a felicidade. Vamos abrir essa "caixa" e olhar esses males e tratá-los antes de mais nada.

Com certo ar inocente, quase infantil, Maria acenou com a cabeça e, após reunir muita força interior, começou a narrar os fatos marcantes de sua infância.

– Lembro-me, com muita dor, de que ela nunca me deu amor.

– Ela quem?

– Minha mãe – Maria deu uma longa pausa. – Eu esperava por um abraço, um beijo, ser enlaçada em seus braços e me sentir segura em seu colo, mas isso não acontecia. Nunca aconteceu. Lembro-me de que, ainda pequenina, eu olhava para ela suplicando que me tocasse, implorando que me acariciasse, mas ela não fazia. Nas vezes que ela me pegava, era sempre de uma forma brusca, quase violenta. Levava chacoalhões, tapas e até beliscões. Comigo eram somente gritos. Passava horas sozinha no berço – Maria passou as mãos em suas pernas. – Lembro-me de que vivia com feridas de assaduras porque ela me deixava vários dias sem trocar de fralda.

---

6 Caixa de Pandora é um artefato da mitologia grega, tirada do mito da criação de Pandora, que foi a primeira mulher criada por Zeus. A "caixa" era, na verdade, um grande jarro dado a Pandora contendo todos os males do mundo. Fonte: Wikipedia.

– Você se lembra de tudo isso, mesmo sendo ainda muito pequena na época?

Com o mesmo ar vulnerável com que narrava a história, Maria balançou a cabeça afirmativamente e continuou: – Tenho pesadelos até hoje. Foi assim até os meus cinco anos. Meu pai, então, cansado dela e das brigas, nos deixou, e não tardou muito e eu fui abandonada por ela também. Meus avós, que já cuidavam de mim, acabaram por assumir minha criação. Eles me davam muito amor, mas eu tinha dentro de mim muita tristeza. Eu queria ser amada pela minha mãe. Não entendi o porquê dela ter me rejeitado. Mesmo depois dela ter me abandonado e eu passar a viver com meus avós, eu esperava por ela. Desejava muito que ela voltasse para me buscar.

– E ela nunca voltou?

Lágrimas tomaram conta de seus olhos e jorraram pelo seu rosto.

– Não. Ela nunca voltou – Maria desabou a chorar e foi amparada por dona Dedeca, que a abraçou com força e ternura.

– Chore, deixe toda essa tristeza sair de dentro de você. Chore, menina, chore. Ponha para fora essa tristeza.

– Eu me culpei todos esses anos. Me sinto culpada por ela nunca ter me amado. Sempre imaginei várias coisas: será que ela não me achava bonita o suficiente? Será que ela não queria que eu nascesse? Por que será que ela me desprezava tanto?

Dona Dedeca a apertou ainda mais forte em seus braços e quando sentiu que Maria havia se acalmado, disse: – Não sei. Não tenho essas respostas, e acredito que só a sua mãe as deva ter. Seja lá qual for a razão, ou os motivos pelos quais ela nunca te deu amor e te abandonou, você deve entender que a culpa não foi sua. Você não é culpada pelos erros dela.

Maria encarava dona Dedeca com os olhos cheios de lágrimas, atenta ao que dona Dedeca lhe dizia:

– Pelo que você me contou, entendo que sua mãe não estivesse preparada para ser sua mãe. Ela simplesmente não tinha amor para lhe dar. Ela errou, mas você não. Você era apenas uma criança e não foi responsável por causar esse mal a si própria. O erro é dela, não seu. Esqueça essa culpa que você sente. Seus avós te deram amor, não deram?

– Muito amor. Eles foram os pais que eu não tive. Eles me deram muito amor e carinho até o dia em que morreram em um acidente de carro. Depois do acidente, fui morar com os pais de Isabel.

Cabisbaixa e com o rosto escondido entre as mãos, Maria lembrou-se das várias vezes que tentou se autodestruir na juventude. Momentos de depressão e solidão que a faziam cometer automutilação. Usando canivetes, lâminas de estilete e outros objetos cortantes, Maria provocava cortes no corpo com intuito de aliviar a tristeza que sentia. Era a sua forma de extravasar todos aqueles sentimentos que ninguém conseguia entender. Cortou-se várias vezes, por anos durante sua adolescência, até que um dia foi descoberta por Isabel. A princípio, houve o choque, mas, logo em seguida, a compreensão e a ajuda. Mais uma vez, Isabel demonstrava à Maria que seu amor por ela era fraterno e incondicional. Com muito carinho e paciência, Isabel conseguiu, através de seu apoio, ajudar Maria a não mais se automutilar.

– Eu me odiei por muitos anos... – desabafou Maria, encarando uma das cicatrizes que tinha em seu braço, fruto da época em que se automutilava. – Pensava que, como eu poderia me amar, se nem meus pais me amavam. Eu só pensava em me fazer mal, em me destruir.

– Essa sua obsessão por homens que não te respeitam, e que não te amam, é apenas mais uma forma de tentar se autodestruir – dona Dedeca já havia notado as várias cicatrizes, mas preferiu não mencionar nada. Sutilmente olhou para o antebraço de Maria no qual haviam várias cicatrizes pequenas. – Se humilhar para o seu ex-marido José, que não te respeita, e que não te ama de verdade é a sua nova forma de dizer a si mesma que não se ama. A humilhação, as brigas, a tristeza que você sente em sua relação com o ex-marido, tudo isso te remete à sua infância. Você buscou alguém que, assim como a sua mãe, não te ama.

Maria assentiu e disse:

– Minha infância e minha adolescência sempre foram assim, um drama atrás do outro.

– Pense de uma forma diferente, pense que em sua infância, apesar dos momentos difíceis, você encontrou pessoas que te amaram muito – seus avós e sua amiga Isabel. Deus nunca te deixou desamparada. Você sempre teve pessoas queridas à sua volta. Tudo na vida é uma questão de perspectiva e de como decidimos encarar os fatos. Sabe aquela história do copo que tem água até a sua metade?

– Sim, conheço. É a história que diz que as pessoas pessimistas enxergam o copo apenas vazio pela metade, enquanto as pessoas positivas enxergam o copo quase cheio.

– Exato. Podemos olhar o copo com água como se estivesse faltando metade e incompleto, ou olhá-lo e focar no fato de que ele está cheio pela metade e de que existe outra metade do copo com espaço para receber ainda mais água.

– Realmente, os pais dela me aceitaram na casa deles e cuidaram de mim. É por isso que hoje eu e a Isabel somos muito unidas.

– É olhar para o seu passado e, mesmo não podendo mudar os momentos difíceis que viveu, pensar em tudo como um aprendizado. Focar o lado positivo de sua história. Pensar em todo o amor que seus avós lhe deram, lembrar-se do carinho com o qual uma família estranha a recebeu em casa e na amizade verdadeira que você ganhou para uma vida toda.

Notando que Maria sentia-se melhor e mais calma, dona Dedeca foi até o fogão e ferveu água para fazer chá de erva-cidreira. Enquanto assistia à dona Dececa preparar o chá, Maria refletia sobre as palavras ditas por ela.

"Talvez ela tenha razão, talvez eu não seja culpada pelo fato de minha mãe não ter me amado", pensou Maria.

Como se soubesse o que Maria estava pensando, dona Dedeca disse enquanto servia o chá nas xícaras:

– Não se esqueça, a culpa não foi sua. Ela simplesmente não tinha dentro dela o amor e por isso não podia lhe dar o que não tinha. Ninguém pode dar aquilo que não tem. Ninguém pode dar a alguém o amor que não tem em si próprio. Você não tem poder para voltar no tempo e fazer sua mãe te amar como uma mãe deve amar seus filhos, mas hoje, como adulta que é, tem o poder de fazer diferente, a começar por amar a si própria, dar-se o respeito e o amor que merece. Você deve se respeitar acima de tudo e de todos. E, assim que o amor e o respeito florescerem dentro de você, a felicidade irá chegar e nunca mais a deixará.

\* \* \* \*

No dia seguinte, quando dona Dedeca acordou, encontrou Maria na cozinha, pronta e cheia de energia. Maria já havia adiantado quase toda a preparação para o dia de trabalho. Vê-la alegre e disposta deixou dona Dedeca muito feliz. Ela sentiu ainda mais vontade de continuar ajudando Maria a mudar de vida.

– Hoje tem a entrevista na estação de televisão. O noticiário vai ao ar ao vivo para todo o Estado da Bahia, e o produtor do noticiário me disse que pode ser que a sede da emissora passe a entrevista no jornal da noite que vai ao ar em todo o Brasil – disse Maria radiante, enquanto arrumava os últimos bolinhos no recipiente de plástico.

– Que bom, minha menina. Como eu te disse, quando focamos nossos pensamentos em ações positivas, tudo na nossa vida se encaminha para o bem. Você verá como logo encontrará uma pista que te levará ao paradeiro do seu filho.

As duas continuaram a conversar enquanto preparavam a van e, depois de tudo pronto, seguiram para a praça onde venderiam os bolinhos. Sentada no banco do passageiro, Maria observava dona Dedeca dirigindo. Embora soubesse muito pouco sobre ela, já sentia grande carinho por ela. Sabia apenas que seu marido havia falecido muitos anos atrás e que tinha quatro filhas que moravam em outro Estado com suas respectivas famílias. Maria a observava dirigir e a admirava. Embora já fosse uma senhora de idade madura, trabalhava todos os dias. Acordava cedo todos os dias e, com alegria, preparava os seus bolinhos e condimentos para vender. Pelo que Maria entendeu, as filhas de dona Dedeca não queriam que a mãe trabalhasse mais. Todas lhe ofereciam dinheiro para que pudesse viver bem sem ter de trabalhar, porém ela não queria se aposentar. Dizia que trabalhava por amor. Sentia gosto em ver e servir a seus clientes todos os dias, e também por se sentir produtiva e útil para a sociedade. Maria admirava sua força e paixão pela vida.

"É assim que tenho de aprender a ser. Ter confiança em mim mesma, me amar e, assim, não sentir que preciso de um homem para viver. Dona Dedeca tem uma casa tão bonita e bem cuidada e, pelo que fala, suas filhas são todas bem-sucedidas e pessoas de bem e felizes. Ela criou todas sem a presença de seu marido. É exatamente assim que quero aprender a ser, uma mulher independente, que não precisa de um homem para ser feliz. Por que eu sinto essa necessidade louca de estar com um homem?", pensava enquanto estava a caminho da Praça Castro Alves.

# Capítulo
## 38

## O remédio santo

– Bom dia, dona Silvia, como passou a noite? – perguntou Gabriel, que entrara no quarto acompanhado por uma enfermeira. – Conseguiu descansar depois do seu passeio pelo hospital ontem à noite? – brincou.

– Bom dia, doutor e meu companheiro de passeios noturnos! – ela respondeu sorrindo. – Sim, eu dormi bem e só acordei agora há pouco. Já estou pronta para mais uma sessão daquele remédio santo que irá me curar.

– Você quer dizer pronta para a sessão de quimioterapia?

– Prefiro chamar de meu remédio santo. Quando falo a palavra quimioterapia, os amigos e familiares arregalam os olhos com uma cara de horror. Parece até que acham que seja algo ruim e que vai me fazer muito mal. E eu sei que é o contrário disso. "Remédio santo" soa melhor e, também, soa mais poderoso! É o remédio santo que vai me ajudar a me livrar deste câncer.

Gabriel sorriu. Embora cansado do seu plantão noturno, e mesmo após trabalhar por mais de dezesseis horas seguidas, a animação e a alegria de Silvia lhe renovava as energias. Ao ouvir Silvia, imediatamente esqueceu o cansaço. Ele checou os prontuários dela e deu algumas instruções para a enfermeira.

– A propósito, a senhora está sozinha? Seu marido já foi?

– Sim, ele acabou de sair, foi até a empresa, mas uma amiga muito querida já me ligou avisando que está chegando. Ela ficará comigo até a minha mãe chegar, mais tarde.

– A senhora é muito popular, está sempre acompanhada, e isso é muito bom.

– Graças a Deus. É muito bom estar rodeado de pessoas que nos amam. O amor é o nosso maior e melhor remédio, doutor.

– Meu plantão já terminou. Passei só para saber se a senhora passou bem a noite. Eu estarei de volta no turno desta noite. A senhora gostaria que eu fizesse companhia até a sua amiga chegar?

– Por mais que eu fosse adorar a sua companhia, não quero abusar. Imagino que o senhor deva estar bastante cansado, afinal trabalhou durante toda a noite. Fique tranquilo, minha amiga já deve estar chegando.

– Está bem, então. Nos vemos à noite. Passe bem, dona Silvia.

– O senhor também. Descanse bem e esteja pronto para mais um passeio noturno pelo hospital – ela brincou.

Gabriel se despediu mais uma vez. Após deixar o quarto, caminhou pelo corredor que levava até os elevadores, virou à direita no final do corredor. Por pouco, Gabriel e Zahra, que chegou ao corredor pelo outro lado, não se viram. Foi por questão de segundos que os dois não se cruzaram. Zahra caminhava pelo hospital, entretida com a leitura do livro, e, de tão concentrada que estava na leitura, quase passou despercebida pelo quarto de Silvia.

Zahra entrou no quarto e encontrou Silvia bem disposta, preparada para a sua sessão de quimioterapia. Contente, contou à amiga sobre a sessão com a psicóloga e o quanto a tinha ajudado.

– Combinei com ela que irei duas vezes por semana. Eu disse ao Farzin que viria aqui e ele nem suspeita de que antes eu tive minha sessão com a psicóloga.

– Que ótimo, querida, fico tão feliz por você. Como já te disse, a ajuda de um profissional irá te fortalecer muito. E como anda o pequeno Casper?

– Bom, na verdade, ele já não anda mais tão pequeno. Ele está encorpando, ficando forte, sabe? – Zahra deu um suspiro mostrando-se feliz e disse: – Esse bebê tem me feito tão feliz. O tempo que passamos juntos são momentos de paz. Ele é tão calmo, quase não chora. Sequer chora para mamar. Às vezes, é como se ele soubesse quando eu estou triste. Ele olha para mim, bem dentro dos meus olhos e sorri. Ele é a coisa mais fofa deste mundo, você precisa ver.

Naquele instante, duas enfermeiras entraram no quarto e começaram os preparativos para a quimioterapia. Zahra ficou o tempo todo ao lado de Silvia, segurando sua mão e lhe dando apoio.

# Capítulo 39

## Cresça e seja feliz

Dias depois...

Maria contava à dona Dedeca sobre a entrevista que tinha dado ao noticiário da emissora de televisão. Ela descrevia o quanto tinha se emocionado ao falar do filho e do seu desaparecimento e que havia chorado enquanto o jornalista fazia o apelo pedindo para os telespectadores que, se soubessem de alguma pista sobre o paradeiro do bebê, ligassem para a emissora. A entrevista iria ao ar no noticiário noturno, para todo o Brasil.

Dona Dedeca deu-lhe um abraço forte. Sentia-se muito feliz por Maria, pois podia ver o grande progresso que ela havia feito em tão pouco tempo. Seus negócios também iam muito bem após Maria ter começado a trabalhar com ela. Ela era espontânea com os clientes e, às vezes, até um pouco atrapalhada. Os clientes de dona Dedeca gostavam muito do jeito com que Maria os servia.

Os clientes foram trazendo conhecidos para provar os acarajés e conhecer a nova ajudante de dona Dedeca.

– Veja como você está diferente, mudada. Quando chegou aqui, estava com uma nuvem negra pairando sobre a sua cabeça. Era como se todos os seus pensamentos negativos e obsessivos atraíssem ainda mais tristeza para a sua vida. Desde que mudou o seu jeito de encarar a vida, tornou-se mais leve, mais alegre e mais agradável de se conviver.

– Realmente, eu me sinto melhor. Era como se eu vivesse com um peso enorme nas costas.

– Sim, peso esse que a senhorita criava para si mesma, não se esqueça.

– Verdade, hoje eu começo a entender isso. Para ser sincera, ainda me pego pensando no José, às vezes, sabe? Mas, logo eu me forço a parar de pensar nele e trato de mudar o rumo dos meus pensamentos. Eu digo para mim mesma: "Maria, é hora de pensar em Salvador, seu filho. Você tem de encontrá-lo, custe o que custar!"

Dona Dedeca ergueu seus braços para o alto e disse:

– Meu Senhor, Todo-Poderoso! Que benção, Senhor. Esta menina está finalmente criando juízo! – ela se sentou à volta da mesa da cozinha e disse: – Sabe, Maria, eu vejo em você uma jovem mulher muito bonita. Pequena de altura, mas com uma personalidade imensa, com sua voz alta e um jeito impulsivo. Quando olho para você, percebo que ainda não se conhece, não sabe quem é a Maria. Não sabe do que gosta na vida, do que não gosta e até acho que nem sabe que é bonita. Estou certa?

Maria balançou a cabeça, afirmando que, sim, ela estava certa. E ficou refletindo no que acabava de escutar. Dona Dedeca prosseguiu:

– É hora de você se conhecer e começar a se apreciar. Olhar para dentro de si mesma e aprender quem você é, quais são os seus gostos na vida. O que te deixa feliz, o que te faz sorrir...

E, só depois que você se conhecer melhor, é que vai apreciar a sua própria companhia e, então, se amar. Precisa aprender a se amar e sentir que não precisa de mais ninguém para ser feliz.

– Você está certa. Passei minha vida toda vivendo em prol de um homem. Primeiro, quando criança, me rejeitava. Me sentia muito feia. Depois, na adolescência, só pensava em me autodestruir – Maria pausou por instantes. Olhando vagamente para o espaço, com sua mente cheia de recordações, continuou: – Sabe, com os meus avós eu me sentia feliz, embora ainda sentisse a falta de minha mãe. Porém, quando eles morreram no acidente de carro, eu mais uma vez me senti rejeitada. Eu sei que eles não escolheram morrer e assim me deixar, mas querendo ou não, me sentia assim. Era como se o mundo mais uma vez me escolhesse para sofrer.

– Você se sentia como se fosse a maior vítima do Universo, correto?

– Correto! – afirmou Maria. – E foi movida por este sentimento que eu vivi, obcecada por encontrar um rapaz que se tornasse o meu marido ideal. Encontrei o José e vivi anos da minha vida tentando fazê-lo me amar. Eu me esqueci de mim mesma. Ele ganhava a melhor mistura no almoço e na janta, ele ganhava o controle remoto da televisão, e também o controle remoto sobre a minha vida. Eu me dei por inteira para ele, sem ao menos lembrar que eu também fazia jus à melhor mistura no prato, também merecia escolher o programa de televisão e, acima de tudo, eu tinha o direito de controlar a minha própria vida.

– Infelizmente, muitas mulheres ainda são criadas por seus pais, ou melhor, pela sociedade, para crescer e servir a um homem. Lavar, passar, cozinhar e dar ao homem total controle sobre suas vidas. Ao menino, os pais ensinam que ele deve aspirar a crescer e se tornar médico, policial e até astronauta. Já para a menina, resume-se em: crescer e encontrar o tal príncipe encantado que a faça feliz, ou seja, encontrar o homem que irá resgatá-la, casando-se com ela.

Maria empolgou-se com a sintonia de pensamento e respondeu excitada:

– É isso mesmo! Minha avó dizia: "Minha filha, quando crescer você deve achar um homem bom para cuidar de você. Faça tudo o que seu marido lhe pedir. Seja uma boa esposa". Hoje eu me pergunto: por que devo encontrar um homem para cuidar de mim? Por que devo obedecer-lhe? Por que deixar minha felicidade nas mãos de um homem?

– Agora imagine você, como criança, passar anos escutando isso de sua avó, de seu avô e de toda a sociedade. Como mulher, você cresce pensando que seu papel no mundo é encontrar um homem, casar, ser submissa a ele e nada mais. Acho que nunca ouviu algo do tipo: você é linda, forte, inteligente. Estude, se instrua, cresça e seja uma mulher forte, cheia de vida e alegre. Ame-se e respeite-se acima de tudo! – disse dona Dedeca enquanto passava manteiga em uma fatia de pão. – Minha mãe era diferente, sabe? Muito avançada para a sua época. Ela me dizia simplesmente assim: "Quero que você cresça e seja uma mulher feliz!", somente isso.

– E ela estava certa. Você cresceu e se tornou feliz.

– Não posso me queixar. Viajei bastante durante minha vida, conheci pessoas boas, que me ensinaram muito. Conheci meu marido, que foi um ótimo companheiro. Tivemos nossas filhas. E, depois de sua morte, embora eu sentisse a sua falta, continuei vivendo, agradecendo a Deus todos os dias por mais uma oportunidade de estar aqui na Terra. Agradeço a Deus por estar bem, e com saúde, podendo conviver com minhas filhas e desfrutar da vida. Viver não é fácil. Mas também não é para ser fácil. Viver é um desafio quase diário e devemos agradecer a Deus, pois é graças aos desafios que a gente aprende e evolui e, então, temos a oportunidade de nos tornarmos pessoas melhores.

Naquele instante, ouvindo dona Dedeca, Maria sentiu vontade de dizer a ela o quanto a admirava. Queria dar-lhe um abraço forte e beijar-lhe o rosto dizendo que, desde que chegara a Salvador, agradecia todos os dias a Deus por tê-la colocado em seu caminho. Teve vontade de agradecer-lhe por todo o carinho, por toda a ajuda e pedir que continuasse, pois estava dando resultado. Sentia-se uma mulher renovada, mais feliz embora ainda triste por não estar com o filho. Porém, assim como muitos de nós, ela cometeu o erro de se calar e abafar seus sentimentos. Por medo de ter seu coração ferido, deixou passar a oportunidade de elogiar sua nova amiga e de agradecer-lhe por trazer tanta paz ao seu coração.

Capítulo

40

O reencontro

    O isolamento funcionava como uma de suas formas de minar minha autoestima e de me controlar. Para me isolar, ele me afastou dos meus familiares e amigos. Pouco a pouco fui me afastando de todos. Primeiro, foram meus amigos. Alguns se afastaram, pois não conseguiam aceitar o jeito como ele me tratava, e por me amarem, não suportavam assistir ao seu jeito rude e desrespeitoso em relação a mim. Outros se afastaram por intrigas, que foram geradas por ele. Eu me via dividida, tendo de escolher entre meus amigos e ele e, claro, por estar já tão vulnerável, acabei por escolhê-lo. Com meus pais o afastamento foi drástico; ele manipulou situações que geraram constantes brigas entre mim e meus pais. Como todos que estavam de fora da nossa relação, meus pais podiam ver o quanto a nossa relação era doentia. Eles me diziam para me separar, pois notavam que ele não me respeitava. Também diziam que eu havia deixado de ser eu mesma. Meu marido se fazia de vítima, dizia que meus pais não gostavam dele porque eles não o julgavam digno de estar ao meu lado, porque ele não tinha dinheiro, e me manipulou de tal forma que realmente cheguei a pensar que eram meus pais quem pegavam no pé do meu marido de maneira injusta.

Com o passar do tempo, me vi sozinha, afastada de todos. E era exatamente isso o que meu marido queria. Como todas as pessoas controladoras e abusivas, ele queria que eu não tivesse uma rede de suporte. Seus planos eram para que eu não tivesse ninguém a recorrer, caso precisasse de ajuda. Quanto menos pessoas à minha volta para me ajudar, mais poder sobre mim ele teria.

Meus pais e amigos queridos nunca o deixariam me chamar de burra, ou feia na frente deles. Eles nunca permitiriam que ele levantasse a voz para mim ou levantasse sua mão para me ameaçar. Por este motivo, ele me isolou, assim sendo, ele poderia fazer comigo o que bem entendesse. E assim foi por muitos anos.

Quando olho para trás penso que, se tivesse sido mais forte e não tivesse me afastado de todos aqueles que me amavam, nosso relacionamento nunca teria chegado ao nível de violência que chegou.

Meu conselho a todas as pessoas que estejam passando por esse abuso é: não caia nesta armadilha. Nunca se afaste daqueles que te amam, por ninguém, muito menos pelos apelos de um(a) companheiro(a). Ninguém tem direito de pedir a você que se separe daqueles que ama. E, caso você já esteja isolado(a), procure retomar seus laços familiares e de amizade. Precisamos sempre estar rodeados por aqueles que amamos e que nos amam, pois o amor nos fortalece, literalmente.

Zahra estava sentada ao lado da cama de Silvia no hospital quando fechou o livro e refletiu sobre aquele trecho que acabara de ler. Em seu relacionamento com Farzin, acontecia exatamente o que Silvia explicava no livro. Primeiro, ele iniciou intrigas contra seus amigos. Dizia que suas amigas davam em cima dele e ele já não sabia como lidar com aquela situação. Ele a seduziu, se fazendo de vítima, pedindo que se afastasse das amigas, pois

210 *Será amor ou obsessão*

o fato de darem em cima dele provava a deslealdade delas para com Zahra. Logo depois, foram seus pais. Eles tentaram alertá-la. Sua mãe chegou a pedir chorando que não se casasse com Farzin. Apaixonada, Zahra foi contra o apelo dos pais e casou-se com ele. Logo após o casamento, veio a oportunidade de negócios no Brasil, e eles, então, deixaram Marrocos e mudaram para o Brasil. Ela pensou no apartamento em que morava, e em como se sentia uma prisioneira. Lembrou-se dos escândalos que ele fazia quando ela mencionava a vontade de sair para passear pela cidade. A raiva sem nexo que ele nutria por Silvia. Agora tudo lhe fazia sentido, Farzin agia assim para manter controle sobre sua mente e ter mais e mais poder sobre ela.

Os pensamentos de Zahra foram interrompidos por Silvia, que acabava de acordar. Silvia estava ardendo em febre – um dos efeitos da quimioterapia que havia feito no dia anterior. Esmorecida e com muitas dores pelo corpo, Silvia não conseguia sequer falar. Ela apenas olhou para Zahra e, feliz por vê-la ao seu lado, abriu um sorriso tímido. Silvia nunca reclamava, nem mesmo nos momentos mais difíceis do tratamento.

Zahra podia ver que aquele sorriso escondia sofrimento e dor. Ela se levantou da poltrona e aproximou-se de Silvia. Acariciou os cabelos dela com muita suavidade. E, no auge da dor e da aflição, uma lágrima escorreu pelo rosto da amiga enferma. A dor chegava a ser insuportável. Não querendo demonstrar sofrimento, fechou os olhos e tentou ao máximo segurar o choro que cismava em vir à tona.

Percebendo que a amiga estava sofrendo com dor, Zahra lembrou-se de uma das músicas que Silvia mais gostava. Era um samba do músico Zeca Pagodinho, intitulado "Verdade".[7] Ela continuou a acariciar os cabelos da amiga e cantou para ela:

---

7   **Verdade** – música interpretada pelo cantor Zeca Pagodinho e composta por Carlinhos Santana/Nelson Rufino.

*Descobri que te amo demais*
*Descobri em você minha paz*
*Descobri sem querer a vida*
*Verdade*
*Fui à beira de um rio e você*
*Uma ceia com pão, vinho e flor*
*Uma luz pra guiar sua estrada*
*Na entrega perfeita do amor*
*Verdade*

Naquele instante, a porta do quarto se abriu e Gabriel entrou. E, assim como tem de ser com todos aqueles que são unidos pelo amor incondicional, a vida os colocou frente a frente novamente. Surpreso com a cena que encontrou, Gabriel ficou paralisado por alguns segundos assistindo à Zahra, de costas, cantando para Silvia.

"É ela! Zahra!", ele pensou com seu coração batendo acelerado.

Sem perceber que ele estava logo atrás a observando, Zahra continuava a cantar:

*Descobri que te amo demais*
*Descobri em você minha paz*
*Descobri sem querer a vida*
*Verdade*

Assim que se recuperou do choque, Gabriel, que também conhecia a letra da música, continuou de onde Zahra havia parado:

*Como negar essa linda emoção*
*Que tanto bem fez pro meu coração*
*A minha paixão adormecida*

Zahra virou-se imediatamente ao ouvir a voz dele. Surpresa, o encarou em silêncio. Gabriel parou de cantar e também a olhou fixamente nos olhos. Os dois se olharam por segundos, que pareceram durar uma eternidade. Seus corações acelerados aqueciam seus corpos, que voltaram a arder, do mesmo jeito que haviam flamejado naquela noite no Parque do Ibirapuera.

Foi Zahra quem quebrou o silêncio. – Gabriel, você por aqui? – ela o observou de cima a baixo e reparou que ele estava vestido com um jaleco branco de médico.

– Sim, eu trabalho neste hospital e faço parte da equipe médica que vem cuidando da dona Silvia, mas... E você? – perguntou enquanto estranhava o fato de Zahra estar acariciando os cabelos de Silvia.

– A Silvia é minha melhor amiga. Na verdade, ela é quase como se fosse da minha própria família.

Gabriel ficou sem reação por alguns instantes. Não acreditava naquela cena do destino. A mulher por quem se apaixonara na noite do acidente e com quem sonhava todas as noites estava ali, diante dele novamente.

Após um longo período em silêncio, ele sacudiu sua cabeça de leve, lembrando-se de checar os prontuários de Silvia, que estavam ao pé da cama. Após checá-los, aproximou-se de Silvia e verificou que ela estava com febre alta. Fez sinal com a cabeça chamando Zahra para fora do quarto. Os dois saíram do quarto, deixando Silvia dormindo. Gabriel pediu para uma enfermeira verificar a febre de Silvia e lhe passou uma medicação e também pediu que o chamasse caso a febre não cessasse. Assim que a enfermeira entrou no quarto, Gabriel olhou para Zahra notando que ela estava abatida e preocupada com Silvia, e lhe disse: – Não se preocupe. A febre é normal após a sessão de quimioterapia. Ela até que vinha sendo forte e reagindo bem às sessões de químio, porém, com o tempo, o corpo vai ficando cada vez mais frágil. É preciso monitorar o seu estado nas próximas horas.

– Ela tem sido minha fortaleza, Gabriel. Como lhe disse agora há pouco, ela não é apenas minha melhor amiga, mas também minha família.

Ele teve vontade de tomá-la em seus braços e abraçá-la com força, porém se conteve. E continuou:

– Na verdade, eu e os outros médicos da junta estávamos conversando sobre dar alta a ela, que poderá voltar para casa e seguir com o tratamento sem precisar ficar aqui internada. Já havíamos avisado o senhor Paulo, marido dela, com quem queríamos conversar hoje.

– Que notícia maravilhosa você está me dando. Com certeza será melhor para ela ficar em casa e retomar sua vida enquanto faz o tratamento. Ela tem me dito quanto sente falta de ir à editora para ver como andam os negócios e os funcionários e...

– Calma – Gabriel a interrompeu. – Sim, a ideia é que ela retorne para casa, mas tem de ser com calma. Ela precisa descansar bastante para o corpo adquirir energia e forças para se recuperar das sessões de quimioterapia que ainda irá fazer.

Zahra ficou olhando para ele, pois, naquele momento, voltou a sentir a mesma sensação que sentira naquela noite no Parque. Enquanto Gabriel falava, ela olhava dentro dos seus olhos e imaginava-se abraçada a ele.

– Eu senti sua falta, sabia? – ele disse, após reunir coragem.

Zahra não respondeu. Ainda olhava fixamente nos olhos dele, se imaginando em seus braços e lembrando das várias vezes que havia pensado nele e também orado a Deus pedindo a Ele que Gabriel cruzasse os seus caminhos novamente. Gabriel, então, a chamou:

– Zahra? Você está me ouvindo?

Ela balançou a cabeça e se desculpou. Inventou que estava pensando em Silvia e por isso não o tinha ouvido.

– Disse que senti sua falta. Desde aquela noite no Parque, não paro de pensar em você. Tem sido difícil porque nem ao menos sabia onde te encontrar – Gabriel pegou na mão dela e a levou até seu peito esquerdo. – Sente isso! Meu coração fazendo: "tum tum tum" por você.

– Como um 'tamburilo'...

– Como um tamborim – ele disse sorrindo. E, então, pressionando a mão dela contra o seu peito com mais força e, olhando em seus olhos, perguntou:

– Você gostaria de sair comigo? Hoje é o meu plantão, porém amanhã estou livre e pensei que poderíamos sair para comer algo. O que você acha?

"Como dizer a ele para me esquecer, pois sou casada, quando a minha vontade é pedir que me beije e me abrace? Eu não posso. Não é certo com o Farzin, e também não é momento de pensar em outro homem. Tenho de pensar em mim mesma, resolver meus problemas e me tornar uma mulher independente", Zahra pensava enquanto Gabriel a olhava e esperava por sua resposta.

– E, então, o que me diz?

"Tenho de contar a ele que sou casada. Chega! Não posso continuar com essa ilusão."

Zahra tomou folêgo:

– Gabriel, eu adoraria, mas tenho de te contar algo muito importante. Eu sou...

– Doutor Gabriel, que bom encontrá-lo aqui. Vim correndo assim que ouvi a sua mensagem em minha caixa postal do celular – interrompeu Paulo, que chegou por trás de Gabriel.

– Paulo, que bom vê-lo – Zahra o cumprimentou aproveitando para mudar de assunto.

– Olá, Zahra. Como ela passou neste tempo em que estive fora?

– Ela está com um pouco de febre. Acabou de ser medicada. O doutor Gabriel vai conversar com você. Tentando escapar da conversa com Gabriel, Zahra rapidamente se despediu dos dois avisando que precisava ir embora. Gabriel ainda tentou impedi-la, mas Paulo começou a fazer milhares de perguntas sobre o estado de Silvia, ganhando a atenção do jovem médico.

Capítulo 41

A desconfiança

Naquela noite, Zahra estava em seu apartamento, sentada no sofá da sala de estar com o bebê em seu colo e, sentado ao seu lado, estava Farzin. A televisão estava ligada no noticiário que mostrava as notícias de todo o país.

Casper dormia em seu colo, um sono bastante tranquilo. Seus pensamentos vagavam revivendo o encontro inesperado com Gabriel. Não sabia explicar as emoções que sentia quando estava com ele. Enquanto conversava com ele do lado de fora do quarto de Silvia, no hospital, quase não pôde controlar o desejo que sentiu de ficar junto com ele. Ao seu lado, no sofá, Farzin estranhava o silêncio da esposa. Notou que ela estava distante, mais do que o habitual. Havia puxado conversa com ela algumas vezes, porém, de tão distraída que estava, não respondera às suas perguntas.

No noticiário, uma reportagem chamou a atenção do casal. O âncora do telejornal chamou uma matéria feita pela filial da emissora na Bahia. O repórter na cidade de Salvador contava o caso de uma mãe que havia tido o seu bebê roubado na noite de domingo de Carnaval. Na tela, Maria contava o seu drama e fazia um apelo ao público para que ajudasse com pistas sobre o possível paradeiro do seu bebê. Maria chorava muito em frente às câmeras e, em determinado momento, o repórter teve de parar a entrevista para que Maria pudesse se recompor.

Zahra apertou o bebê forte contra o seu peito e o segurou com mais firmeza. Sentiu um arrepio subir pela espinha, enquanto Maria contava sua história.

"Que coisa horrível, perder um filho. Quem seria capaz de tamanha monstruosidade? Entrar na casa de uma mãe e roubar seu bebê no meio da noite!", pensou horrorizada.

Farzin ficou incomodado com aquela cena. Em momento algum chegou a pensar na família do bebê que roubara e na dor que causou. A cena de Maria soluçando de tanto chorar, contando, aos prantos, o sofrimento que sentia, causou-lhe grande irritação. Ele se levantou do sofá apressado e foi ao quarto batendo a porta com força. Mais tarde, naquela noite, o choro de Maria ao narrar sua história ainda estava cravado nos pensamentos de Zahra.

Zahra recordou-se do dia em que Silvia a havia visitado. Na varanda, Silvia lhe perguntara sobre a legitimidade da adoção:

*– Depois que você me contou esta história da adoção ontem pelo telefone, eu conversei com o Paulo e ambos ficamos um pouco duvidosos de sua legitimidade. Adoções no Brasil são um processo muito burocrático, precisa de vários documentos, de ambos os pais e também são feitas muitas entrevistas com os possíveis pais adotivos... Achamos esta história um pouco confusa. Você pediu mais informações ao Farzin?*

"Será que o Farzin agiu de forma ilegal para conseguir adotar o Casper?", aquele pensamento assombrou sua mente por alguns instantes. Em seguida, ela bateu os olhos no buquê de rosas brancas que estava em cima da mesa. As rosas tinham sido dadas por Farzin como forma de pedir desculpas por ter gritado com ela na noite anterior. Zahra pensou:

"Não... Não é possível. Ele tem essa obsessão toda por mim, mas não acredito que seria capaz de agir contra a lei e cometer um crime horrível destes. Não... Ele não faria isso!", pensava agoniada.

O bebê despertou e chorou, pedindo sua mamadeira. Zahra beijou sua pequena testa dizendo-lhe: – Mamãe vai fazer sua mamadeira! Ao que Casper parou de chorar por um instante, Zahra beijou-lhe novamente e disse: – Mamãe te ama muito, meu querido. Eu estarei aqui para te proteger. – Sempre – prometo.

# Capítulo 42

# O ritual do desapego

Maria voltava de mais uma reunião dos Alcoólicos Anônimos. Como sempre, após as sessões, ela estava feliz, sentindo-se motivada e capaz de continuar lutando contra o seu vício, ainda com mais determinação. Embora já fosse tarde da noite, dona Dedeca esperava por ela com o jantar pronto. Maria chegou e encontrou a mesa lindamente posta e decorada com um arranjo de flores no centro, como era de costume de dona Dedeca. Ela aprendeu com dona Dedeca que a casa é o reflexo da alma de seus moradores. Quanto mais felizes e em harmonia estamos, mais bonita e aconchegante nossa casa fica.

– Olá, minha menina, como foi a sessão? – perguntou dona Dedeca enquanto servia o jantar.

– Maravilhosa – Maria respondeu pausadamente e gesticulando com um sorriso no rosto. – Como sempre, me ajudou e me deu muita motivação. Tem um rapaz que contou sua história de vida e, enquanto ouvia sua história, pude me espelhar no que ele dizia. Cometi tantos erros, que acabaram me levando para as situações problemáticas que eu venho enfrentando até hoje. Meus problemas de hoje são consequências de escolhas erradas que eu fiz no passado.

Dona Dedeca colocou os pratos na mesa e pediu que Maria se sentasse. Assim que as duas se acomodaram, dona Dedeca disse:

– A famosa lei da ação e reação. Para tudo o que fazemos na vida, para todos os nossos atos, consequências. Agora que já aprendeu essa lição, siga em frente!

– Siga em frente? Simples assim?

– Simples assim! A vida é isso, uma grande escola. Nem todos passam no primeiro exame, correto? Esta vida é uma oportunidade de Deus para evoluirmos. Se não aprendemos, a vida continua a nos apresentar as mesmas lições, até finalmente conseguirmos assimilá-las e estarmos, então, prontos para prosseguir. Concentre-se agora em seguir em frente. Chegou a hora de deixar o passado em seu lugar, que é no passado. Após o jantar, nós vamos até a praia.

\* \* \* \*

Após o jantar, dona Dedeca levou Maria à praia. Ela queria lhe ensinar um ritual chamado "ritual do desapego".

Sem explicar nada a Maria, caminhou com ela até a ponta da praia que estava deserta. Apenas a luz da lua cheia iluminava o mar e a areia. Dona Dedeca carregava consigo um buquê de rosas brancas. Já era tarde da noite, e Maria não tinha ideia do que se passava pela cabeça de dona Dedeca. O silêncio entre as duas fazia aumentar o som das ondas quebrando no mar. Quando chegaram próximo da água, dona Dedeca indicou que parassem. Ela se ajoelhou e deu sinal para que Maria se juntasse a ela.

– Não se preocupe. Não estou aqui para lhe ensinar nenhum ritual de feitiçaria ou bruxaria. Também não é nada místico. Na verdade, é bem simples. Deus não quer nosso sofrimento. Ele não criou seus filhos para o sofrimento, mas sim para a felicidade. Somos nós, com nossas más ações e pensamentos pessimistas que atraimos para nós o sofrimento. Você, por exemplo, com sua baixa autoestima, seus pensamentos de autossabotagem, acabou atraindo para si mesma um homem que não a respeita. Se você não se respeita, ninguém a respeitará. Se você não se ama...

– Ninguém me amará – completou Maria.

– Até irão te amar. Por exemplo a sua amiga Isabel, de quem você tanto fala. Ela, com certeza, te ama muito e também te respeita. Eu também te amo e te respeito. O problema é que se você não se ama e se você não se respeita, nunca estará aberta a receber o amor ou o respeito. Você atrai para si apenas pessoas iguais ao seu marido, que não te amam e não te respeitam, pois você acha que não merece nada melhor. Deus sempre coloca em nossos caminhos o amor, seja através de uma amiga dedicada, ou de um primo carinhoso, de um tio ou uma tia que estão sempre prontos a nos dar uma palavra de carinho e motivação, um animalzinho de estimação que nos dá afeto, não necessariamente um parceiro amoroso, como um namorado ou um marido. O amor está em todos os lugares, porque Deus está em todos os lugares. Basta a gente se amar e se abrir, para então enxergar e receber este amor.

– Concordo. Hoje vejo quanto Isabel me ama, e quanto de amor e carinho ela sempre dedicou a mim. Também recebi amor do meu cachorro, o Magrelo – deu um breve suspiro, lembrando-se com alegria do seu querido companheiro de quatro patas. – Já o José, hoje vejo claramente que, assim como a minha mãe, ele nunca me amou. Mas, como você disse, eu não estava aberta para receber o amor de Isabel. Perdida em meus pensamentos depressivos, me odiando e tão obcecada por José, me fechei para as coisas boas da vida.

– Você agora consegue ver que a culpa não é só dele?

– Sim, eu vejo. No primeiro sinal de desrespeito, eu deveria tê-lo deixado. No primeiro sinal de que ele não me amava, eu deveria ter partido. Ao contrário, amá-lo tornou-se um ato obsessivo. Uma forma de me autossabotar.

– Nós todos somos livres para escolher. Fomos criados por Deus com o poder do livre-arbítrio e com esse poder de escolha vem o dever de escolhermos corretamente. Se você escolhesse por se amar, se respeitar, com certeza, estaria em outra condição agora. Mas...

– Mas... É hora de seguir em frente! – disse Maria decidida.

Dona Dedeca passou a mão no joelho de Maria e concordou:

– Sim, você está pronta. É hora de seguir em frente, por isso este nosso momento aqui na praia – entregou o buquê de rosas brancas à Maria. – O mar, o ar, a terra, nós somos parte do Universo, e estamos ligados uns aos outros. Sabendo que estamos todos interligados e que somos todos parte de Deus, imagine que Ele irá permitir que o mar seja hoje à noite o seu mensageiro e irá entregar este buquê de rosas a José, onde quer que ele esteja. Você, então, tem a oportunidade agora de enviá-las até ele junto com uma mensagem. A mensagem que você enviar vai também retornar a você, pois todas as nossas palavras tornam-se energia, e como tudo o que fazemos nesta vida, vão e retornam até nós. Eu vou caminhar até o calçadão e deixá-la entregar suas rosas e sua mensagem a José.

Dona Dedeca levantou-se e, antes de iniciar sua caminhada até o calçadão da praia, disse:

– Você tem a escolha de seguir em frente, demonstrando à vida que aprendeu sua lição e está aberta a uma vida nova e mais feliz, ou continuar vivendo presa ao passado. A escolha é sua.

Após dona Dedeca deixá-la, Maria permaneceu agachada por alguns instantes, pensando no que acabara de ouvir. Sentia que era hora de dizer adeus a ele. Era hora de seguir em frente, como dona Dedeca tinha aconselhado. Sabia que o passado não a ajudaria no presente, e apenas a dedicação focada na felicidade lhe proveria uma vida melhor.

Com lágrimas escorrendo pelo rosto, levantou-se e caminhou até o mar. Pensou em José e na raiva e todo o sentimento de amargura que sentia por ele. Era como se tivesse algo entalado em seu peito, todos os sentimentos de frustração, raiva, descontentamento e rejeição que sentia. Todos aqueles sentimentos que estavam acumulados borbulhavam dentro de seu peito. Do peito, aqueles sentimentos viajaram pela traqueia, passando pela garganta até que saíram pela sua boca e explodiram no ar em forma de um alto grito prolongado. Gritou expulsando toda a mágoa e a tristeza que carregava consigo. Após retirar todos aqueles sentimentos negativos de dentro de si, Maria foi ao chão, caindo de joelhos sobre a areia. Com as ondas do mar batendo em suas pernas, recuperou o fôlego e ergueu sua cabeça em direção ao céu estrelado. Ela, então, tirou uma das rosas do buquê e segurou com uma de suas mãos. Em seguida, ergueu o buquê de rosas e imaginou José parado em sua frente. Levantando-se com determinação, disse em voz alta:

– Não vou me ajoelhar diante de você, José. Não mais. Nunca mais. Hoje eu te encaro, frente a frente, olhos nos olhos. E assim será com todos os outros homens que cruzarem meu caminho. Aprendi a me amar, e não preciso da aceitação nem da aprovação de nenhum homem. Estou a caminho da minha felicidade e, por este motivo, quero lhe entregar estas rosas. Do fundo do meu coração, quero te desejar felicidades. Que você encontre a paz interior e o amor-próprio que eu também venho buscando. Adeus, José! – após terminar sua mensagem a José, Maria arremessou o buquê ao mar. Assim que arremessou as rosas, Maria pôde sentir seu corpo livrar-se do peso que antes sentia. As flores caíram no mar e foram levadas pelas ondas.

Maria fechou os olhos e lembrou-se de sua mãe. Estava tão concentrada na lembrança, que não chegou a sentir dor quando sua mão foi espetada pelo espinho da rosa que segurava. O sangue escorreu de sua mão até a rosa branca, manchando uma de suas pétalas. Em seus pensamentos, sua mãe, à sua frente, chorava.

"Me perdoe, minha filha. Me perdoe", pedia sua mãe. "A verdade é que eu não queria que você nascesse. Era muito jovem e senti, durante toda a minha gravidez, que você era um empecilho. Como se você viesse para roubar a minha juventude. Meu corpo mudou com a gravidez e você também roubou minha beleza. Quando finalmente nasceu, eu não quis sequer olhar para você. Eu nunca te quis. Me perdoe pelo mal que eu te causei."

– Não se preocupe. Hoje eu sei que a sua rejeição não irá nunca mais me afetar. Aprendi que eu não tenho culpa da sua falta de amor por mim. Mas saiba de uma coisa, de hoje em diante, eu vou me amar com todas as minhas forças, com toda a minha energia, e nem você nem ninguém irá tirar isso de mim. Mas eu te perdoo – ao final, Maria arremessou a rosa branca ao mar. Imediatamente, a imagem da mãe se esvaneceu no ar.

Maria virou-se, sem olhar para trás, e caminhou ao encontro de dona Dedeca, que a esperava sentada no banco do calçadão da praia.

– Como se sente? – perguntou dona Dedeca.

– Leve! – Maria deu um suspiro. – Muito leve, e agora me sinto pronta para seguir em frente.

Dona Dedeca levantou-se do banco e estendeu a mão para Maria, que a aceitou. As duas caminharam de volta para casa.

# Capítulo

# 43

# *Salvador em perigo*

— Doutor Gabriel, que bom vê-lo! – exclamou Silvia deitada em sua cama no quarto do hospital.

— Olá. Como anda minha companheira de passeios noturnos pelo hospital?

Silvia sorriu:

— Bom, como você pode ver, eu te deixei na mão nos últimos dias. Nada de passeio pelos corredores do hospital para mim – ela respondeu, referindo-se ao fato de seu corpo estar bastante frágil e não poder se levantar da cama.

— Não tem problema. Eu quero é vê-la bem, recuperada. E já que você não pode caminhar, eu lhe faço companhia – olhou para dona Regina dormindo no sofá para visitantes.

— Não se preocupe, minha mãe tem o sono bastante pesado. Até acho engraçado o fato dela dormir aqui como minha acompanhante. Se eu precisar, sei que ela não vai acordar tão fácil – brincou.

Gabriel sentou-se na cadeira ao lado da cama e contou-lhe como havia sido o seu encontro com Zahra no hospital. Contou-lhe que ela estava cantando a música de Zeca Pagodinho, quando ele entrou no quarto. Ao ouvi-lo contar a história, Silvia pôde então lembrar que tinha escutado a música naquela manhã, enquanto ardia em febre. Pensou, com grande carinho, em Zahra e em sua amizade. Sabia que não era fácil para Zahra sair de casa para visitá-la no hospital. Certamente, Farzin deveria estar causando várias brigas devido às saídas da amiga.

– Dona Silvia, como é que vocês se conheceram? Zahra disse que a senhora é a melhor amiga dela e que é como se fosse uma família para ela.

– Sim, somos muito amigas. Nos conhecemos em um jantar de negócios alguns meses atrás e foi amizade à primeira vista – disse Silvia.

– Ela tem um sotaque adorável, não acha? – Gabriel disse com ar apaixonado.

– Seria apenas o sotaque, doutor Gabriel? – perguntou Silvia com um sorriso no rosto. – Notei este seu brilho no olhar, enquanto fala da minha amiga – Gabriel ficou encabulado, sem jeito. – Eu concordo com você, ela é adorável. Parece até uma princesa de contos de fada. A propósito, me conte, como foi que a conheceu?

Naquele momento, Zahra entrou no quarto. Trazia consigo um vaso com lindos girassóis, as flores preferidas de Silvia. Ambos, Zahra e Gabriel, enrubesceram imediatamente ao se verem. Silvia ficou admirada ao perceber o clima apaixonante que pairava entre os dois.

– Você está linda hoje! – disse Gabriel quebrando o gelo, o que fez com que Zahra ficasse ainda mais encabulada. Notando que ela se retraía, Gabriel, atrapalhou-se ao tentar se desculpar: – Digo, você está sempre linda... Hum, quis dizer que você está ainda mais linda hoje... – coçando a nuca, todo atrapalhado, continuou: – Digo, mais linda que de costume... – Gabriel riu sem jeito quando Zahra e Silvia riram ao mesmo tempo.

– Doutor Gabriel, acho que ela entendeu que você a está achando linda de morrer – disse Silvia. – E eu concordo, com este vestido azul contrastando com seus olhos e sua pele, ela está realmente linda!

– É, acho que acabei me atrapalhando um pouco aqui – ele disse ainda encabulado.

– Você também está lindo hoje, doutor Gabriel – brincou Silvia, descontraindo o clima no quarto. Os três riram, e Gabriel aproveitou para dizer que precisava visitar outros pacientes. Ele pediu licença e deixou o quarto. Em seguida, Silvia olhou para Zahra surpresa e perguntou:

– O que é que aconteceu aqui agora há pouco? É impressão minha ou estava o maior clima de amor entre vocês?

Zahra colocou o vaso sobre uma mesa que estava ao lado da cama de Silvia e disse:

– Eu não tive tempo de te contar. Foi tudo tão rápido. Naquela noite em que eu estava pronta para deixar Farzin e ir para a casa da sua mãe, a minha intenção era lhe contar tudo o que havia acontecido, mas acabou não dando tempo. Eu conheci o Gabriel no mesmo dia em que passei com você e sua família. Após você ter me deixado a alguns metros do meu apartamento, eu atravessei a rua sem olhar para os lados e ele, que estava vindo de moto, quase me atropelou.

– Meu Deus! – exclamou Silvia. – O amor quase te pegou em cheio, como dizem – brincou. – Agora, me conte esta história direito, estou intrigada.

Zahra narrou todos os acontecimentos daquela noite. Desde o momento inusitado em que conhecera Gabriel, a sua decisão de visitar o Parque Ibirapuera tarde da noite até o momento em que seus lábios se tocaram debaixo da tempestade que caía. Silvia ouviu toda a história com bastante atenção, como se estivesse escutando uma linda história de amor.

– Eu estava para te contar, porém o Farzin chegou com o bebê em seus braços e depois... Vieram todos os outros acontecimentos e, então, você imagina, não tive cabeça para mais nada.

– Esta história é linda. Parece o começo de uma história de amor – disse Silvia contente. – Eu fiquei bem próxima do doutor Gabriel nestes dias. Além de muito bonito, ele é um rapaz maravilhoso. É respeitoso, e de boa família... Você precisa ver como ele fala de seus pais. Ele tem tanto carinho por eles, e isso é um ótimo sinal!

Zahra a interrompeu:

– Silvia, eu sou casada, esqueceu? Não posso me aproximar dele ou de outro homem. Não posso nem quero. Não é hora de pensar em outro homem. Eu estou buscando minha independência primeiro e acima de tudo!

– E você está totalmente certa. Eu concordo com você. Desculpe por falar o que eu falei, sobre ser uma história de amor. É que gosto tanto dele, sei que é um ótimo rapaz e pensei que... – Silvia pausou por alguns segundos. Animada, ela continuou: – Mas, isso não significa que vocês não possam ser amigos, correto? Lembra-se do que eu te disse sobre você precisar construir uma rede de suporte? – Zahra balançou a cabeça afirmativamente.

– Não sei, Silvia... – disse Zahra de cabeça baixa. – Quanto mais sofro com o Farzin, mais penso que estou fechada para o amor. Não quero pensar nesse sentimento que só me fez sofrer até hoje.

– Você está totalmente equivocada, minha querida. Este sentimento que te faz sofrer não é amor, é obsessão! O amor é o avesso da dor. Amor é felicidade, é sentir-se bem, leve e reenergizada de alegria pela vida. Você não pode se fechar para o amor. Sem ele murchamos, como uma planta sem água. O amor nos alimenta. Garanto que o que você sentiu quando conheceu Gabriel e acabou de sentir agora que o reencontrou, você nunca havia sentido na sua vida, correto?

Zahra balançou a cabeça afirmativamente, e Silvia prosseguiu:

– Pois bem, nenhum outro sentimento na vida chega sequer aos pés do amor. Após ter me separado do meu primeiro marido, tive várias conquistas com as quais sonhei muito. A publicação do meu primeiro livro e vê-lo nas livrarias chegando às mãos dos leitores, minha primeira noite de autógrafos, foram momentos muito especiais, sentimentos muito fortes e maravilhosos, porém nenhum desses sentimentos se equivaleu ao sentimento de amor que tive quando conheci o Paulo. Nenhuma felicidade no mundo se compara à felicidade de dividir minha vida com ele. Ainda sinto borboletas no estômago todas as vezes que o vejo, e esse é o amor verdadeiro, o amor incondicional. E todos nós temos como missão divina vivenciar esta energia poderosa e transformadora chamada Amor.

– Mas e o Farzin? Se ele souber que sou amiga de um rapaz, ainda mais sendo um rapaz bonito como o Gabriel, eu nem sei do que ele pode ser capaz. Outro dia ele... – Zahra calou-se sem terminar a frase.

– Ele fez o quê? – perguntou Silvia preocupada.

– Ele ameaçou me dar um soco no rosto. Ele parou com seu punho quando estava quase no meu rosto. Em seguida, me jogou com tudo no sofá e disse que eu não sei do que ele é capaz.

Assustada, Silvia levou suas mãos ao rosto, cobrindo sua boca.

– Minha querida, você deve tomar muito cuidado. Isso já é um sinal de que ele está perdendo a cabeça, a ponto de praticar agressão física contra você. Você deve deixá-lo o mais rápido possível. Procure a polícia e...

– Não posso – interrompeu Zahra. – Tem o bebê envolvido, e eu não posso fazer nada agora. Ele pode tirar o bebê de mim.

– Procure uma delegacia da mulher. Existe uma lei no Brasil chamada Lei Maria da Penha. Ela protege todas as mulheres contra agressões domésticas. A equipe policial irá te aconselhar e assegurar a sua segurança. Eu falo com minha mãe e com o Paulo e eles, com certeza, irão te dar o apoio necessário...

Zahra olhou para o seu celular vibrando desde a hora em que chegara ao hospital. Tinha mais de trinta ligações perdidas de Farzin. Abriu, então, uma mensagem de texto enviada por ele e a leu:

"CADÊ VOCÊ?"

Em seguida, Zahra abriu a outra mensagem, enviada três minutos após a primeira. A mensagem dizia:

"VOCÊ ESTÁ ME TIRANDO DO SÉRIO. POR QUE NÃO ATENDE AO TELEFONE?"

Foi, então, tomada por pânico quando leu a terceira e última mensagem:

"É MELHOR VOCÊ VOLTAR LOGO. EU ESTOU COM O BEBÊ."

– Bom dia, minhas queridas – cumprimentou dona Regina, que adentrava o quarto de Silvia, pronta para começar seu turno. – Notando o clima pesado no quarto, dona Regina perguntou preocupada: – O que está acontecendo? Está tudo bem, filha?

– Mamãe, a Zahra precisa de ajuda. Gostaria de pedir que...

– Não, não precisa! – exclamou Zahra, interrompendo Silvia. – Está tudo bem, fique tranquila. Eu vou me cuidar. Por agora eu não quero fazer nada. Tenho muito medo de que o Farzin faça algo contra Casper... – Zahra estava agitada. Sentia-se em pânico diante da possibilidade de enfrentar Farzin.

– Minha querida, tudo vai ficar bem. Minha mãe e Paulo irão cuidar de você e do Casper. Como te disse, na delegacia de mulheres, a equipe policial irá te aconselhar e...

Zahra pegou sua bolsa sobre a cadeira e caminhou apressadamente em direção à porta do quarto. Estava em pânico.

– Não, por favor. Não quero fazer nada. Eu estou bem, acredite em mim – Zahra abriu a porta do quarto e saiu apressada e sem se despedir.

– Minha filha, o que está acontecendo? Parece que ela está fora de si – perguntou dona Regina.

Silvia explicou a situação de Zahra para sua mãe e disse que estava muito preocupada com a sua segurança.

– Infelizmente, nós só podemos ajudá-la se ela quiser ajuda. Milhares de mulheres estão na mesma situação que ela; morrem de medo dos maridos. Temem enfrentá-los e perder seus filhos.

Continuemos a demonstrar a Zahra que estamos aqui para apoiá-la e ajudá-la. Fé em Deus, ela vai criar coragem logo logo e sair desta situação abusiva em que se encontra.

– Tenho medo de que a coragem dela chegue tarde demais... Pelo que sinto, o tal do Farzin está prestes a agredi-la fisicamente.

\* \* \* \*

Enquanto isso, Zahra corria pelos corredores do hospital. Sentia medo, muito medo. Imaginava Farzin fazendo mal ao seu bebê.

"Se ele me desrespeita desta forma, ele pode desrespeitar o nosso filho também", pensava agoniada, enquanto corria pelo hospital em direção à saída.

Sem olhar para frente, Zahra esbarrou com força em Gabriel, que caminhava em sua direção. Sua cabeça bateu com força contra o peito dele.

– Zahra, aonde vai com tanta pressa? – perguntou Gabriel assustado, mas ela não respondeu. Em silêncio, ficou parada em sua frente. – Eu estou indo ao quarto de Silvia. Tenho boas notícias. Eu e os outros médicos da equipe decidimos que ela poderá voltar para casa e continuar a quimioterapia uma vez por semana, sem precisar ficar internada.

Zahra começou a chorar. A sensação de pavor aumentava. Não tinha escutado nada do que Gabriel lhe dissera. Preocupado, ele a puxou para perto dele e gentilmente colocou a cabeça dela contra o seu peito.

– Calma. Me conta, o que foi? Você está tremendo...

"Se Farzin me pega aqui abraçada ao Gabriel, ele pode perder a cabeça!", pensou. Sentindo-se gelada de tanto medo, Zahra se desvencilhou dele e disse: – Eu estou bem. Apenas com medo de que algo aconteça a Silvia.

– Fique tranquila. Ela está sendo bem cuidada e, como te disse, nós vamos dar alta a ela.

– Gabriel, eu preciso ir – disse rispidamente, e saiu em disparada.

\*\*\*\*

Momentos depois, quando Gabriel voltou ao quarto para visitar Silvia, notou seu ar de preocupação.

– Está tudo bem, dona Silvia?

– Estou muito preocupada com Zahra. Ela saiu daqui agora correndo, estava muito aflita.

– Você não quer me dizer o que está acontecendo? Talvez eu possa ajudá-la.

– Ela já te contou sobre a atual situação dela? – perguntou Silvia, não sabendo se deveria ou não contar a história de Zahra a ele.

– Não, mas acho que imagino o que seja. Ela é comprometida, estou certo?

Silvia balançou a cabeça afirmativamente, respirou fundo e disse:

– Ela precisa de amigos. Necessita de pessoas próximas para olharem por ela.

Gabriel estranhou o ar preocupado de Silvia. Para alguém que estava sempre sorrindo, ela mudou totalmente sua expressão facial.

– Por que diz isso?

– Ela não está em um relacionamento saudável. O marido dela tem um comportamento abusivo e a vem controlando há muito tempo. Eu não estaria invadindo a privacidade dela assim com você se não soubesse que você é um rapaz de bem, e que a quer bem. Também temo que no estado em que estou, não possa olhar por ela como eu gostaria, e sei que ela precisa de apoio, e do maior número de amigos possível para protegê-la.

– Não vou negar que fico triste por saber que ela já é casada. Eu a amo, dona Silvia. Não sei te explicar como aconteceu. Sei que passamos poucas horas juntos naquela noite do acidente, mas eu confesso que nunca me senti do jeito que me sinto agora. Meu coração acelera, minhas pernas ficam bambas, e até sinto o meu corpo todo tremer. Não sei explicar.

— O amor não precisa de explicações. Quando floresce, ele simplesmente acontece e ponto. Doutor Gabriel, não precisa explicar o amor, apenas vivê-lo.

— É muito forte, e eu sei que não é paixão, é amor. Eu quero vê-la bem, quero cuidar dela.

— E é disso que ela precisa agora, doutor. De apoio, de suporte e carinho. Temo que o marido dela esteja se tornando cada vez mais obsessivo e agressivo. Eu já vivi um relacionamento igual e é como se estivesse vendo tudo acontecer de novo. Por favor, me ajude a olhar por ela.

— Não se preocupe, dona Silvia. Eu a quero muito bem. Se é para sermos amigos, eu não me importo, contanto que eu possa estar perto dela e ampará-la.

— E esse é o amor incondicional. Não querer aprisionar a outra pessoa em prol do nosso sentimento e dos nossos caprichos.

Os dois continuaram a conversar e a discutir sobre as melhores maneiras de cuidar de Zahra e protegê-la.

# Capítulo 44

## O controlador

  Zahra estava quase sem fôlego quando chegou em seu apartamento. Abriu a porta e foi correndo até o quarto do bebê. Ela ficou em total desespero quando não o encontrou em seu berço.
  – Meu filho! – ela gritou. Seu coração batendo forte imaginava que Farzin pudesse ter feito mal ao bebê. Foi em seguida ao seu quarto e procurou Farzin e o bebê, mas nem sinal deles.
  – Casper, meu filho? Cadê você? – gritou ainda mais alto. Zahra foi ao chão, chorando compulsivamente.
  Fátima, que ouvira seus gritos, foi correndo ao seu encontro.
  – Dona Majid, o que foi? Por que está gritando o nome do menino? Aconteceu algo? – Fátima ficou preocupada quando viu Zahra em prantos, sentada no chão. – Meu deus, dona Majid, o que foi? A senhora está passando mal? Fala para mim?
  – Meu filho! – gritou Zahra. – Cadê meu filho?

Antes que Fátima pudesse responder, elas escutaram a porta de entrada do apartamento se abrir. Zahra correu em direção a Farzin, assim que escutou o barulho da porta e o viu entrar, segurando o bebê em seus braços.

– Casper, meu filho! – ela disse aos prantos. – O que foi que você fez ao meu filho?

– Calma, minha querida. Está tudo bem, o que foi? – Farzin disse com um ar irônico e dissimulado.

– Sua mensagem de texto no meu celular! Você disse que... – Zahra estava ofegante, a respiração acelerada, e quase não conseguia articular as palavras ao falar. – Você disse que estava com Casper e... – estava tão nervosa que sua voz quase não saía.

– Eu apenas disse que estava com ele, minha querida. Por que todo esse desespero? – Farzin olhou para Fátima, que olhava aquela cena assustada, e disse à empregada: – Você está vendo, Fátima, esta cena? Creio que Zahra esteja ficando doente... Está muito estressada, descontrolada emocionalmente. Ela passa bastante tempo longe do seu filho e agora está tendo crises de pânico.

Farzin disfarçava ao máximo a sua satisfação ao ver o desespero da esposa. Tinha conseguido o que queria ao enviar as mensagens de texto, deixá-la desesperada. Por dentro, comemorava com muito prazer por vê-la naquele estado de desespero.

– Você! – Zahra disse enquanto apontava seu dedo indicador no rosto de Farzin: – Você me mandou aquela mensagem com o intuito de me apavorar! Vim correndo do hospital até aqui, desesperada com medo de que algo tivesse acontecido com o meu filho!

Farzin a ignorou e disse a Fátima:

– Sua patroa não está bem. Acho melhor ela ficar longe do bebê esta noite, e não chegar perto dele até ela se acalmar – Farzin entregou o bebê à Fátima e ordenou que ela o levasse para o quarto e cuidasse dele. Fátima ficou parada em frente aos dois sem saber o que fazer. Farzin ordenou novamente: – Estou mandando,

Fátima. Vá! Zahra está fora de si e não quero que ela chegue perto do bebê agora. Vá, vá!

Fátima saiu com o bebê, sentindo-se confusa com aquela situação. Zahra protestou e tentou ir atrás de Fátima, porém foi impedida por Farzin que a segurou com força pelo braço.

– Você fica! – ele disse.

– O que está fazendo, Farzin? Você está me machucando, me solta. Eu vou com o meu filho!

Ainda apertando o braço dela com muita força, Farzin disse:

– Não, não, querida. Você vai ficar aqui comigo. Hoje à noite você não vai vê-lo. Vai ficar separada dele até se acalmar.

– Você não pode me impedir de ficar com o meu filho, Farzin!

– Eu posso sim. E eu vou pedir à Fátima que cuide dele esta noite. Você não está em condições de cuidar dele – sarcástico, ele disse após uma pausa: – Olha o seu estado emocional. Você está tremendo e gritando, e isso não é bom para o nosso bebê.

Zahra gritou ainda mais alto:

– Você sabe muito bem o que quis dizer com aquela mensagem. Você estava me ameaçando, quis que eu sentisse medo e voltasse para casa o mais rápido possível. Não gosta que eu visite Silvia no hospital e usou nosso filho para que eu voltasse para casa.

Farzin balançou sua cabeça e, com olhar sinistro, soltou uma risada. Ele a mediu de cima a baixo e disse:

– Eu te disse antes para não me desafiar. Aprenda de uma vez por todas, não quero você naquele hospital. Não quero você fora de casa. Eu mando em você e você deve me respeitar. Do contrário, sua vida vai se tornar um inferno. Escute o que estou lhe dizendo.

– Você não pode me manter como uma prisioneira. Eu sou livre para ir e vir e fazer o que bem entender!

– Você é quem sabe. Como eu te disse antes, não ouse me desafiar. Se você quiser ir, pode ir. Vá embora, mas saiba que terá de se separar do nosso filho. Ele fica aqui, comigo.

– Você é um monstro, Farzin! Como pode usar um bebê para me prejudicar?

– Eu não estou te prejudicando, meu amor. Estou fazendo isso porque eu te amo. Eu quero o seu bem e sei que você está sofrendo má influência desta Silvia, e por isso anda com esses pensamentos destrutivos de querer ir embora e se separar de mim. O mundo aí fora é bastante difícil, meu amor. Você por acaso acha que irá viver no luxo, cheia de joias e roupas caras de estilistas famosos caso se separe de mim?

– Luxo e dinheiro não compram felicidade, Farzin! Eu não ligo para isso!

– Olhe para você no espelho. Está com um anel de diamantes enorme no dedo, um colar de pedras preciosas no pescoço, e tem coragem de dizer que não liga para o luxo? Só o par de sapatos que você está calçando vale mais do que muitos brasileiros ganham em um ano inteiro de trabalho pesado! Sem mim, você não é nada – Farzin tentou tocar o rosto da esposa, que se esquivou e não deixou que sua mão se aproximasse. – Meu amor, eu quero te proteger e impedir que cometa uma burrada. Se você se for, vai sofrer muito e eu quero abrir seus olhos. Você não é nada sem mim, pense nisso.

Furiosa, Zahra tirou o anel de diamantes do dedo e o colar do pescoço e os entregou a Farzin dizendo:

– Isso não vale nada para mim. Como eu te disse, esses luxos não compram minha felicidade! Seu dinheiro não irá comprar a minha liberdade. Eu não serei sua prisioneira! – em seguida, ela tirou os sapatos e os jogou aos pés de Farzin. – Pode ficar com os sapatos também. Eles não pagam a minha sanidade!

– A porta está aberta! Você pode ir, mas Casper fica! – Farzin deu as costas a ela e disse antes de deixar a sala: – A decisão é sua. Se você decidir ir embora, irá sozinha, sem dinheiro e sem seu filho. Agora, se você decidir ficar e ir ao nosso quarto comigo, então, poderá ver o nosso filho. Mas, te alerto, não quero te ver indo àquele hospital. Aquela mulher é má influência para você – ele foi ao quarto e a deixou sozinha na sala.

Zahra não tinha escolha. Não podia partir sem o filho. Embora não se importasse com o dinheiro, as joias e o luxo que Farzin lhe proporcionava, e não tivesse receio em procurar um trabalho e recomeçar sua vida do zero, não iria sem o filho. Não poderia deixar o bebê com Farzin. Sem escolha, acatou as ordens do marido e foi até o quarto. Quando ela abriu a porta do quarto, caminhou devagar e penosamente até a cama onde ele a esperava.

– Sabia que você tomaria a decisão certa. Você me ama, querida. Assuma isso para si mesma. Pare de bobagens. Chega de rebeldia e volte a ser a esposa dedicada que você sempre foi.

– Por favor, Farzin, me deixe ver o meu filho. Eu preciso vê-lo.

– Hoje não. Já lhe disse que a Fátima irá cuidar dele hoje. Você não está em condições emocionais de ficar com ele. Amanhã, se você estiver mais calma, eu deixo – Farzin a puxou com tudo para próximo dele. – Agora, venha aqui, minha princesa. Eu quero passar um tempo com a minha esposa. Vamos esquecer o que passou. Você vai ser minha agora.

\* \* \* \*

Zahra não conseguiu dormir naquela noite. Ao lado de Farzin na cama, chorou em silêncio lamentando sua vida. Farzin tinha muito dinheiro e poder e, por esse motivo, ela tinha muito medo de que, se não fizesse a vontade do marido, ele a separaria de seu filho, e ela nunca mais o veria. Pensou em Silvia e imaginou a amiga ali ao seu lado, consolando-a com palavras otimistas e lhe dando carinho. Derramou mais lágrimas quando o rosto de Gabriel lhe veio à mente. Lembrou-se de como ele a fez se sentir segura nas vezes em que a abraçou. Em sua mente, visualizou Gabriel sorrindo e segurando sua mão contra seu peito dizendo: "Tum, tum tum...". Lembrou-se do cheiro dele e de como ele a fazia se sentir bem. Naquele momento, Zahra sentiu-se ainda mais prisioneira da obsessão de Farzin.

# Capítulo

## 45

## *A traição*

No dia seguinte, Farzin acordou de bom humor, como se nada houvesse acontecido na noite anterior. Zahra continuava deitada na cama, triste, fingindo que dormia, pois assim não teria de encarar o marido. Zahra conseguia ouvir Farzin alegre, cantando no chuveiro, deixando bem claro que não se importava com o que havia ocorrido na noite anterior. Após se trocar e ficar pronto para sair para o escritório, foi até a cama e beijou a esposa várias vezes no rosto dizendo: "Eu te amo, eu te amo, meu amor! Mais tarde mandarei entregarem rosas para você".

Assim que Zahra ouviu a porta de entrada do apartamento bater, anunciando que Farzin tinha realmente saído, pulou da cama e correu até o banheiro. Utilizando movimentos frenéticos, lavou o rosto com água e sabonete, como se quisesse a todo custo apagar os beijos do marido. Em seguida, despiu-se e foi até o chuveiro. Debaixo da água, ensaboou-se várias vezes, mais uma vez querendo apagar a memória da noite anterior, quando teve de dormir com o marido. Ainda debaixo do chuveiro, Zahra lembrou-se de um trecho que lera no livro de Silvia:

*Com o passar do tempo, passei a me sentir violentada toda vez que fazia sexo com meu marido. Era como se estivesse dormindo – literalmente – com um inimigo, com alguém em quem já não podia mais confiar. Toda vez que ele me tocava, era como se eu o deixasse me desrespeitar, de uma forma ainda mais forte e desprezível. Sentia-me usada e enojada em um ato em que deveria sentir amor e paixão.*

\*\*\*\*

No carro, a caminho do escritório, sentado no banco de trás, Farzin estava intrigado com a mensagem de texto que havia recebido em seu celular. Roberta pedia para marcar um encontro com ele, dizendo que precisava vê-lo.

"O que será que essa mulher quer comigo? Disse a ela que nunca mais iria vê-la!", pensou enquanto segurava o celular em sua mão. Olhando para a tela do celular, sem saber o que responder, Farzin escreveu e apagou diferentes mensagens, várias vezes, até que por fim escreveu:

"VOU RESERVAR UM QUARTO DE HOTEL PARA QUE POSSAMOS CONVERSAR COM PRIVACIDADE. AVISAREI O LOCAL E HORA, ASSIM QUE FIZER A RESERVA. "

– Senhor Farzin, chegamos – avisou o motorista.

Farzin apertou a tecla "enviar" e mandou a mensagem antes de sair do carro.

\*\*\*\*

– Mamãe está aqui, meu pequeno! – disse Zahra com os braços abertos, pronta para receber o filho. Assim que Fátima lhe entregou o bebê, ela o cobriu de beijos em sua pequenina bochecha. – Meu lindo, cheiroso, mamãe estava morrendo de saudades.

– Estou perdida. Até agora eu não sei o que aconteceu aqui ontem à noite, dona Majid. Por que o senhor Farzin estava agindo daquela maneira? Por que a senhora estava tão abalada?

– Farzin estava daquela forma porque não me quer saindo sozinha. Ele cismou que Silvia não é uma boa companhia, e continua a pensar que, ao sair sem ele, significa que vou traí-lo ou sei lá o quê.

– Olha, eu sempre pensei que os homens assim, muito ciumentos, são, na verdade, paranoicos, pois têm medo de que as esposas façam com eles o mesmo que eles fazem com elas, às escondidas. Se eles traem e enganam, acham que as esposas serão capazes de fazer o mesmo, por isso são tão ciumentos. Julgam os outros pelos seus próprios pensamentos e atos.

– Sabe, Fátima, eu já passei muito tempo da minha vida tentando analisar e entender o Farzin. Por muito tempo, tentei entender as razões que o levavam a agir como age, cheguei até a me culpar achando que ele estava certo em suas atitudes, sabe? Mas eu cansei. Aprendi com minha psicóloga que não importa quais sejam os motivos por trás de suas ações, seu ciúme é doentio, e me faz mal. Não é normal, nem saudável sentir esse ciúme, e ponto final.

– A senhora está certíssima. Não importa o que esse doido pensa, a senhora deve se cuidar e também do seu filho! – pensando melhor no que acabara de dizer, Fátima colocou a mão na boca. – Meu Deus, eu chamei o senhor Farzin de doido! Desculpe-me, por favor...

– Não se preocupe, Fátima. Eu também começo a pensar que ele seja mesmo doido – Zahra olhou no relógio. – Precisamos correr, senão irei perder a hora da sessão de terapia. Vamos colocar uma roupa bem bonita em Casper, e sair rapidinho.

\* \* \* \*

– Ele está abusando de você, Zahra. Seu marido está apresentando cada vez mais sinais de violência – disse a psicóloga à Zahra.

– Já não sei mais o que fazer. Alguns dias atrás, eu estava tão confiante, me sentindo feliz novamente, com prazer na vida. Porém, é como se ele soubesse que eu estava feliz e me sentindo bem, e então fizesse questão de fazer com que eu me sinta triste e infeliz.

– Eu acredito que seja mesmo isso o que ele queira. Assim, ele continua a exercer poder sobre você – disse a psicóloga, olhando atentamente para Zahra. Na cabeça dele, a sua felicidade é uma ameaça para ele. Estar feliz significa amar a si própria, ser autoconfiante, e isso, na cabeça de um controlador como ele, significa que você poderá deixá-lo. Mantê-la infeliz é uma de suas maneiras de controlá-la.

– E continua a me isolar e me afastar de pessoas que querem meu bem.

– Correto. O que lhe dá ainda mais a sensação de poder. Mas, não se esqueça de que esse poder está na cabeça dele. Ele projeta essa ideia de que tem poder e a faz acreditar e o temer. Nem ele nem ninguém pode exercer poder sem que alguém lhe dê poder.

– Você quer dizer que eu dou poder a ele? – perguntou Zahra.

– Exato. Ele pode ser rico, atraente, o que seja. Ele não tem poder sobre você. Ninguém tem. Todos somos livres e independentes. Somos livres de qualquer escravidão. É você, com o seu medo, provocado intencionalmente por ele, claro, que lhe dá o poder.

Após uma pausa, a psicóloga perguntou:

– Me diga uma coisa, o que você teme?

– Que ele faça algo com o meu bebê, ou que seja violento comigo...

– E por que ficar casada com alguém que te faz se sentir assim?

Zahra não respondeu. Aquela pergunta a fez pensar. Por que continuava casada? Seria apenas por medo ou intimamente ainda pensava que ele pudesse mudar e voltar a ser o homem por quem ela se apaixonou um dia? A verdade era que não tinha a resposta para aquela pergunta.

242 *Será amor ou obsessão*

Com apenas um minuto para acabar a sessão, a psicóloga disse:

– Quero que reflita no seguinte: você conhece a obra *O Maravilhoso Mágico de Oz?*[8] – Zahra acenou com a cabeça afirmativamente. A psicóloga continuou: – A grande maioria dos homens prepotentes e que tentam impor seu controle através do pavor e do medo são exatamente como o mágico de Oz. Na história, ele era temido por todos do reino, que achavam que ele era um bruxo poderoso, capaz de feitiçarias. Ele comandava a terra de Oz através do controle que impunha aos habitantes, que viviam sob ameaças e medo dele, até o momento em que a pequena Dorothy descobriu o seu segredo revelando que o grande e poderoso mágico era, na verdade, apenas um homem de estatura bem baixa, que um dia fora ilusionista de circo e que fingia ser bruxo, pois temia as bruxas do reino. Ele, o grande e poderoso mágico, não passava de um homem amedrontado, bastante complexado e inseguro, que acreditava que o controle e a manipulação de pessoas era a única forma de se sentir bem. O mesmo acontece com homens iguais a Farzin – esbravejam e tentam impor medo às pessoas ao seu redor quando, na realidade, são medrosos e cheios de insegurança. Usam sua arrogância para disfarçar todas as suas fraquezas.

– E por hoje é só. Nossa sessão termina aqui, Zahra. Quero que pense no que eu lhe disse: O Farzin apenas tem esse "poder" sobre você porque você permite. Francamente, ele é apenas um homem inseguro e cheio de frustrações, igual ao mágico de Oz.

---

8 *The Wonderful Wizard of Oz* (em português europeu: *O Maravilhoso Feiticeiro de Oz*; em português brasileiro: *O Maravilhoso Mágico de Oz*) é um conto infantil escrito por L. Frank Baum. É o primeiro de uma série de catorze livros que relata as aventuras da menina Dorothy Ventania (Dorothy Gale, no original), do Kansas, na fantástica Terra de Oz. Fonte: Wikipedia.

# Capítulo 46

## Metástase

Meses depois...
Zahra foi ao hospital, assim que recebeu a notícia sobre Silvia. Ao chegar ao local, encontrou Paulo e dona Regina sentados na sala de espera. Os dois pareciam estar exaustos de cansaço e de preocupação. Quando se aproximou, notou que ambos tinham os olhos vermelhos, como se tivessem chorado muito.

– Dona Regina, Paulo, o que aconteceu? Por que não estão no quarto com a Silvia?

Paulo colocou sua cabeça entre as mãos e não respondeu. Ele parecia estar totalmente desolado, foi dona Regina quem respondeu:

– A Silvia começou a passar muito mal ontem à noite, então, a trouxemos para o hospital no meio da noite mesmo. Ela está na UTI, e nós ainda não temos notícias. Os médicos disseram que iriam realizar um novo PET Scan nela, mas isso foi há tempos. Estamos aqui esperando por notícias já faz horas.

Foi então que Gabriel, reunido com os outros médicos que cuidavam de Silvia, aproximou-se da família. Gabriel trazia em sua feição o ar de cansaço de alguém que não havia dormido há tempos, além de muita tristeza. Assim que viram Gabriel e os outros médicos chegarem, dona Regina, Paulo e Zahra sentiram certa apreensão. Sabiam, pelo olhar dos médicos, que algo não estava bem.

Foi Gabriel quem quebrou o silêncio informando à família sobre o estado de saúde de Silvia:

– Nós realizamos um novo PET Scan e... – faltava-lhe coragem para dar a notícia. Devido à proximidade que havia criado com a paciente, sua voz estava embargada e seus olhos amendoados estavam úmidos. Gabriel respirou fundo e prosseguiu: – Eu sinto muito em dar esta notícia – Gabriel parecia não ter coragem para falar. Ele pausou por alguns instantes, como se estivesse segurando o choro, e prosseguiu: – O câncer se espalhou por outros órgãos. Foi detectado que atingiu seu pulmão, o intestino, coração e o fígado – Gabriel pausou novamente e, desta vez ficou calado, dando espaço para a família e Zahra digerirem a notícia.

No mesmo instante, Paulo e dona Regina se abraçaram, ambos chorando copiosamente. Zahra foi ao encontro de Gabriel, que a recebeu em seu peito e a enlaçou com seus braços. Ela apertou seu corpo contra o de Gabriel, buscando proteção e alento. Lágrimas jorravam de seus olhos e corriam pelo seu rosto. O clima era de muita tristeza entre todos.

Após longo momento chorando, Paulo conseguiu reunir forças e enfrentar a notícia.

– Qual é o prognóstico, doutores?

– Nós não podemos dar um prazo com exatidão. Diríamos que algumas poucas semanas. Não podemos dizer ao certo – disse um dos médicos da junta médica.

Paulo o interrompeu:

– Como pode isso, doutor? Ela estava respondendo bem ao tratamento. Estava bem nas últimas semanas. Nós estávamos até fazendo planos. Silvia queria fazer uma nova viagem pela Itália após o tratamento. Iríamos para a Itália para comemorar nossos dez anos de casados.

– Gabriel – disse Zahra aos prantos. – Com certeza existe algo que possa ser feito. Levá-la para fazer um tratamento no exterior... – Zahra passou suas mãos em seu rosto enxugando as lágrimas que escorriam, enquanto falava. – Deve existir algo que possamos fazer por ela.

Gabriel a abraçou novamente e disse ao pé do ouvido dela:

– Desculpe. Não podemos fazer nada. Ela está com metástase em vários orgãos. Foi encontrada metástase até em seu coração. Nós acreditamos que ela tenha apenas algumas semanas de vida.

Ao ouvir Gabriel, foi como se finalmente tivessem entendido a triste realidade. Silvia estava morrendo. Paulo deixou-se cair no sofá que estava atrás dele, e dona Regina implorou aos médicos que a deixassem ver a filha imediatamente.

– Sim, claro que vocês podem visitá-la – respondeu um dos médicos. – Vou pedir às enfermeiras que os preparem para poderem entrar na UTI. Só peço que tomem cuidado com as suas emoções. Ela está muito fragilizada, e qualquer emoção forte agora irá agravar seu estado. Talvez seja melhor que conversem com ela sobre seu diagnóstico mais tarde, quando ela já estiver mais recuperada.

– Que ironia da vida, doutor. Temos de esperar minha filha se recuperar um pouco para, então, lhe dar a notícia de que ela não vai se recuperar – disse dona Regina bastante abalada.

\*\*\*\*

Zahra ficou na sala de espera do hospital, enquanto dona Regina e Paulo visitavam Silvia na UTI. Segurando com força o livro de Silvia em suas mãos, era uma forma de se sentir mais perto da amiga. Embora não tivesse tido contato com Silvia nos últimos meses devido às ameaças de Farzin, Zahra sentia-se sempre próxima da amiga através da leitura diária que fazia dos livros escritos por ela. Para Zahra, quando ela lia os livros de Silvia, era como se a própria amiga lhe narrasse as histórias e lhe fizesse companhia.

Gabriel se aproximou de Zahra e sentou-se ao seu lado no sofá. Ele estendeu sua mão a ela, que a segurou, apertando-a com força. Gabriel levou a mão de Zahra aos seus lábios e a beijou suavemente. Tristes com a notícia, os dois ficaram sentados lado a lado no sofá, ambos com os seus pensamentos em Silvia.

# Capítulo 47

## As três amigas

Era domingo, e a casa de dona Dedeca tinha um cheiro delicioso no ar, que anunciava que o almoço estava pronto. Maria tinha cozinhado vatapá pela primeira vez. Seguiu as instruções de dona Dedeca e estava ansiosa para servir o prato. Além do vatapá, Maria também havia cozinhado outros pratos típicos da culinária baiana, a maioria das receitas aprendidas com dona Dedeca.

– Minha menina, não vejo a hora de provar o seu vatapá. Esse cheirinho gostoso está me dando água na boca – disse dona Dedeca.

Se antes sua obsessão por José a impedia de se autoconhecer, agora Maria descobria a cada dia algo novo sobre si mesma. Ela estava muito feliz. Nos últimos meses, passou a ajudar dona Dedeca na cozinha e descobriu, então, uma nova paixão, a arte de cozinhar.

– As minhas amigas já devem estar chegando – anunciou dona Dedeca alegre. – Elas são muito exigentes com a comida. Vamos ver o que elas vão achar do seu vatapá, Maria.

248 *Será amor ou obsessão*

Nem tinha dado tempo de terminar a frase e a campainha da casa tocou, anunciando a chegada de suas amigas. Eram três senhoras, aparentando ter a mesma idade que dona Dedeca. De dentro da casa, Maria pôde ouvir as três conversando, de tão alto que falavam. Dona Dedeca entrou na cozinha acompanhada de suas amigas e, de repente, a casa foi tomada por uma maré de muita alegria.

– Maria, estas são minhas amigas: Zuleica, Dulce e Elza. Minhas amigas de infância! Somos como irmãs.

Maria e as três amigas de dona Dedeca se apresentaram. As três faziam a maior algazarra, divertidas, traziam consigo muita alegria. Maria havia decorado a mesa, assim como dona Dedeca lhe havia ensinado, deixando-a bastante apresentável, com uma toalha de renda branca e arranjos de flores no centro. Por fim, ela serviu o vatapá acompanhado de porção de arroz e os outros pratos típicos. Além de muito bonita, a mesa estava bastante farta.

– Minha filha, que delícia! Este vatapá está até melhor que o da Dedeca – brincou Dulce, a mais velha das amigas. Brincando com o silêncio das amigas, ela disse: – E olha como estão caladas enquanto comem seu vatapá! Para chegar a calar estas mulheres, é porque a comida está ótima mesmo!

– Que bom, dona Dulce. Eu estava tão nervosa, tinha medo de que não gostassem.

– Não se avexe, não, menina. Sua comida estava uma delícia – disse dona Elza, passando os dedos nos lábios e fazendo um barulho de estalo para dizer que a comida estava boa.

Dona Dedeca e as outras amigas riram, concordando com dona Elza, pois a comida estava mesmo muito boa. Após terminarem de almoçar, Maria serviu a sobremesa: pudim de leite de coco com calda de caramelo. As senhoras foram ao delírio. Eram só elogios para Maria, que alimentava sua alma com todo aquele carinho. Maria tinha andado um pouco triste nos últimos dias. Fizera inúmeras aparições em programas de rádio e de televisão, pedindo às pessoas que ajudassem a encontrar seu filho, porém nenhum resultado positivo. Pessoas davam várias informações e pistas à polícia, mas nenhuma que levasse a um resultado. Dona Dedeca a mantinha sempre otimista, com palavras de carinho e incentivo. Foi pensando em Maria que dona Dedeca resolveu organizar aquele almoço de domingo com suas amigas. Conhecendo as amigas desde a infância, sabia que elas iriam trazer muita felicidade a Maria. E assim aconteceu.

– Você deveria pensar em abrir um restaurante, Maria. Tem mãos muito boas para a cozinha. Tenho certeza de que teria muitos fregueses – disse Zuleica, enquanto degustava a última porção do pudim de leite. Já está cozinhando melhor que Dedeca – brincou, e todas riram.

– Já falei isso para ela, Zuleica – disse dona Dedeca.– Desde que ela começou a trabalhar comigo lá no ponto de acarajé, a clientela duplicou. Esta menina tem estrela! Seja qual for o negócio que ela decidir abrir, fará muito sucesso. Acredite em você mesma! Você, com esse seu sorriso e seu carisma, vai dar muito certo com os negócios, minha filha.

– Dedeca está certa, Maria. Você tem estrela, tem "Borogodó" – disse Zuleica, e todas concordaram.

As palavras elogiosas, quando sinceras e vindas do coração, podem produzir verdadeiros milagres na vida de quem as recebe. Ao ouvir todos aqueles elogios e palavras de incentivo, Maria recebeu uma onda positiva que reenergizou sua alma, pois a felicidade, além de contagiante, energiza aqueles que estão à sua volta. Após o almoço, Maria estava motivada novamente a continuar lutando para encontrar seu filho Salvador.

# Capítulo 48

## O último encontro

No hospital, Silvia havia pedido que seu marido e sua mãe trouxessem Zahra até ela. Zahra, antes de se apresentar a Silvia, precisou se acalmar, pois chorava a todo instante que pensava na amiga, e tinha receio de chorar em sua frente.

Zahra caminhou até o quarto dela bem devagar, como se contasse cada passo. Pensava no que iria falar à amiga, ensaiava em seus pensamentos como ser forte e não chorar na presença de Silvia. Não seria fácil, pois não queria lhe passar tristeza, porém a verdade é que se sentia totalmente devastada. Silvia era o seu porto seguro, tinha sido como uma mãe nos últimos meses e, só de pensar em seu diagnóstico, já começava a chorar novamente.

Ela parou diante da porta do quarto e respirou fundo, tentando encontrar forças para aquele momento. Zahra, então, abriu a porta bem devagar e adentrou o quarto com seus olhos focados no chão. Bem lentamente, foi desviando seu olhar do chão em direção à cama onde Silvia estava.

— Minha querida! – Silvia a saudou com a voz bem frágil e rouca.

— Minha amiga querida – respondeu Zahra, já com lágrimas nos olhos.

Silvia havia perdido bastante peso e aparentava estar muito fraca. Tinha os olhos fundos e rodeados por olheiras escuras que pareciam hematomas. Devido às sessões de quimioterapia, tinha perdido os cabelos e os pelos de sua sobrancelha, o que lhe conferia um ar ainda mais enfermo.

— Venha cá perto de mim, eu quero falar com você bem de pertinho – Silvia pediu com a voz bem fraca.

— Eu não sei o que te dizer... – disse Zahra, segurando o choro.

— Às vezes, não precisamos dizer nada. Está bem não termos o que dizer. O que importa é o amor que temos.

Zahra se aproximou, em silêncio, pois sentiu que sua voz estava embargada de choro e, se falasse uma palavra, iria chorar. Assim que Zahra se posicionou ao lado da cama, Silvia disse usando muito esforço para conseguir falar: – Eu quero lhe pedir algo, posso?

— Claro! O que você quiser.

— Quero que seja feliz. A vida lhe deu as ferramentas para ser feliz, agora vá e lute. Não deixe que ele abuse mais de você. Viva feliz!

Silvia pausou para retomar forças a fim de continuar. Zahra pediu a ela que não falasse, para poupar suas energias, mas Silvia insistiu e continuou:

— Pegue o seu bebê, suas coisas e vá embora daquele apartamento. Você não precisa dele. Pare de temer e lute pela sua felicidade.

— Eu não posso ficar aqui sem você. Por favor, não vá! – implorou Zahra com as lágrimas escorrendo sem parar pelo rosto. – Você tem sido mais do que uma amiga para mim. É como se fosse minha mãe. E não vou conseguir continuar forte se você não estiver ao meu lado.

– Não diga isso. Você vai conseguir sim. Assim como Deus me colocou em seu caminho, ele irá colocar muitas outras pessoas que te amarão, do mesmo jeito que eu te amo. Abra o seu coração para receber esses presentes da vida, porque eles virão. Acredite! E assim como eu servi para te dar força, um dia será você a dar forças a alguém que precisa. E assim é a vida. Temos trovões e relâmpagos, mas também temos momentos de arco-íris.

Embora não pudesse pensar em se despedir de Silvia, pois não queria vê-la partir, Zahra sentiu que era o momento de agradecer. Gentilmente, ela colocou a palma de sua mão no rosto de Silvia e a tocou suavemente. Em seguida, disse com muita ternura:

– Você tem sido um anjo em minha vida. Quando chegou, eu estava num período muito triste. Não tinha mais amor-próprio e só pensava em desaparecer da face da Terra. Há muito tempo não sorria. Minha vida era um filme em preto e branco e, de repente, você chegou e coloriu os meus dias com sua alegria. Com o seu carinho e seu amor, você me resgatou do fundo do poço em que eu me encontrava e me levou para um porto seguro e feliz. Eu nunca vou esquecer tudo o que você fez por mim. Mesmo que eu viva um milhão de anos, eu vou pensar e me lembrar de você todos os dias, pelo resto da minha vida.

Silvia não aguentou mais segurar o pranto e começou a chorar intensamente. Foi como se naquele exato momento, Silvia desse conta de sua mortalidade, que estava tão próxima. Sentia seu coração, que antes batia como as baterias da escola de samba, forte e feliz, como gostava de dizer, enfraquecer a cada minuto que passava. Zahra tornou-se para ela a filha que ela nunca teve. Também não queria se despedir, pois se despedir significaria aceitar a sua morte que se aproximava, e isso ela não faria jamais. Silvia era vida, era alegria e se recusava a acreditar na morte.

Zahra ficou acariciando o rosto de Silvia até o momento em que ela adormeceu.

# Capítulo 49

## A descoberta

Hoje eu apenas me arrependo de uma coisa, de não ter me separado dele quando os primeiros sinais de abuso e agressão apareceram. Logo no começo de nossa relação, pude sentir que algo estava errado. Minha intuição e meu coração me diziam que eu não seria feliz com ele, porém insisti e este foi o meu primeiro erro; não ter ouvido minha intuição. Foram mais de dez anos naquele casamento. E, quando penso em todas as oportunidades que perdi em minha vida devido a estar presa àquele relacionamento destrutivo, todas as viagens e lugares maravilhosos que eu deixei de conhecer, todas as pessoas das quais me afastei, e as outras pessoas de quem eu nunca cheguei a me aproximar, tantas oportunidades de ser feliz. Anos de vida perdidos que nunca mais voltarão.

Meu conselho a todas as mulheres – e também homens – que estão vivendo um relacionamento abusivo: não deixem chegar ao ponto que o meu casamento chegou; a violência física. Aos *primeiros sinais de violência verbal e psicológica, parem para analisar a relação. Procurem ajuda profissional de um psicólogo e ajuda espiritual. Retomem seus laços afetivos com familiares, amigos e conhecidos que os amem e que servirão de rede de suporte para ajudá-los a sair dessa situação. E, caso o agressor chegue a ponto de lhes fazer ameaças ou partir para violência física, não esperem, procurem imediatamente ajuda policial.*

Zahra já estava quase no final da leitura, quando foi interrompida pelo telefone tocando. Como esperava por notícias de Silvia, ela rapidamente pegou o aparelho sobre o móvel da sala e atendeu antes do segundo toque. Antes que pudesse dizer algo, Zahra ouviu vozes.

"É Farzin. Parece nervoso", pensou ao ouvir a voz do marido ao telefone. Zahra levou o telefone ao ouvido e ficou chocada com a conversa que ouviu:

– Como foi que você conseguiu o telefone da minha casa? – Farzin perguntou ao telefone.

– É urgente, Farzin. Precisava te avisar que dois homens que trabalham para o nosso grupo foram presos. Eles foram pegos em flagrante em uma emboscada pela polícia. São os mesmos homens que roubaram o seu bebê daquela mulher na Praia dos Encantos.

Zahra sentiu forte náusea quando ouviu aquela voz feminina dizer a última frase. Silvia estava certa, a adoção não fora legítima! Seu bebê fora roubado de uma família.

Farzin havia diminuído o tom de sua voz, mas, mesmo assim, ela pôde escutar a conversa:

– Você acha que eles irão dar com a língua nos dentes e contar à polícia? – ele perguntou cochichando ao telefone.

– Eu estou com medo, pois um deles não andava contente com os chefes do grupo nos últimos tempos. Estávamos tendo muitos problemas com ele. Penso que ele poderá, sim, contar aos policiais mais detalhes sobre a organização. A propósito, você já deve ter visto a mãe do seu bebê em todos os telejornais fazendo um apelo para que a ajudem a encontrar o filho.

– Do que está falando?

– A mulher da Praia dos Encantos, na Bahia, que está sendo entrevistada por todos os noticiários e programas de rádio e TV. Ela é a mulher da qual roubamos o filho para te entregar!

– Escuta, precisamos encerrar esta conversa agora. Você me encontre em meia hora no mesmo hotel que nos encontramos da última vez. Dentro de alguns minutos estarei lá.

Zahra colocou o telefone de volta no gancho, assim que Farzin desligou a ligação. Desesperada, ela pegou o filho que dormia no moisés e foi com ele para a varanda. Seu coração estava disparado. Com medo de Farzin, não queria que ele soubesse que ela havia escutado aquela conversa. Temia pela segurança do filho. Sentada no banco da varanda, com o bebê nos braços, fechou os olhos tentando se acalmar.

"Tenho de fingir estar tranquila para que ele não perceba que eu escutei toda a conversa. Não quero nem pensar o que ele poderia fazer com meu filho!", pensou agoniada. Quando ouviu Farzin passar pela sala de estar, concentrou-se no filho e, tentando disfarçar, cantou uma música de ninar em parse, sua língua.

– Querida, eu vou até o escritório da empresa. Vou ficar algumas horas fora. Fique próxima ao telefone, pois eu vou telefonar para avisar a que horas eu volto – disse Farzin com ar dissimulado, sem demonstrar a agitação e o nervosismo que a conversa com Roberta havia provocado.

Zahra dirigiu seu olhar em direção a ele e apontou para o bebê em seu colo, querendo dizer que não poderia falar para não acordá-lo. Ele disfarçou com um sorriso e, ao sentir que estava tudo bem e certificar-se de que a esposa não havia ouvido a conversa ao telefone, deixou o apartamento. Quando a porta de entrada fechou, Zahra entrou em pânico. Suor frio escorria pela sua testa.

"Roubado! Ele foi capaz de roubar o bebê de uma mãe que está desesperada!" – agoniada olhando para Casper em seus braços, não conseguia parar de pensar na imagem de Maria, vista em todos os telejornais, chorando desesperada devido à perda do filho. – Pobre mãe, todo este tempo sem saber o que aconteceu com o seu filho – disse para si mesma.

Seu primeiro impulso foi telefonar para Silvia e contar-lhe o que acabara de saber, chorar, pedir a ela conselhos e ajuda. No mesmo instante, lembrou-se de que não poderia, pois Silvia estava numa cama de hospital lutando para viver.

"Gabriel!", pensou. "Preciso falar com ele. Ele poderá me ajudar".

# Capítulo 50

# A loucura de Farzin

– Não acredito que ela esteja naquele hospital novamente! – disse Farzin em voz alta para si mesmo, quando chegou em casa, horas mais tarde, e não encontrou a esposa. Muito irritado, esmurrava a mesa de cabeceira em seu quarto. Havia telefonado várias vezes para o celular de Zahra, porém ela não atendia e também não retornava suas mensagens. Ele se levantou da cama furioso e decidiu ir até o hospital onde Silvia estava internada e buscar Zahra. – Eu a trago nem que seja arrastada pelos cabelos! – esbravejou enquanto caminhava pelo apartamento.

– Fátima, eu vou sair. Vou buscar minha mulher. Cuide de Casper e me espere voltar – Farzin deixou o apartamento com os olhos vermelhos refletindo toda a sua fúria. Bateu a porta de entrada com tamanha força, que o barulho acordou o bebê que estava dormindo.

\* \* \* \*

Zahra chegou ao hospital correndo. Ofegante, perguntou por Gabriel na recepção e uma das enfermeiras a informou que ele estava prestes a chegar, pois seu plantão começaria em menos de trinta minutos. Ela se sentou na sala de espera, que ficava próxima ao quarto de Silvia, e ficou aguardando. Pensou em ir falar com Silvia, porém estava muito nervosa e não queria que ela a visse daquele jeito.

Quando finalmente viu Gabriel caminhando pelo corredor, correu ao seu encontro. Sentia-se vulnerável e com muito medo. Quando se aproximou dele, não aguentou e deixou as lágrimas caírem. Estavam parados do lado de fora do quarto de Silvia.

Pensando que Zahra chorava por causa do estado de Silvia, ele a abraçou forte e disse:

– Eu estou aqui com você – em seguida, deu um beijo no rosto dela. – Lembra-se da nossa música? – Gabriel cantou bem baixinho perto de sua orelha:


*I'd tell you that I'd never leave you*
(Eu lhe diria que eu nunca iria deixar você)
*And love you 'til the end of time*
(E eu te amaria até o final dos tempos)
*If you were in these arms tonight*
(Se você estivesse entre os meus braços hoje à noite)


– Eu preciso muito falar com você, Gabriel.

Naquele mesmo instante, Farzin entrou no corredor, caminhando apressadamente à procura do quarto de Silvia. Quando ele olhou em direção ao final do corredor, avistou Zahra abraçada a Gabriel. Sentiu seu sangue ferver. Ele fechou os punhos de tanta raiva que sentia e não conseguia ver mais nada à sua frente.

"Então, eu estava certo. Esta história de hospital era só uma desculpa para encobrir sua traição. Ela vai me pagar!", pensou enquanto caminhava em direção aos dois.

– Sou seu amigo, não se esqueça de que você também tem a mim. Eu estarei sempre do seu lado para o que você precisar – disse Gabriel ainda abraçado à Zahra.

– Preciso da sua ajuda! Eu e meu filho, nós estamos em peri...

Zahra não conseguiu completar seu apelo. Farzin aproximou-se dos dois. Berrava para todos ouvirem:

– Sua ordinária! Eu mato vocês dois, eu mato!

Assustada, Zahra saltou para trás ao ver Farzin, que gritava ao seu lado. O marido pegou forte em seu braço e a puxou com violência para próximo dele.

– Eu estava certo, não estava? Você estava de desculpinha esfarrapada, dizendo que estava visitando sua amiga cancerosa, quando na verdade vinha aqui para me trair!

– Ei, solte Zahra, pois você a está machucando! – disse Gabriel partindo em defesa de Zahra.

O jovem tentou fazer com que Farzin soltasse o braço de Zahra, porém foi empurrado com força por Farzin.

– E eu vou te matar! – gritou Farzin olhando com raiva para Gabriel. Em seguida, deu-lhe um soco no rosto com tamanha força, que Gabriel bateu suas costas na parede e foi ao chão.

Funcionários começaram a chegar para verificar o que estava acontecendo, e logo correram em defesa de Gabriel. Uma das enfermeiras chamou a segurança e, naquele momento, Zahra pediu a Farzin que fossem embora.

– Vamos para nosso apartamento. Lá eu te explico tudo, mas, por favor, vamos deixar o hospital, Farzin. Silvia está muito doente e não quero que ela passe nervoso.

– Você não pode ir embora com esse louco! – gritou Gabriel levantando do chão prestes a partir para cima de Farzin.

– Olha como você fala comigo, seu moleque. Eu acabo com a sua raça! – Farzin estava pronto para agredir novamente Gabriel, porém foi puxado por Zahra.

– Vamos, antes que a segurança venha e te detenha. Eu te explico tudo, mas antes vamos embora, Farzin – Zahra estava muito preocupada com o estado de Silvia. Não queria que a amiga ficasse sabendo daquela confusão.

– Eu vou ficar bem, sei o que estou fazendo, Gabriel. Por favor, não deixe Silvia saber o que aconteceu aqui... Naquele instante, ela foi interrompida por Farzin, que a puxou pelo braço e a arrastou pelo corredor do hospital.

– Entra aí, sua ordinária! – disse Farzin, enquanto a empurrava para dentro do carro. – Vamos acertar nossas contas quando chegarmos. Isso não vai ficar assim. Ah, não vai! Você vai aprender sua lição hoje.

Quando Gabriel e os seguranças do hospital chegaram na parte de fora do hospital, encontraram Farzin dentro do carro pronto para dar a partida. Gabriel bateu no vidro do carro pedindo para que Farzin saísse e se acalmasse, mas foi em vão. Farzin deu um arranque no carro e saiu cantando pneu pelas ruas.

Com o olhar transtornado, Farzin a ameaçou:

– É hoje que eu acabo com você, sua vadia!

## Capítulo 51

## O abuso final

— Fátima! – gritou Farzin, assim que abriu a porta do apartamento. – Fátima, cadê você?

A empregada estava no quarto do bebê e foi até a sala, assustada, com os gritos de Farzin.

— Estava fazendo Casper dormir. Está tudo bem, senhor Farzin?

— Quero que você vá embora. Eu e Zahra precisamos ficar a sós.

— Mas, o senhor quer que eu vá para onde? Eu ainda tenho de preparar o jantar e...

Farzin a interrompeu aos berros:

— Não sei, só quero que saia daqui agora! Vai dar uma volta para bem longe. Fátima tentou argumentar, mas foi impedida por Farzin, que a segurou pelo braço e a levou para fora do apartamento.

– Pronto, agora estamos só nós dois aqui – ele disse, assim que fechou a porta do apartamento. – Sua vadia! – Farzin deu um tapa no rosto de Zahra com tamanha força que o rosto dela avermelhou na hora. – Como ousa me trair, depois de tudo o que eu fiz por você?

– O Gabriel é apenas um amigo... Ele estava me consolando, porque eu estava muito triste.

Farzin lascou outro tapa no rosto dela, dessa vez fazendo seus lábios sangrarem.

– Cale a boca!!! – ordenou Farzin. Em seguida, a segurou pelo cabelo e gritou: – Eu não quero mais suas mentiras! Eu te dei todas as roupas de grife que uma mulher pode sonhar, joias das mais preciosas e você me trai desta maneira. Como ousa humilhar o meu amor?

Farzin lançou uma série de pontapés e golpes de mão em Zahra, que foi bruscamente ao chão. Com os lábios e o nariz sangrando, ela implorava para que ele parasse com a agressão.

– Eu te mato! Hoje você não sai viva daqui! – ele dizia, enquanto a espancava com muita violência.

Zahra pensou em tentar escapar, porém desistiu, assim que se lembrou de seu filho. Não queria deixar seu bebê sozinho no apartamento com Farzin, ele estava totalmente descontrolado.

"Tenho de aguentar. Se sair do apartamento, ele pode atentar contra Casper", Zahra pensou, desistindo da ideia de sair correndo à procura de ajuda.

Enfurecido, Farzin continuava a golpeá-la com extrema violência. Ele estava tão fora de si, que não ouviu quando o bebê começou a chorar.

– Pare, por favor. Eu não aguento mais – murmurou Zahra, gemendo de tanta dor.

– Você decidiu trair o seu marido, não foi? – disse enfurecido. – Desprezou o meu amor e me fez de otário, não foi? Agora você me paga! – disse e, em seguida, deu um pontapé no estômago dela.

A dor do pontapé parecia cortar-lhe o estômago. Zahra momentaneamente perdeu o ar. Farzin interrompeu as agressões à esposa e partiu para o quarto do casal. Fora de si, abriu o closet dela, retirou todas as suas roupas e as levou até a sala.

Deitada no chão, com forte dor por todo o corpo, Zahra assistiu a Farzin rasgar suas roupas com as mãos. Por fim, ajoelhou e ficou junto da esposa. Segurando-a pelos cabelos, levantou a cabeça dela do chão.

– Nosso filho está chorando – disse Zahra aos prantos e sentindo muita dor.– Por favor, pare. Eu não aguento mais.

– Eu já te ensinei a lição que queria. Da próxima vez, juro que te mato! – antes de deixá-la, segurando sua cabeça, Farzin soltou um cuspe no rosto dela e bateu sua cabeça com extrema violência contra o chão. Ele pegou a chave do carro que estava em cima de um móvel na sala, e saiu furioso.

Zahra ficou deitada no chão da sala. Seu corpo todo ardia em dor. Havia sangue por todo o tapete e pelas paredes. Naquele instante, ela se lembrou de Silvia lhe dizendo:

"Você deve deixá-lo o mais rápido possível. Procure a polícia."

Com dificuldade para se locomover, Zahra arrastou-se até o móvel da sala onde ficava o telefone. Novamente uma lembrança lhe veio à mente. Ela se lembrou, naquele instante, do apelo de Silvia:

"Procure uma delegacia da mulher. Existe uma lei no Brasil chamada Lei Maria da Penha. Ela protege todas as mulheres contra violência doméstica. A equipe policial vai te aconselhar e assegurar a sua segurança."

Ela pegou o telefone e, com as mãos tremendo, teclou o número da polícia. Aos prantos, contou ao policial que havia sido espancada pelo marido. Em questão de minutos, uma equipe policial chegou ao apartamento e encontrou Zahra segurando o bebê no colo. Ela estava muito machucada, e tinha sua roupa do corpo toda rasgada. Os policiais a levaram rapidamente ao pronto-socorro mais próximo, e ela recebeu todos os cuidados necessários.

# Capítulo

# 52

# O ponto final ao abuso

Após ser atendida no pronto-socorro, Zahra foi até a delegacia. Quando interpelada pela delegada se queria prestar queixa, Zahra não hesitou e, com toda determinação, disse categoricamente, enquanto segurava o filho nos braços:

– Sim! Eu o quero preso, doutora!

A delegada, então, explicou que ela teria de ir ao IML[9] para fazer um exame de corpo de delito:

– O exame serve para comprovar a agressão feita contra a senhora e como prova contra o seu marido – explicou a delegada.

– Eu vou. Não importa o que eu tenha de fazer, eu quero que ele pague por toda a agressão que fez comigo, doutora – Zahra disse, decidida a fazer o que fosse preciso para ver o marido preso.

---

9  IML: Instituto Médico Legal

A delegada ordenou a uma equipe de policiais que acompanhasse Zahra até o instituto onde seria realizado o exame, pedindo ainda que feitos os exames, eles a levassem de volta ao apartamento. A delegada também determinou que a equipe policial ficasse com Zahra o tempo todo e garantisse a sua segurança e o seu bem-estar.

Após a equipe ter partido com Zahra para o IML, outra equipe partiu pelas ruas à procura de Farzin. Os policiais tinham ordem para prendê-lo, assim que o encontrassem.

Horas depois, após fazer os exames de corpo de delito, Zahra entrou em seu apartamento acompanhada por um policial, que vasculhou todo o local à procura de Farzin.

– A senhora pode ficar tranquila, o covarde não retornou aqui.

Zahra, que segurava o bebê Casper em seus braços, estava parada na porta de entrada. As cenas da violência que sofrera ainda estavam bastante vivas em sua mente. Olhou para o tapete com marcas de sangue e foi tomada por pânico. Sentiu seu corpo todo tremer. Naquele instante, Fátima retornou ao apartamento e, ao ver Zahra e o policial, se assustou.

– Dona Majid, que horror! O que aconteceu com a senhora? Foi um assalto, foi? – a empregada entrou no apartamento e viu as marcas de sangue pelas paredes e tapete. – O senhor Farzin! – exclamou Fátima em horror. – Foi ele, não foi? Ele fez isso com a senhora! Meu Deus, eu sabia que algo estava errado com ele, os olhos dele tinham um brilho sinistro!

Zahra não respondeu, apenas baixou a cabeça. O policial tranquilizou Zahra avisando que ele e um de seus companheiros ficariam de prontidão na porta do apartamento, caso Farzin voltasse. Ele disse a ela que ficasse tranquila, pois, caso Farzin tentasse retornar, ele seria preso antes mesmo de conseguir entrar no prédio. Assim que o policial saiu, Zahra verificou através do olho mágico da porta de entrada e se tranquilizou ao se certificar de que os policiais estavam de guarda. Um pouco mais tranquila, ela entregou o bebê a Fátima.

– Cuide dele para mim, Fátima, por favor. Ele precisa mamar e precisa de uma troca de fraldas também. Eu vou tomar um banho bem demorado. Eu preciso ficar um tempo sozinha.

\* \* \* \*

Zahra entrou na banheira vazia. Abriu o registro e deixou a água cair. Ela deixou a banheira encher de água até quase transbordar. Quando a água alcançou as bordas, desligou o registro e, em seguida, descansou sua cabeça. Esforçou-se para esquecer o horror que vivera horas antes, mas seu esforço foi em vão. As imagens das agressões de Farzin aterrorizavam sua mente. Seu corpo ardia de dor, enquanto sua alma sofria. Gentilmente, passou água nos lábios para tentar limpar o gosto de sangue que sentia.

"Esta foi a última vez que aquele monstro tocou em mim!", pensou enquanto acariciava os machucados pelo corpo. "Silvia estava certa, um homem que é capaz de abusar de uma mulher com palavras é também capaz de abusar dela fisicamente". Rapidamente, ela enxugou as lágrimas e disse para si mesma em voz alta: – Não, eu não vou chorar por ele! Ele não merece uma lágrima sequer. Chega! Está mais do que na hora de dar uma guinada na minha vida!

Ela escorregou sua cabeça lentamente pela banheira até imergir seus cabelos na água. Com as duas mãos, passou seus dedos pelos cabelos, e o segurou, unindo os fios em um rabo de cavalo enquanto emergia a cabeça para fora da água.

"Hoje será a minha emancipação! Eu não permitirei que Farzin abuse de mim, nunca mais!", pensou decidida, enquanto saía da banheira. Zahra se enrolou com a toalha de banho, seu corpo ardia em dor. Tinha hematomas por todo o corpo e rosto. Com cuidado, muito cuidado, por causa das dores que sentia, secou-se com a toalha felpuda, evitando forte atrito. Olhando-se no espelho, viu os hematomas no rosto – os mais fortes eram os hematomas em volta dos olhos e os espalhados por todo corpo. Ver o seu estado deplorável a fez sentir ainda mais força de vontade de nunca mais chegar perto dele. "Espero que a polícia encontre aquele monstro logo e que ele apodreça na cadeia", pensou.

Horas mais tarde, após colocar o bebê para dormir, Zahra foi até a porta da sala checar se os policiais ainda estavam de guarda. Tranquilizou-se quando viu os dois homens em pé na porta protegendo o apartamento.

– Alguma notícia? – ela perguntou aos policiais.

– Ainda não, senhora. Temos uma equipe lá fora guardando a portaria, caso ele volte. Nós ficaremos aqui durante toda a noite. A senhora pode dormir em paz. Aqui ele não volta, mas, se voltar e conseguir passar pela guarda montada lá embaixo no prédio, nós o prenderemos aqui. Desta porta ele não passa, prometo.

– Não tenho palavras para agradecer toda a dedicação de vocês.

– Nos agradeça apenas depois de o prendermos. Por enquanto, lhe garanto que nossa equipe não irá descansar enquanto não colocar as mãos nele.

Zahra ofereceu lanche e refrescos para a equipe de policiais, que agradeceu, mas não aceitou. Sentindo-se protegida, ela voltou ao seu quarto. Deitou-se em sua cama, ao lado de Casper, que havia colocado para dormir próximo a ela.

– Uma coisa eu sei, meu filho, o meu amor por você é eterno e incondicional. Ele nunca mais fará mal a você ou a mim. Eu te prometo – disse baixinho para Casper, que dormia tranquilo ao seu lado na cama.

# Capítulo 53

## A emboscada

Farzin estava dentro do seu carro, estacionado do lado de fora do hospital, esperando Gabriel terminar seu turno. Preparava uma emboscada para ele. Estava cego com sua ira e desejo de se vingar de Gabriel pela suposta traição. Não conseguia parar de pensar no abraço entre sua esposa e Gabriel. Sua ira aumentava cada vez que fantasiava mais teorias para a suposta traição. Criou em sua mente cenários em que Zahra tinha momentos de paixão e perdição com Gabriel em sua cama.

"Maldito doutorzinho de merda! Eu vou matá-lo hoje mesmo. Eu vou limpar a minha honra com o seu sangue!" – pensou enquanto sacava o revólver do porta-luvas do carro.

Impaciente, Farzin contava os minutos esperando Gabriel sair do hospital para atirar nele. Não temia ser preso, estava totalmente cego, movido pelo orgulho e desejo de vingança.

Depois de pouco mais de uma hora, Gabriel deixou o hospital. Farzin acompanhou à pequena distância cada passo dado por Gabriel até chegar ao local onde sua moto estava estacionada. Assim que Gabriel colocou o capacete e subiu na moto, Farzin deu partida no carro, dirigindo-se até o local onde ele estava.

Farzin parou seu carro ao lado de Gabriel, que estava prestes a sair com a moto. Em seguida, ele abriu a janela do lado do passageiro e gritou:

– Eu disse que me vingaria de você, não disse? – ele apertou o gatilho e disse, ao atirar em Gabriel: – Isso é para você, seu merda!

O impacto da bala fez Gabriel ser arremessado para longe da moto, caindo com extrema força na calçada. Alguns funcionários do hospital, que estavam em roda conversando perto do local, gritaram e correram para acudir Gabriel que sangrava no chão. Uma poça de sangue logo se formou. Os seguranças do hospital tentaram parar o carro, porém Farzin acelerou e saiu em alta velocidade cantando pneu.

\* \* \* \*

Horas mais tarde, Zahra foi acordada pelo policial que fazia guarda do lado de fora do seu apartamento. Assustada, foi apressada até a porta a fim de verificar o que havia acontecido. Aflita, ela abriu a porta e pediu para que o policial entrasse.

Ao entrar, o policial lhe informou que seu marido havia sido detido em uma perseguição pelas ruas da cidade. Ele contou que Farzin havia fugido após atirar em um médico na porta do hospital e, após uma longa perseguição que envolveu troca de tiros, os policiais conseguiram prendê-lo.

– Meu Deus! Não me diga que ele atirou no... Gabriel! – ela exclamou, levando a mão à boca.

– Sim, é esse mesmo o nome do médico em quem ele atirou. Como é que a senhora sabe o nome dele?

– Meu marido pensa que estávamos tendo um caso... Ele imaginou tudo e foi por isso que me agrediu hoje. Ele nos viu nos abraçando hoje à tarde no hospital e deduziu que ele fosse meu amante. Mas, por favor, me conta qual é o estado dele? O tiro foi grave?

# Capítulo 54

## Impulsiva

— Estou decidida, vou até São Paulo em busca do meu filho. Todas as pistas levam até São Paulo e é pra lá que preciso ir.

— São Paulo é uma imensidão de cidade, Maria. Como você irá encontrar o seu bebê entre milhões de pessoas que vivem por lá? – perguntou dona Dedeca, preocupada com aquela ideia impulsiva de Maria.

— Eu não sei como. Só sei que sinto que preciso fazer algo. Estou muito feliz aqui com a senhora. Tenho aprendido muito sobre mim mesma e, desde o ritual do desapego que fiz na praia, eu nunca mais pensei em José. A senhora me ensinou algo que eu nunca mais vou esquecer: a ter respeito e amor por mim mesma, porém eu não consigo parar de pensar em meu pequeno Salvador. Preciso descobrir onde ele está e trazê-lo para junto de mim.

— Eu a entendo e concordo que você queira lutar para encontrar o seu filho. Mas acho que está sendo impulsiva, tomando uma decisão totalmente precipitada. Você não conhece ninguém naquela cidade e, levada por sua impulsividade, irá cometer novamente os erros do passado.

– Não se preocupe. Graças ao trabalho no ponto do acarajé e à sua ajuda, eu consegui juntar um bom dinheiro que irá durar algum tempo em São Paulo. Vou procurar trabalho, e agora que aprendi a cozinhar com a senhora, se precisar, eu monto uma barraca de acarajé e sobrevivo vendendo bolinhos.

– Por que você não volta ao seu vilarejo e espera notícias dele? Lá estará entre amigos e estará segura e...

Maria interrompeu dona Dedeca dando-lhe um beijo na testa e finalizou dizendo:

– Está decidido, eu irei partir no final da semana.

# Capítulo 55

## A triste noticia

— Gabriel, eu vim assim que recebi a notícia! Como você está?

— O tiro passou de raspão na minha costela. Está um pouco dolorido, mas estou bem, fique tranquila – respondeu Gabriel deitado na cama do hospital. Assustado ao ver os hematomas no rosto de Zahra, ele tentou se levantar, mas a dor não permitiu:

— O que aconteceu com você? Foi ele, não foi?!

Zahra removeu o lenço que cobria o pescoço e o rosto e mostrou para Gabriel os outros hematomas e arranhões, e o médico arregalou os olhos imediatamente.

— Meu Deus! O que aquele monstro fez com você?

— Quando chegamos em casa, ele começou a me agredir, me socar e chutar. Mas já acabou. Fiquei sabendo que ele foi preso. A polícia procurava por ele pelo que fez comigo, e agora que ele tentou te assassinar, acredito que vá ficar ainda mais tempo na cadeia.

— Me perdoe. Eu deveria tê-lo impedido de sair com você. Eu deveria ter feito algo para segurá-lo, mas não fiz. Depois que você se foi, eu tentei conversar com o marido da dona Silvia para pedir o seu endereço, mas não consegui. Ele está bastante abalado com o estado dela e... – naquele instante, seu rosto entristeceu completamente. – O estado dela se agravou assim que você deixou o hospital. Por isso, o senhor Paulo não estava em condições de me passar nenhuma informação.

– Não se culpe, Gabriel. Eu já estou livre daquele monstro. Quero focar minhas energias em Silvia e estar com ela neste momento.

– Me diga uma coisa, quando você chegou aqui, me disse que precisava conversar comigo, me dizer algo. Daí, então, seu marido chegou e, com aquela confusão toda, você acabou não me dizendo o que queria. O que foi?

– Eu descobri algo horrível... Antes de eu vir te procurar no hospital, eu acabei ouvindo uma conversa de Farzin ao telefone com uma mulher que eu não conheço e eles conversavam sobre meu...

A conversa dos dois foi interrompida por um médico adentrando o quarto. Era um dos médicos da junta que cuidava de Silvia. O médico parecia estar bastante abalado. Assim que o viu, Gabriel sabia qual seria a notícia. Ele levou sua mão até a mão de Zahra e a segurou com força. O coração dos dois já sentia a onda triste que se aproximava. Após ligeira pausa, o médico informou aos dois sobre o falecimento de Silvia.

– Não!!! – gritou Zahra. A notícia a atingiu como se fosse uma bala de revólver cortando o seu peito. Sentiu como se o mundo inteiro estivesse desabando sobre sua cabeça. Gabriel levou a mão dela até seus lábios e a beijou várias vezes, prometendo a ela que tudo ficaria bem. Em seguida, ele colocou a mão dela em seu ombro, a acariciou esfregando seu rosto delicadamente sobre ela.

# Capítulo 56

## O funeral de Silvia

As homenagens fúnebres foram feitas de acordo com o pedido de Silvia. Paulo organizou para que tocassem um samba cantado pelo sambista Martinho da Vila, chamado "Samba de Irmão"[10]. Paulo havia produzido panfletos com a letra da música e os distribuiu aos presentes, pedindo que cantassem juntos:

*Irmão, irmão, irmão, irmão*
*É madrugada, mas virá nosso amanhã*
*Que bom, que bom*
*Cantar é bom, sambar é bom*
*Dançar é bom, amar é bom*
*Tristeza não*

---

10 "Samba de Irmão" – canção de Martinho da Vila e Pádua Correia. Fonte: letras.com.br

*Por maior que seja a escuridão*
*A noite tem que acabar, no duro*
*No duro, ô, ô, no duro*

*Homem não é Lobisomem*
*Que fica nas trevas sempre a caminhar no escuro*

*Sambem, sambem*
*Sambem com harmonia*
*Todos cantando, com todos, pra todos, por todos*
*Pra trazer o dia.*

Após o samba terminar, Paulo fez sua homenagem e discursou:

– Este samba era um dos preferidos de Silvia, e por isso ela pediu que tocássemos hoje aqui. Assim como esta letra, Silvia era alegria, era otimismo, Silvia é vida. Ela não nos queria chorando a sua perda, mas sim que celebrássemos a vida. Ela lutou até o fim, mesmo sabendo seu diagnóstico, e insistiu em querer viver. Poucos dias antes de sua passagem, vendo que eu estava muito triste e chorando, ela me disse com o seu habitual senso de humor: "Sabe, Paulo, eu estava conversando com Deus. Disse a Ele que adoro a ideia de ir para o céu e estar ao lado dele, porém eu disse a Ele que não tenho pressa alguma. Pode me deixar por aqui e levar quem tenha mais urgência, ou menos amor por esta vida", ela disse isso e riu e, de repente, me tirou da minha tristeza e me fez sorrir, como ela sempre soube fazer.

– Só Deus sabe o quanto vou sentir sua falta. Sentirei falta da minha melhor amiga, parceira nos negócios, esposa e mulher. Sentirei falta de acordar ao lado dela todas as manhãs, de sentir o cheiro de seu perfume de fragrância floral e de ouvi-la cantando pela casa músicas alegres, que lhe faziam bem. Silvia se vai para um lugar reservado para todas as pessoas do bem, que fizeram florescer no coração das pessoas, que cruzaram o seu caminho, a esperança, a fé e a alegria. Assim como eu, ela também tinha muita fé em Deus e na vida após a morte. Eu sei que a minha, digo, a nossa Silvia, está viva em outro plano, onde ela há de alegrar muitos outros, do mesmo jeito que nos alegrou aqui. Fica a saudade, que por enquanto dói... Que dói demais... – Paulo já tomado pelo pranto, deu uma pausa para segurar o choro.

Zahra apertou o buquê de girassóis que segurava em suas mãos, quando ouviu a última frase de Paulo. Silvia havia plantado em seu coração tudo que Paulo acabava de dizer e muito mais. Silvia havia ensinado a ela que ela era forte e que poderia realizar quaisquer sonhos. Lágrimas escorriam pelo seu rosto sem parar.

Paulo continuou seu discurso com a voz já bastante embargada:

– Adeus, minha amada, nós prometemos manter a alegria e a fé viva, assim como você nos pediu – Paulo não conseguiu segurar mais o choro e desabou a chorar. Dona Regina, que estava sentada ao seu lado, também chorando, encostou sua cabeça no torço dele e o enlaçou com seus braços. Paulo reuniu forças e finalizou: – Até breve, meu amor, até breve.

Zahra se aproximou do caixão, depositou o buquê de girassóis e, em pensamento, se despediu da amiga:

"Obrigada por tudo, minha amiga. Você foi um anjo enviado por Deus para todos nós. Eu prometo que vou fazer o que você me pediu, vou ser feliz. Aquele homem nunca mais vai me atingir, fique tranquila. Vá com Deus, e até breve, minha amada amiga!"

\* \* \* \*

Após o enterro, quando a maioria das pessoas já havia partido, Zahra abraçou dona Regina e Paulo ao mesmo tempo. Os três ficaram abraçados por muito tempo chorando de saudades de Silvia. O silêncio era quebrado apenas pelo som de seus corações batendo forte, juntos, unidos pelo amor à Silvia.

Gabriel assistia à cena bastante comovido. Embora tivesse tido uma relação de médico-paciente com Silvia, ela também tocara seu coração com sua fé e sua alegria. Lembrou-se das conversas que tiveram em seus passeios noturnos pelo hospital. Ele admirava a postura firme de Silvia – nunca reclamava de dor e nunca se queixava do tratamento, ao contrário, ela estava sempre sorrindo, otimista, contando histórias positivas, sempre querendo fazer felizes os outros à sua volta. Ela tinha plena noção de quantas pessoas ao redor dela dependiam de sua alegria. Após Zahra se despedir de Paulo e de dona Regina, Gabriel aproximou-se e cumprimentou dona Regina e Paulo oferecendo-lhes seus pêsames.

*** *** ***

Gabriel acompanhou Zahra até o carro, o motorista dela a esperava e, antes de se despedirem, ele olhou direto nos olhos dela e disse:

– Eu estava pensando... Agora que as coisas se resolveram entre você e seu marido... – Gabriel hesitou por alguns segundos e, após criar muita coragem, continuou: – Eu queria pedir a você que nos desse uma chance. Eu penso em você todos os dias, desde a noite em que nos conhecemos, e gostaria de ser seu namorado. Quero cuidar de você e te fazer feliz.

Zahra permaneceu cabisbaixa e em silêncio. Ela também sentia amor por ele. Seu coração dizia para que se entregasse a Gabriel, abraçando-o e cobrindo-o de beijos, mas ela se conteve.

– Então, o que você me diz, você aceita ser minha namorada? Confie em mim, e eu prometo que irei cuidar de você, para sempre, e nunca mais deixar que nada de ruim aconteça com você.

Zahra levantou sua cabeça e encarou Gabriel. Embora ela quisesse aceitar suas mãos, que estavam estendidas, e beijar seus lábios, ela respirou fundo e respondeu: – Eu não posso, Gabriel.

– Como não? Seu marido foi preso e ele não te controla mais. Você está livre e não precisa mais se sujeitar às suas ordens.

– Eu sei, e é por esse mesmo motivo que eu não posso, ou melhor, que eu não quero! Eu passei muito tempo como vítima daquele monstro, presa em uma relação doentia, que deixou muitas cicatrizes.

– Eu cuido de você. Eu irei ajudar você a se livrar dessas cicatrizes cobrindo-a de amor e respeito todos os dias, eu prometo! – implorou Gabriel.

– Não tenho dúvida nenhuma de que eu seria muito feliz ao seu lado. Porém, preciso ficar só. É o meu momento de me descobrir e de reaprender a ser independente. Não posso, e também não quero, neste momento da minha vida, estar em um relacionamento. Por favor, me entenda. É o meu momento de ser livre. Zahra se aproximou ainda mais de Gabriel e colou seu rosto no rosto dele, roçando-o delicadamente contra o dele, ela disse ao final: – Eu te quero muito bem, mas não é o momento certo. Aprendi uma coisa nestes anos aprisionada no meu casamento: a vida sempre encontra uma maneira de unir aqueles que se amam verdadeiramente. Se nosso amor for verdadeiro, a vida irá cruzar nossos caminhos mais uma vez. Se isso acontecer, eu quero estar preparada para te receber de braços abertos, sem nenhuma cicatriz, sem nenhum receio.

– Posso te perguntar o que pensa em fazer agora?

– Eu pretendo voltar ao meu apartamento, pegar meu filho e viajar. Vou para bem longe, e não pretendo voltar a São Paulo nunca mais. Quero uma vida totalmente nova para mim e para meu filho.

– Então, esta é uma despedida? – lágrimas escorriam pelos olhos dele.

– Sim. É hora de recomeçar, Gabriel, e isso para mim significa ficar bem longe daqui. Adeus! – Zahra estava segurando as lágrimas. Antes que perdesse a coragem de se despedir de Gabriel, ela beijou o rosto dele gentilmente e, em seguida, entrou em seu carro, pedindo ao motorista para dar a partida rapidamente e deixar o local. Gabriel assistiu ao carro partir levando com ele seu coração.

# Capítulo 57

## A emancipação de Zahra

– E nós vamos para aonde, senhora Majid? Direto para casa? – perguntou o motorista.

– Agora não. Antes, quero que você me leve até a delegacia onde Farzin está preso.

Determinada, Zahra tirou de dentro de sua bolsa o papel com o endereço da delegacia e o entregou ao seu motorista. Seguindo as ordens de Zahra, o motorista dirigiu pelo centro histórico da cidade até chegar à delegacia onde Farzin esperava pela transferência para o presídio em que ficaria até o seu julgamento.

Já na delegacia, Zahra conseguiu permissão para visitar Farzin, com a condição de que não demorasse muito. Dois policiais a acompanharam até uma sala. Em alguns instantes, Farzin chegou algemado e escoltado pelos policiais. Sua aparência era bem diferente da habitual, tinha a barba por fazer e sua roupa estava suja e rasgada. Zahra reparou que ele tinha hematomas pelo corpo, sinal de que havia sofrido alguma agressão dos outros presos, ela pensou. Farzin encarou a esposa sem nada dizer. Zahra não se intimidou com o olhar voraz do marido, e também o encarou seriamente. Os dois policiais que o escoltavam o forçaram a se sentar na cadeira e ficaram cada um ao seu lado, vigiando seus movimentos.

Zahra pediu para ficar a sós com o marido, e os policiais atenderam a seu pedido, dizendo que estariam do lado de fora prontos para agir, se preciso fosse. Antes de saírem, um dos policiais algemou as mãos de Farzin ao pé da mesa, após alertá-lo para que não tentasse algo, pois iria se arrepender.

Assim que ficou a sós com ele na sala, Zahra levou as mãos à cabeça e desatou o nó que prendia o lenço. Ela sacou o lenço e chacoalhou seus longos cabelos, livres pelo ar. Após mexer sua cabeça de um lado para o outro, movendo seus cabelos, como se quisesse mostrar para Farzin que finalmente estava liberta, ela ergueu o lenço à sua frente e disse:

— Este é o meu atestado, que comprova que eu já não vivo mais sob o seu domínio! — e, com as duas mãos, o rasgou com força e, em seguida, jogou os dois pedaços na cara de Farzin.

— Você nunca mais vai abusar de mim. Você nunca mais vai encostar um dedo sequer em mim! Acabou, Farzin, eu não sou mais a sua vítima. Eu prestei queixa e saiba que eu vou até o final. Quero vê-lo preso!

— Vítima?! Eu te amo... Sempre te amei. Tudo o que eu fiz foi por amor e por medo de te perder. Você entendeu tudo errado.

— Você, então, me diz que roubar o filho de uma mãe, que hoje sofre desesperadamente por não saber onde o filho está, foi também um ato de amor?

Farzin arregalou seus olhos. Em momento algum suspeitou que a esposa soubesse do roubo do bebê. Sabia que aquele crime iria agravar a sua pena. Farzin inquietou-se na cadeira e tentou mover seus braços, mas foi impedido pelas algemas que o prendiam ao pé da mesa.

Apontando para as algemas, Zahra disse:

– A propósito, que ironia do destino, você não consegue se mexer por estar algemado! – Zahra soltou uma risada e continuou: – Todas as vezes que você vir estas algemas que estão no seu braço e as barras de aço da sua cela, lembre-se de mim. Você me fez sua prisioneira por anos, com suas torturas psicológicas e com a sua manipulação. Agora, quem está preso é você. Quando você desejar sair da sua cela, lembre-se de quando você me impedia de sair de casa. Todas as vezes que você desejar falar com alguém diferente, brincar, contar piada, jogar conversa fora e não tiver como, porque está preso, lembre-se de mim e de todas as pessoas das quais você me separou.

– Eu fiz por amor – ele disse com a voz embargada de choro. – Eu fiz tudo o que fiz porque eu te amo. O que você chama de prisão, nada mais era do que proteção. É amor.

– Não, Farzin, você fez o que fez motivado por vários sentimentos, menos por amor. O amor não justifica o abuso, a violência, a alienação e, o pior, o crime! – Zahra enfureceu-se ao se lembrar de seu filho e da imagem de Maria dando seu depoimento na televisão e contando a sua dor. Zahra bateu com as duas mãos sobre a mesa, o que provocou um barulho alto e disse com o tom de voz alterado:

– Roubar um bebê, Farzin! Cometer um crime horrível como este e usar a palavra amor?! Não... Não é amor. O que você sente não é amor, mas sim obsessão, é loucura, é maldade, é tudo de ruim menos amor!

Farzin fingiu choro para tentar comovê-la e disfarçou a voz, como se chorasse:

– Acredite em mim! Eu te amo, minha querida.

Zahra o interrompeu bruscamente:

– Sem esse choro fingido. Alguém capaz desta monstruosidade não chora, pois não sabe o que é ter sentimentos bons. Poupe o seu choro, pois eu não sinto pena de você. Passei anos tentando te entender, anos me culpando, achando que eu merecia todo aquele abuso quando, na verdade, você é quem era um monstro. Um monstro que abusou de mim, destruiu minha autoestima e que me agredia dia após dia com seus xingamentos e torturas psicológicas. Eu estou livre de você! Livre do seu domínio doentio – Farzin tentou falar, mas foi impedido por Zahra, que aumentou seu tom de voz ainda mais: – Calado! Agora é a minha vez de lhe dar ordens!

Zahra aproximou seu rosto do rosto de Farzin, encarando-o destemida, e disse:

– Eu vou embora para bem longe, mas antes de ir, eu lhe ordeno que nunca mais chegue perto de mim. Nunca tente me procurar. Eu poderia te denunciar agora mesmo para a polícia e contar tudo o que sei sobre o sequestro. Pelo que entendi, você pagou uma quadrilha maldita para que roubassem aquele bebê indefeso daquela pobre mulher. Se eu contar sobre mais esse crime para a polícia, com certeza, você terá sua pena agravada, o que vai lhe render mais anos de prisão, porém, eu não o farei. Eu não irei contar nada à polícia – Zahra saiu de perto de Farzin, pois começava a se sentir enojada. Pegou sua bolsa que estava sobre a mesa e dirigiu-se à porta.

– Eu não contarei nada, porque não quero que tomem Casper de mim. Aquele bebezinho já sofreu bastante. Eu mesma vou dar um jeito nesta situação. Porém, você fica avisado, se algum dia tentar me encontrar ou ousar chegar perto de mim novamente, eu te denuncio por mais esse crime – ela disse, antes de abrir a porta da sala e sair.

# Capítulo 58

# Seguindo em frente

Quando chegou de volta ao apartamento, Zahra chamou Fátima e o motorista para conversarem. Ela explicou para os dois sobre a situação de Farzin, contando a eles que ele seria julgado e, dependendo da sentença do juiz, seria preso por alguns anos. Zahra retirou de sua bolsa um talão de cheques e fez um cheque nominal para cada um deles.

– Aqui está uma gratificação pelo trabalho de vocês. Este dinheiro será suficiente para sobreviverem por meses, até que encontrem outro trabalho. Mas esta é só uma gratificação, um presente meu pelo tempo de dedicação a esta casa. Eu já telefonei para o contador, e ele irá pagar também todos os seus direitos trabalhistas. Quero que vocês fiquem bem.

– Mas, dona Majid, a senhora não vai mais precisar da gente? Como vai viver aqui neste apartamento enorme sem uma empregada para lhe ajudar? – perguntou Fátima.

– Eu não vou ficar aqui. Hoje mesmo eu vou partir, para bem longe.

– É que eu tenho grande carinho pela senhora, sabe? Não é pelo dinheiro não, viu... Porque dinheiro nenhum valia a pena todos os xingamentos que eu sofria do seu marido. Se eu fiquei todo este tempo aqui neste apartamento, sofrendo com ele, foi porque eu me preocupo com a senhora...

– Eu sei, Fátima, e te agradeço muito. Eu sempre senti o seu carinho e saiba que você, mesmo sem saber, me ajudou muito com os seus cuidados e suas palavras carinhosas para comigo. Zahra olhou para o motorista com carinho. – E você também, Irineu. Eu agradeço muito por todo o carinho dos dois, e por isso estou dando esta gratificação, além dos seus salários e direitos trabalhistas.

– É muito dinheiro, dona Majid – disse o motorista ao ver o cheque. – Este valor dá até para comprar uma casa lá no bairro onde eu moro.

– Então, compre uma casa, se assim for o seu desejo. Eu os quero sendo muito felizes. Percebendo que Fátima estava prestes a chorar, Zahra levantou-se da mesa e disse sorrindo: – Eu já chorei muito nestes últimos dias. Pensando no que minha querida amiga diria, eu digo a vocês: eu quero é sorrir e sambar! Vida nova para todos nós! Chega de choro.

* * * *

Horas mais tarde, após aprontar o bebê e arrumar uma mala, Zahra estava pronta para deixar o apartamento. Fechou o gás, apagou as luzes e, antes de sair, foi até a varanda. Olhou para o banco onde sentava todas as tardes e assistia ao mundo acontecer lá fora.

"Hoje é o primeiro dia, dos muitos dias de liberdade que virão pela frente. Prometo para mim mesma que nunca mais deixarei um homem, ou qualquer outra pessoa, ditar minha vida. Ninguém nunca mais irá dizer o que eu devo ou não devo fazer, com quem eu devo conversar e me relacionar. Eu prometo para mim mesma que eu irei me amar e me respeitar até o fim dos meus dias. Eu sou livre!"

Zahra deixou a varanda a tempo de atender ao interfone que estava tocando. Era o porteiro informando que o táxi já havia chegado e a esperava lá embaixo.

– Farzin, pode ficar com o apartamento, suas joias, e todo o resto do seu dinheiro. Eu não preciso de nada disso para ser feliz! – Zahra disse em voz alta, enquanto fechava a porta do apartamento.

– Para o aeroporto, por favor – ela disse ao motorista do táxi.

# Capítulo 59

## A despedida

Na última noite de Maria na casa de dona Dedeca em Salvador, antes de viajar para a cidade de São Paulo no dia seguinte, as duas sentiam-se nostálgicas. Haviam vivido nos últimos meses como mãe e filha e já sentiam a dor da separação.

– Você tem sido forte na luta contra o álcool, frequentou todas as reuniões dos AA, aprendeu a se amar e descobriu o gosto pela cozinha. Tanto aprendizado, mas continua impulsiva e teimosa! – brincou dona Dedeca. – Não tem quem te faça desistir da ideia de ir a São Paulo.

– A senhora está certa. Creio que a impulsividade estará comigo por muitos anos ainda. Também não posso ser perfeita, não é mesmo? – Maria respondeu e depois caiu na risada.

Após rir bastante, Maria perguntou à dona Dedeca:

– Diga a verdade, a senhora vai sentir falta desta sua filha postiça aqui, não vai não?

– Oxente, se não vou? Já estou sentindo sua falta. Você chegou em minha vida como um furacão com todo o seu drama e sua ansiedade. Com o tempo, foi aprendendo a se acalmar, a ter paciência e a entender que tudo na vida acontece como deve acontecer, do jeitinho que Deus quer. A gente tem de batalhar, ter fé, mas com serenidade e sem essa ansiedade toda sua... Eu vou sentir sua falta, sim, menina, mas meu coração ficará tranquilo, pois eu sei que você, hoje, aprendeu sua lição.

– Não irei colocar, jamais, um homem acima de mim mesma – disse Maria decidida.

– O importante você aprendeu: se respeitar e se amar... O resto você vai tirar de letra. Se você se ama e se respeita, não deixará que homem nenhum a desrespeite, e o mesmo em relação ao álcool. Se você se mantiver firme em sua fé, forte em sua determinação de ser feliz, você nunca mais irá envenenar o seu corpo com bebida alcoólica alguma. Minha filha postiça, como você gosta de dizer, você está pronta para voar e sair de seu ninho. Preferiria que você estivesse voltando para o seu vilarejo, para sua casa, seu cachorro e sua amiga, mas eu a entendo e sei que quer lutar para encontrar o seu filho. Pois bem, se essa é a sua vontade, que Deus a abençoe. Estarei rezando para que você o encontre o mais rápido possível. E não se esqueça, estarei aqui esperando por notícias suas.

– Pare, por favor. Não quero chorar. Hoje não. Amanhã a gente se despede, e choramos um rio de lágrimas. Mas, hoje à noite eu quero fazer como fazemos todas as noites, sentar ao seu lado na rede lá na varanda e conversar sobre coisas boas. Conversemos como se não houvesse despedida amanhã, está certo?

Dona Dedeca enxugou as lágrimas do rosto e, já abrindo um sorriso largo, concordou com Maria. Juntas, foram para a varanda como faziam todas as noites depois do jantar e, sob a luz do luar, conversaram por horas.

\* \* \* \*

Maria levantou-se quando ainda era madrugada. Queria sair de casa rumo à rodoviária antes que dona Dedeca despertasse.

O que ela não havia dito para dona Dedeca na noite anterior era que já estava sofrendo muito com a separação. Embora estivesse determinada a viajar até São Paulo em busca de seu filho, seu coração se partia, pois ali estava deixando alguém que ela aprendera a amar, e muito. Dona Dedeca a havia despertado para a vida. Com ela, aprendera a amar a si mesma e, desde então, seu mundo mudara para melhor. A partir do momento em que passou a se amar, Maria foi tomada pela força que atinge os vitoriosos. Pois, aqueles que se amam estão honrando a Criação Divina, e assim manifestando a força da vitória.

Caminhando nas pontas dos pés, e com muito cuidado para não fazer barulho e acordar dona Dedeca, Maria deixou uma carta, escrita na noite anterior, sobre a mesa da cozinha e foi embora. Quando virou a esquina, teve a certeza de que nunca mais iria vê-la e desabou a chorar.

Quando dona Dedeca acordou, embora ela já soubesse, meio que por intuição, que não mais encontraria Maria em sua casa, foi até o quarto procurá-la. Seu coração apertou e doeu fundo quando viu a cama em que Maria dormia, arrumada. Na cozinha, encontrou a carta deixada por ela. Abriu o envelope e leu:

*Querida mainha,*

*Agradeço a Deus todos os dias pela senhora existir. Quando cheguei aqui nesta cidade, eu tinha também chegado ao fundo do poço. Eu já estava sem nenhuma esperança e, como a senhora sabe, sem nenhum amor-próprio. Não posso nem imaginar o que teria sido de mim se não fosse a senhora com os seus conselhos, os seus abraços e o seu carinho.*

*Dizem que família não são apenas as pessoas que têm o nosso sangue, mas também aqueles quem elegemos com o nosso amor incondicional. E é por isso que eu lhe digo, a senhora se tornou uma mãe para mim, pois foi com a senhora que eu renasci para a vida e também aprendi o verdadeiro sentido da palavra amor.*

*Capítulo 59 — A despedida* **289**

*Perdoe, mas não conseguirei lhe dizer adeus. Dói demais ficar longe de alguém que amamos. Escrevo-lhe esta carta com lágrimas nos olhos. A tristeza é grande, mas não é maior do que a minha gratidão por tudo o que a senhora fez por mim e muito menos maior do que todo o amor que eu sinto pela senhora. Te amo para sempre.*

*Irei telefonar sempre para dar e também saber notícias, e, se Deus quiser, e Ele há de querer, em breve retornarei com meu filho Salvador em meus braços para lhe apresentar. Ele será seu neto e quero também que seja seu afilhado.*

*Um cheiro forte, de sua filha postiça,*
*Maria de Almeida.*

Capítulo

60

A chegada de Zahra

O sol estava nascendo, e os pescadores já estavam a caminho do mar. Seria mais um dia de calor e céu azul em Praia dos Encantos, e o mar logo estaria todo enfeitado com as várias jangadas e embarcações de pescadores.

Isabel tinha acabado de colocar a mesa para o café da manhã para ela e o marido. Os dois se preparavam para mais um dia de trabalho na quitanda. Antes de se sentar à mesa, Isabel foi até o calendário que estava afixado na parede, atrás da porta da cozinha e, com uma caneta, cruzou aquele dia.

— Faltam apenas cinco dias para a chegada de nosso filho — disse ainda olhando para o calendário.

— E o Pituxo lhe disse quantos dias vai ficar por aqui conosco?

— Parece que apenas dez dias. Nos falamos muito rápido ao telefone. Não entendi muito bem, mas parece que ele não está em uma fase muito boa. Eu o senti um pouco tristinho.

– Vai ver ele precisa de um pouco do colo e um cheiro dos pais! – disse Maciel sentindo-se saudoso do filho.

– Quero dar-lhe uma festa. Chamar todos os nossos amigos do vilarejo, muita música, comida farta e fazê-lo sentir-se feliz! – disse Isabel, já com seus pensamentos no planejamento da festa. – Vou até pedir para a banda do Joel tocar as músicas que ele gosta.

– Boa ideia, minha querida. Ele vai adorar... E, além do mais, acho que é hora de fazermos uma confraternização. Temos tido meses de muita tristeza. É hora de agradecer a Deus por tudo e celebrar a vida.

Após tomarem o café da manhã, Isabel foi à quitanda e abriu as portas para os fregueses. Como sempre fazia ao abrir as portas pela manhã, antes de iniciar o trabalho, ela fez uma prece em pensamento, agradecendo a Deus por mais um dia e também pedindo a Ele que abençoasse aquele novo dia.

– Bom dia, senhora. Eu venho de longe e estou procurando um lugar que eu possa alugar para ficar alguns dias – disse Zahra com o bebê em seus braços.

Isabel deu um pulo para trás, assustada com Zahra. – Meu Deus, moça, que susto. Abro as portas da minha quitanda e vejo você aí, plantada na minha frente. Eu quase morro de susto – brincou Isabel.

– Desculpe, minha intenção não era assustá-la. Eu venho de longe. Venho de São Paulo. – Zahra tinha coberto o rosto do bebê com um lenço branco. Queria conhecer um pouco mais sobre as pessoas e o local antes de procurar pela mãe dele, afinal de contas, ela o amava como se fosse seu próprio filho e não seria fácil entregá-lo. Zahra continuou: – Eu cheguei em Ilhéus ontem à noite e, hoje de manhã, peguei um táxi até aqui. Estamos cansados e estou à procura de um local para ficar. A senhora sabe se tem algum hotel na região?

Isabel riu e logo explicou:

– Moça, o nosso vilarejo é muito pequeno, como você já deve ter percebido. Não há hotéis aqui, porém existem apenas três pousadas. Por favor, entre.

Zahra entrou e sentou-se em uma das cadeiras do salão.

– Sabe, não pretendo ficar muitos dias. Por isso, agradeceria se pudesse me indicar um lugar onde eu possa ficar com meu filho – ela disse.

– Se ajeite com o seu bebê, enquanto eu converso com o meu marido. Eu tive uma ideia e queria conversar com ele antes de lhe dizer.

Isabel entrou em sua casa para conversar com seu marido sobre a ideia que havia tido. Assim que viu Maciel, contou-lhe sobre a misteriosa visitante e narrou sua ideia:

– Não sei se seria bom para uma mãe com um bebê tão jovem ficar hospedada em uma pousada. Sendo assim, eu estou pensando em alugar a ela a casa de Maria, que está praticamente abandonada. Ela teria bastante espaço e conforto com a criança, e o dinheiro que ela pagar pelo aluguel, nós guardamos e entregamos a Maria quando ela voltar, isto é, se um dia ela voltar.

– Creio que Maria não se importaria. Ela vai precisar de dinheiro quando voltar, pois, com certeza, suas economias já devem estar acabando, afinal já faz tanto tempo que ela se foi. Sim, vá em frente, querida, acho que é, sim, uma boa ideia.

Quando Isabel voltou ao salão de sua quitanda, encontrou Magrelo, o cachorro de Maria, rodeando Zahra e o bebê. Magrelo não parava de cheirar o bebê.

– Bom, tenho uma notícia boa. Eu sei de uma casinha ótima que você poderia alugar. É simples, mas bem aconchegante, e lá vocês poderão ter privacidade.

– Que maravilha! – exclamou Zahra feliz. – Não esperava encontrar uma casa assim tão facilmente. Tinha em mente uma pousada, mas a ideia de alugar uma casa e ficarmos só nós dois é muito boa.

– Venha comigo, eu te levo até lá e explico tudo no caminho.

Isabel ajudou Zahra com sua mala, e a levou até a casa de Maria. No caminho, Isabel conversou com Zahra sobre preço e, quando indagado o porquê da casa estar vazia, Isabel decidiu não contar toda a história. Por ser um assunto triste e tão doloroso para ela, Isabel não quis contar sobre o desaparecimento do bebê de Maria, limitando-se a dizer que sua amiga, dona da casa, havia viajado por uns tempos e logo voltaria. Magrelo as acompanhou em todo o trajeto até chegarem à casa. O tempo todo, o cachorro ficou ao pé de Zahra tentando alcançar o bebê.

Quando chegaram em frente à casa, Zahra ficou encantada com a simples, porém bela casa. Adorou tudo o que viu, os pés de cacau na frente da casa e a pequena varanda com uma rede pendurada. Isabel abriu a porta e entrou na frente.

– Veja, a casa está bastante limpa. Eu a tenho limpado duas vezes por semana. Está prontinha para vocês mudarem e começarem a habitá-la. Só não posso lhe assegurar quando minha amiga volta. Ela é meio impulsiva, sabe? O que quer dizer que ela pode voltar a qualquer minuto. Mas, enquanto ela não vem, vocês podem ficar aqui.

– Linda! A casa é linda. Vamos ficar muito bem acomodados. Obrigada, senhora... – Zahra sorriu. – Meu Deus, e não é que eu não perguntei seu nome?

– É verdade, nós não nos apresentamos. Meu nome é Isabel, eu sou a dona daquela quitanda onde você me encontrou. Não me chame de senhora, por favor. Pode me chamar de você. E o seu nome, qual é?

– Zahra, prazer! Eu não tenho como te agradecer. Você caiu do céu para mim e meu filho.

– Não se preocupe, como disse, o dinheiro que você pagar de aluguel será muito bom para minha amiga, quando ela voltar – Isabel caminhou em direção ao quarto e pediu à Zahra que a acompanhasse. – Aqui é o quarto, e você pode usar a roupa de cama. Eu lavei os lençóis, fronhas e todo o resto esta semana. Estão limpinhos e cheirando deliciosamente bem.

Quando Zahra viu o berço e os brinquedos de bebê pelo quarto, sentiu um forte arrepio nas costas. Seu coração começara a falar com ela – e este berço aqui no quarto? Sua amiga tem um bebê? – perguntou intrigada.

Isabel quase contou toda a história a Zahra, mas, quando estava prestes a falar, desistiu e apenas respondeu que sim. Em seguida, falou à Zahra que sua amiga tinha um bebê e os dois estavam viajando.

– Desculpe-me, mas se trata de uma história muito triste para mim, e prefiro não relembrá-la agora. Isabel bateu palmas e disse: – Bom, vou deixá-los um pouco a sós. Eu sei o quanto é desconfortável a viagem de Ilhéus até nosso vilarejo, e creio que estejam precisando de um tempo a sós. Fique à vontade. Assim que quiser, passe lá na quitanda para conversarmos. Lá meu marido e eu também vendemos mantimentos e refrescos. Temos um pouco de tudo.

As duas se despediram e, assim que ficou a sós com o bebê, Zahra conversou intrigada consigo mesma:

– Que estranho ela dizer que a história é muito triste para ela. Será possível que esta é a casa da mãe que perdeu... Não, não pode ser. Seria muita coincidência.

Os pensamentos de Zahra foram interrompidos por Magrelo, que começou a latir. O cachorro olhava fixamente para o bebê.

– Ela esqueceu o cachorro dela aqui! – Zahra abriu a porta da sala. – Vai, cachorrinho, volta para a Isabel, volta! – ela pediu que Magrelo saísse várias vezes, mas ele parecia não se abalar com seus apelos. – Bom, se você não quer ir, não vá. Você fica aí porque eu tenho de cuidar da vida.

Zahra foi até o quarto e colocou o bebê dentro do berço. E, assim que foi colocado no berço, o bebê sorriu e soltou uma gargalhada graciosa, como se reconhecesse seu antigo berço.

– Meu lindo, você é o meu salvador, sabia? Você é como o Sol que irradia luz em minha vida todos os dias – o bebê sorria e gargalhava, enquanto Zahra conversava com ele. – Que gargalhada mais gostosa! É verdade, meu amor, você é meu anjinho salvador. Meu amor por você é incondicional – Zahra fez cócegas na barriguinha do bebê com a ponta do seu nariz enquanto dizia: – Lindo... Lindo... Lindo...

\* \* \* \*

Horas depois, após dar de mamar e colocar o bebê para dormir no berço, Zahra foi até a varanda e deitou-se na rede. Naquele instante, lembrou-se imediatamente da varanda de seu apartamento no bairro dos Jardins em São Paulo.

"Quanta diferença. Em São Paulo, da varanda, eu via uma imensidão de prédios cinzas e todo aquele trânsito carregado de carros nas ruas, aqui eu vejo árvores, flores e este lindo mar azul", pensou enquanto admirava a paisagem à sua volta, em especial, a grande e majestosa árvore de ipê amarelo do outro lado da rua. "Quanto tempo de vida eu desperdicei presa naquele apartamento, enquanto eu tinha um mundo inteiro cheio de maravilhas me esperando", Zahra abriu os braços largamente e respirou fundo, aproveitando aquele novo ar com gostinho de liberdade.

# Capítulo 61

# Deixando a impulsividade de lado

Maria caminhava pela sua antiga rua de terra, seu coração acelerado. Ouvia ao fundo a voz de seu filho chamá-la: "Mamãe, eu estou aqui! Vem me abraçar". Maria acelerou seu passo e correu pela rua. Logo enxergou Salvador, que a esperava com seus bracinhos abertos.

Com os braços estendidos, ela correu ainda mais rápido em direção a ele. Assim que chegou onde ele estava, abaixou-se para pegá-lo e, quando foi tocá-lo, a imagem desapareceu, e ela acordou bruscamente do seu sonho, com o solavanco dado pelo ônibus, após passar por um buraco.

"O mesmo sonho de novo!", pensou Maria, frustrada, sentada na poltrona do ônibus de viagem. Ela já estava no ônibus de viagem há horas. Caiu no sono muitas vezes durante a viagem e todas as vezes tinha o mesmo sonho. Andava pela rua de sua casa e começava a ouvir a voz do seu filho. Assim que chegava próximo dele e ia pegá-lo em seus braços, ela despertava.

Olhou pela janela e viu a placa de sinalização na estrada avisando que o ônibus estava passando próximo à cidade de Ilhéus.

"Minha casa está a meia hora de distância. Que saudades...", pensou nostálgica.

Naquele instante, a imagem de dona Dedeca lhe veio à mente. Lembrou-se dela lhe pedindo para não ser impulsiva e desistir da ideia de ir até a cidade de São Paulo.

"Volte para sua casa em Praia dos Encantos, fique perto de sua amiga e espere pelo retorno do seu filho", disse dona Dedeca em uma das vezes que tentou persuadi-la.

De repente, a ideia de ir até a cidade de São Paulo procurar seu bebê pareceu absurda. Passou a raciocinar e a se imaginar chegando a uma cidade totalmente desconhecida, com milhões de habitantes e, ao projetar aquela cena, começou a suar e a se sentir inquieta. Sentiu vontade de pedir ao motorista para parar o ônibus e deixá-la na entrada da cidade de Ilhéus.

"De lá, pego um ônibus ou um táxi e volto à minha casa", pensou, indecisa.

# Capítulo 62
## O momento de mais uma separação

— Olá, Zahra, vim saber como você está se acomodando aqui na casa, e também saber se você precisa de algo. Necessita de algum mantimento para você ou para o seu bebê? – perguntou Isabel, aproximando-se da casa.

— Eu estou bem – respondeu Zahra, levantando-se da rede. – Coloquei meu filho para dormir e vim aqui descansar um pouco. Estou maravilhada ouvindo o canto dos pássaros. Eles me fazem viajar.

— Aqui os sabiás cantam todos os dias e a toda hora. Eles fazem a trilha sonora das nossas vidas.

— Que nome mais lindo, sabiá! Eles dão ainda mais beleza a esta vila. Eu estou admirada com toda essa natureza bela por todos os lados.

— Nós somos muito orgulhosos de nosso vilarejo. Dizem que nossa praia é uma das mais lindas de toda a costa baiana, mas nós dizemos que não, na verdade, é a mais bonita de todo o Brasil!

Zahra riu e concordou. Isabel lhe parecia ser uma mulher confiável. Sentiu forte simpatia por ela assim que a conheceu. Sentiu vontade de lhe revelar o motivo de sua viagem até Praia dos Encantos, porém, quando estava prestes a contar, Isabel voltou a falar, desta vez dizendo que havia trazido uma refeição que acabara de preparar. Isabel tirou da sacola dois pratos de alumínio dizendo: – Fiz uma das nossas especialidades: bobó de camarão. Tem um prato com arroz e outro com o bobó. Quero que prove e me diga o que acha de um dos nossos pratos típicos.

– Obrigada, Isabel. Eu nunca experimentei este "bobu" de camarão, mas já tinha ouvido falar. Vamos entrar, estou com muita fome.

Zahra provou o prato feito por Isabel e se deliciou. Isabel a observava comer com muito prazer. Sentia-se feliz quando alguém comia uma de suas refeições com gosto.

– Acho o seu sotaque tão bonito. De onde você é? – perguntou Isabel intrigada.

– Eu sou iraniana, mas cresci em Marrocos.

– E faz tempo que você está no Brasil? Você é casada?

Zahra ficou sem jeito com a pergunta. Era tudo muito recente. A morte de Silvia, a agressão de Farzin e sua prisão, descobrir que seu bebê tinha sido roubado por uma quadrilha a mando de Farzin, ainda não se sentia preparada para contar e reviver todas aquelas histórias tristes. Os hematomas pelo corpo ainda não tinham se esvaído e, a todo instante, a lembravam da violência que sofrera. Sentiu um nó na garganta. Quando deixou São Paulo, prometeu que iria recomeçar sua vida. Sua intenção era encontrar a mãe de Casper e explicar-lhe o ocorrido. Sabia que era o certo a ser feito, mas não sabia como seria devolver o filho, quem lhe fazia companhia todos os dias. Reparou que Isabel esperava uma resposta e, então, simplesmente respondeu que estava em férias com o filho no Brasil e que gostaria de conhecer um pouco do litoral da Bahia. Ela logo fez questão de trocar de assunto, e começou a perguntar coisas sobre a região, pontos turísticos e lugares para conhecer.

Após a refeição, Zahra disse que precisava descansar e, então, combinaram que Isabel a levaria para conhecer o vilarejo, assim que ela estivesse se sentindo mais descansada da viagem.

"Preciso tomar coragem primeiro, antes de entrar no assunto do bebê. Assim que descansar esta noite e pensar um pouco mais, contarei a verdade e irei, então, procurar pela mãe dele", pensou Zahra, assim que Isabel deixou a casa.

O bebê acordou e, logo em seguida, Magrelo passou a latir sem parar. Balançava seu rabo freneticamente, feliz por estar diante de Salvador.

– Esqueci-me de pedir a Isabel que te levasse de volta com ela – disse Zahra ao Magrelo, que latiu para ela ainda mais alto, abanando seu rabo, expressando toda a sua felicidade. – Bom, pelo visto, vou ter de me acostumar com você, não é mesmo? – Magrelo latiu novamente, balançando seu rabo ainda mais freneticamente. Zahra foi até o quarto, onde o bebê chorava, e o pegou em seus braços. – Mamãe está aqui – uma tristeza bateu em seu coração, assim que olhou o bebê nos olhos. Sentiu que a hora de devolver Casper à sua mãe se aproximava cada vez mais. Zahra derramou uma lágrima que trazia consigo certa tristeza.

"Como viver sem você, meu filho?"

Ela deu de mamar ao bebê e passou toda a tarde ao lado dele, brincando com ele, fazendo caras engraçadas e também cantando músicas infantis de sua terra. Zahra sentia, a cada minuto, que a hora de se separar de seu filho estava bastante próxima.

# Capítulo 63

# O retorno de Maria

Maria já estava a mais de cem quilômetros de distância de Ilhéus, quando tomou a decisão de pedir ao motorista para deixá-la descer do ônibus. Estava decidida, iria voltar para casa. Queria rever Isabel, seu cachorro Magrelo e estar de volta ao aconchego de seu lar. Pela primeira vez em sua vida, não agiria motivada pela sua impulsividade.

"Chega de cometer burrices, Maria! Está na hora de voltar para casa!", pensou decidida, ao se levantar da poltrona pedindo ao motorista que a deixasse sair.

O motorista parou o ônibus na estrada e a deixou descer. Assim que o ônibus retomou seu caminho, Maria atravessou a estrada e ficou na direção dos carros que seguiam para Ilhéus, ficou ali parada no meio da estrada. Sentia certa apreensão e urgência para chegar logo em casa. Estava a cerca de uma hora de distância do vilarejo Praia dos Encantos. Seu coração lhe dizia que precisava chegar o mais rápido possível. Maria olhou para os lados, apreensiva. Os veículos passavam com extrema velocidade pela estrada sem sinal de pararem para lhe oferecer uma carona.

"Como vou fazer para chegar lá? Aqui parada no meio da estrada, não vou conseguir que ninguém pare para me dar carona", pensou, aflita. Naquele momento, lembrou-se de dona Dedeca e de sua grande fé em Deus. Começava a anoitecer, e o cheiro de poeira no ar anunciava a chegada de uma chuva forte. Movida pelas lembranças da fé de dona Dedeca em Deus, Maria lembrou-se do que ela lhe dissera:

"Nossos pensamentos são importantes e determinam nossas vidas. Pense positivo, mentalize que o dia de hoje irá lhe trazer boas notícias, alegrias, e assim será. Você pensa e o universo retribui te enviando a mesma energia. Pense positivo e você receberá positividade." (...)

– Minha mainha querida, – disse Maria em voz alta, ajoelhada no asfalto – a senhora estava sempre certa. Vou fazer o que a senhora ensinou, pensarei positivo, elevarei meus pensamentos a Deus! – Maria, olhando para o céu, pediu: – Meu Deus, Todo-Poderoso, por favor, me guie. Ilumine o meu caminho de volta ao meu lar. Eu quero voltar para casa, o meu lar! – Imediatamente após sua prece, mais uma lembrança de dona Dedeca lhe veio à mente. Na imagem, ela viu dona Dedeca sorrindo e lhe dando forças para continuar seguindo em frente. – Me guie, meu Deus, ao caminho de casa!

Naquele mesmo instante, o poste de iluminação da estrada, localizado ao lado de Maria, e que estava apagado, voltou a funcionar e a iluminou com uma forte luz. Em questão de poucos minutos, um carro parou no acostamento. Uma mulher saiu de dentro do carro e, logo em seguida, levantou o banco da frente para que uma criança saísse. A mulher levou o menino até o canto do acostamento para que ele pudesse urinar. Enxergando ali a sua oportunidade, Maria correu em direção ao carro pedindo ajuda.

– Por favor, desculpe abordá-los desta forma, eu sou de Praia dos Encantos e estou precisando de uma carona para poder voltar para casa. Vocês estão indo no sentido de Ilhéus?

Dentro do carro, havia também um homem, que estava ao volante, Maria pensou ser o marido da mulher e pai das duas crianças que estavam no banco de trás. O motorista do carro intimidou-se com a presença dela, e teve como primeira reação negar o pedido.

Sem se dar por vencida, Maria implorou:

– Por favor, eu tenho um filho pequeno que está à minha espera. Preciso voltar para ele, me ajudem, por favor.

Sensibilizada, a mulher, que também era mãe, olhou para Maria e disse para ela entrar no carro.

– Entre, moça, nós a deixaremos na entrada de seu vilarejo!

\* \* \* \*

Mais tarde, quando já estava escuro, Zahra decidiu aproveitar que o bebê caíra no sono para tomar um banho e cuidar um pouco de si. Os hematomas aparentavam estar menos visíveis, porém seu corpo ainda estava bastante dolorido da agressão de Farzin. Encontrou uma toalha de banho no armário do quarto e notou que estava realmente cheirosa, assim como Isabel lhe dissera. A toalha tinha cheiro da fragrância do amaciante de roupa utilizado na lavagem. Lá fora, uma forte chuva desabava, e os fortes pingos de chuva atingindo o telhado faziam muito barulho.

Naquele mesmo instante, Maria havia sido deixada na entrada do vilarejo, como prometido pela família. A chuva desabava forte sobre ela. Com sua mala na mão, e ensopada com a água da chuva, caminhou pelo chão de terra, que já tinha virado um barro vermelho e, assim que chegou na rua de sua casa sentiu seu coração acelerar.

"Não tinha ideia de que sentiria tanta saudade deste lugar", pensou, assim que viu o mar, as palmeiras e as casas coloniais. Sua alegria de estar de volta era tamanha, que a forte chuva parecia não importar. Logo avistou sua casa, amarela, no fim da rua. Percebeu que a janela azul da sala estava aberta e a luz dentro da casa estava acesa.

"Isabel deve estar lá em casa, arrumando e limpando tudo como gosta de fazer", pensou enquanto caminhava. "Que vontade de dar um abraço bem forte nela, e contar-lhe tudo o que aprendi. Poderei ser uma amiga por inteiro agora, e não mais aquela amiga cheia de dramas e problemas que eu costumava ser."

– Ah! Minha casa! – Maria disse, assim que chegou em frente à sua casa. Ela parou por um tempo para admirar e sequer imaginava que seu filho Salvador estivesse lá dentro, deitado em seu berço, esperando por ela. Com um sorriso no rosto, feliz por estar de volta ao seu lar, olhou pausadamente para cada detalhe da fachada, o amarelo da parede, que havia sido pintada por José com a sua ajuda, a janela azul. E, com muito carinho, lembrou-se de seus avós quando viu os pés de cacau que foram plantados por seu avô, quando ela era bem pequena.

Maria tocou nos pés de cacau e disse tão feliz, que quase gritou de alegria:

– Eu estou de volta! – a chuva apertou, e ela então subiu correndo os pequenos degraus. Andou pela pequena varanda e finalmente chegou à porta de entrada. Com euforia, girou a maçaneta e a porta se abriu. Maria pôde sentir um cheiro de frescor de rosas, assim que adentrou a casa.

"Que estranho, estou escutando o barulho do chuveiro ligado. Será que Isabel está tomando banho aqui em casa?", seus pensamentos foram interrompidos por Magrelo, que correu até ela, latindo alto e balançando o seu rabo.

– Meu Magrelo, que saudade de você! – Maria abaixou-se e abraçou o cachorro com carinho. Havia sentido muita falta de seu cachorro enquanto esteve fora. Beijou a cabeça do cachorro várias vezes dizendo: – Me desculpe pela forma como eu te deixei. Eu não fiz o que fiz por falta de amor a você, meu Magrelo. Me desculpe! – beijou o cachorro mais vezes, mas ele não parava de latir.

Magrelo começou a morder a ponta do vestido dela e a balançar sua cabeça apontando para o quarto onde o bebê dormia.

Sem entender, Maria tentou tirar parte de seu vestido da boca do cachorro, mas foi em vão. Magrelo não sossegou até que Maria o seguisse ao quarto.

– Pelo que entendi, você quer que eu visite toda a casa, não é mesmo? Você quer que comece pelo quarto, é isso? Então, vamos até o quarto, Magrelo.

Assim que chegou ao quarto, Maria olhou rapidamente em direção à sua cama, evitando olhar para o berço, pois ainda sentia muita tristeza ao se lembrar da cena da noite do desaparecimento de seu filho.

– Pronto, Magrelo, já vi o quarto, agora vamos visitar a cozinha e avisar a Isabel, que está tomando banho, que eu voltei – ela virou as costas e foi pega mais uma vez pelo cachorro, que abocanhou seu vestido novamente, desta vez, com mais força ainda. Ele a puxou em direção ao berço e quase a arrastou até ele.

– Eu não quero ver o berço, Magrelo. Para com isso!

Naquele instante, o bebê acordou e deu um gemido. Ao ouvir o ruído do bebê, Maria sentiu suas pernas paralisarem. Um frio lhe subiu por toda a espinha. Com o coração batendo acelerado, ela pensou não ser possível ouvir o que acabara de ouvir. O bebê, então, gemeu novamente. Magrelo latiu apontando em direção ao berço. Seu rabo balançava com tanta força que batia no móvel de madeira e fazia um barulho alto.

O coração de Maria acelerou ainda mais. Sentia como se o coração fosse lhe sair pela boca. Virou-se, então, para a direção do berço e, reunindo todas as suas forças, criou coragem e levou seus olhos em direção ao berço.

– Salvador! Meu filho! – disse bem alto, já chorando de emoção. Maria correu até o berço e encontrou seu filho, que sorria, enquanto olhava a mãe direto nos olhos – Meu filho! – gritou alto. – Você voltou, você voltou!

Maria o pegou nos braços e o abraçou com força. Lágrimas de emoção e felicidade escorriam pelo seu rosto. Beijou a cabecinha do bebê inúmeras vezes.

– Eu te amo... Eu te amo, meu filho! Você voltou para mim. Meu Deus, que milagre. O Senhor me enviou meu filho mais uma vez, obrigada, Senhor, obrigada!

Zahra ouviu os gritos e saiu correndo do chuveiro, enrolou-se na toalha e, ainda bastante molhada, foi até o quarto. Quando chegou ao quarto, encontrou Maria, que chorava sem parar, abraçada ao filho. Pensava que fosse sentir ciúmes quando encontrasse a verdadeira mãe de Casper, sentir tristeza por saber que teria de se separar dele, porém, quando viu aquela cena, a mãe abraçada ao filho, sentiu forte emoção preencher-lhe a alma.

A cena era muito linda. Maria estava tão concentrada em seu filho, que sequer reparou que havia uma estranha toda molhada e enrolada em sua toalha de banho, parada na porta do quarto. Maria não cansava de beijar o filho. Beijava sua cabeça, suas bochechas e sua testa. O bebê sorria e, às vezes, soltava gargalhadas. Movia seus bracinhos e pernas expressando toda sua felicidade por estar de volta aos braços da mãe. Maria o colocou deitado em sua cama e começou a brincar, apertando de leve seus bracinhos e suas pernas.

– Mamãe está aqui, meu filho. Ninguém nunca mais vai nos separar. Eu prometo! – dizia ainda com lágrimas, geradas por sua felicidade, escorrendo pelo rosto.

Ainda parada na porta do quarto, assistindo à cena, Zahra estava totalmente comovida. Ao contrário do que imaginou que fosse sentir quando aquele momento chegasse, sentia muita alegria e uma imensa felicidade. Para ela, era como se o ciclo se fechasse, pois conseguiu dissolver a maldade feita por Farzin, reunindo o filho à mãe que sofria por sua falta.

Querendo compartilhar daquele momento, Zahra caminhou até a cama, fazendo-se visível a Maria. Tocou de leve no ombro de Maria, que se virou estranhando quando a viu.

– Não se assuste. Eu trouxe seu filho de volta – disse Zahra, com lágrimas no rosto. – Eu vou lhe explicar tudo.

Movida por um impulso, Maria se aproximou de Zahra e a abraçou forte. Seu abraço foi retribuído por Zahra, que também a enlaçou fortemente com seus braços. Em silêncio, as duas choraram, abraçadas. Embora fossem duas estranhas uma a outra, naquele abraço, sentiram como se já se conhecessem há muito tempo. Naquele instante, Maria lembrou-se de todo o seu sofrimento, de tudo o que havia passado desde a perda do filho, e desabou em um pranto que parecia não ter fim. Chorava sentido, um choro que botava para fora toda a sofridão dos últimos tempos. Por fim, tinha seu filho de volta e, poderia sentir-se completa novamente. Assim como Maria, Zahra também chorava de soluçar, e colocava para fora toda a tristeza que estava dentro dela. Após um longo período chorando, ainda abraçada à Maria, Zahra disse:

– Eu o trouxe de volta para você, assim que soube toda a verdade. Eu vou explicar tudo!

Capítulo

64

## O início de uma amizade

Passadas as emoções iniciais do encontro, e já mais calmas, Maria e Zahra sentaram-se na cama para conversar. Abraçada ao seu bebê, Maria ouviu toda a explicação de Zahra que contou, com detalhes, toda a história, começando pelo momento em que o marido chegou em casa com o bebê no colo, mentindo que ele havia sido legalmente adotado. Contou que dera o nome a ele de Casper, e explicou que, em sua língua, o nome significava o guardião do tesouro.

– Salvador! O nome dele é Salvador! – disse Maria.

– Que nome lindo. Ele realmente foi um salvador, foi o meu salvador. Seu filho trouxe luz e paz para minha vida. O pequeno Casper... digo, Salvador, iluminou minha vida durante os momentos mais escuros e tristes. Você lhe deu o nome mais apropriado, ele realmente é Salvador.

Zahra continuou a contar sua história. Explicou sobre seu relacionamento abusivo com Farzin, também falou das vezes em que assistiu às reportagens na televisão, mostrando a entrevista que Maria havia dado contando acerca de sua aflição e sofrimento longe de seu filho, e por fim, contou como descobriu que ele era o filho que Maria havia perdido.

– Então, as entrevistas que eu dei não foram em vão?

– De jeito nenhum. Não foram, não, pois, como lhe expliquei, foi através de suas entrevistas que a gangue de traficantes que o raptou começou a ficar preocupada com a repercussão do caso, e uma das chefes da quadrilha acabou telefonando para o meu apartamento para conversar com o monstro do meu marido. Assim que eu ouvi a conversa deles, juntei as peças do quebra-cabeça e entendi tudo.

Zahra pausou por um instante, para segurar as lágrimas e o pranto preso na garganta e após um tempo continuou:

– Eu teria vindo imediatamente após ter descoberto que ele era seu filho, porém aconteceu uma série de coisas tristes, que me impediram de vir. Mas, o importante é que agora vocês estão reunidos.

– Se você tivesse vindo antes, não teria me encontrado. Eu estava morando na capital, na cidade de Salvador. Eu estava, na verdade, a caminho de São Paulo. Queria encontrá-lo de todas as formas. Quando estava no ônibus de viagem a caminho de São Paulo, comecei a sentir uma intuição muito forte, uma sensação que me dizia para voltar para casa. Graças a Deus, eu ouvi essa intuição, pois, do contrário, a esta hora eu estaria bem longe daqui, e mais uma vez longe do meu filho.

As duas ficaram conversando por quase duas horas. Maria contou à Zahra sobre toda a sua história com José, seu vício em álcool e como havia encontrado dona Dedeca. Quando já estava no fim da narração, Maria sentiu uma vontade enorme de ir até a casa de Isabel, e contar que ela havia retornado e reencontrado seu filho. Levantou-se com ímpeto da cama, e pediu à Zahra que a acompanhasse.

✱✱✱✱

– Isabel, minha querida irmã, eu voltei! – gritou Maria, feliz, de fora do portão da casa de Isabel ao mesmo tempo em que batia palmas – Isabel, voltei! – gritou, com imensa alegria, várias vezes.

De dentro de sua casa, Isabel ouviu a voz de Maria e não conseguia acreditar no que ouvia. Levantou-se do sofá rapidamente e correu em direção à porta.

"Será possível, Maria de volta?", pensou enquanto se dirigia à porta.

Assim que chegou à entrada da casa e viu Maria, segurando Salvador nos braços, Isabel gritou de emoção. Em seguida, correu até o portão, com seus braços abertos para abraçá-la.

– Maria, minha amiga querida! Você voltou! – disse, abraçando Maria e Salvador ao mesmo tempo – Salvador! – exclamou Isabel, surpresa. – Como foi que você o... – naquele instante ela olhou para Zahra, que estava ao lado de Maria, e concluiu a história. – Foi você! – disse apontando para Zahra. – Foi você quem o trouxe de volta. É isso, não é? A história de você estar aqui em férias e procurando um lugar para ficar uns dias... – concluindo tudo em sua mente. – Era tudo mentira. Você veio até aqui para procurar Maria.

Zahra balançou sua cabeça, concordando com o que Isabel acabara de concluir. Sentiu-se envergonhada, porém foi pega de surpresa com a reação de Isabel, que a puxou para perto e deu-lhe um abraço apertado.

– Obrigada, você é um anjo nas nossas vidas! Você trouxe nosso Salvador de volta e, de certa forma, trouxe minha amiga também.

– O Salvador, sim, agora eu ela não trouxe não – brincou Maria. – Eu vim de carona mesmo!

– Sua boba! – Isabel disse com lágrimas de felicidade nos olhos. Em seguida, gritou pelo marido Maciel, pedindo que ele fosse lá fora. E, assim que ele saiu, ela apontou para Maria e disse a ele, enquanto chorava de felicidade:

– Ela voltou, Maciel. Ela está aqui! Maria voltou e encontrou o filho! A Maria voltou! – não conseguia parar de repetir.

Maciel deu um abraço em Maria e, emocionado, pediu perdão mais uma vez pela forma como havia falado com ela naquela noite. Maria tocou o rosto dele com certa leveza e disse:

– Não se preocupe mais com isso, Maciel. Eu bem que mereci ouvir aquelas palavras. Estava realmente muito fora de mim, totalmente obcecada. Mas quer saber, tantas coisas se passaram desde aquele dia, que eu já nem me lembro direito o que foi dito. Vamos seguir em frente!

– Vamos falar de coisas boas. Celebrar por você estar aqui e com o seu filho! – disse Isabel animada. – Vamos entrar para conversar. Eu quero ouvir tudo. Todas as suas histórias e tudo o que você andou aprontando por aí.

– Se vocês não se importam, eu vou deixá-los a sós. Creio que precisam de espaço para conversar e, enquanto isso, vou dar uma volta na praia – disse Zahra, um pouco encabulada em fazer o pedido: – queria também pedir que, por favor, me deixasse dormir esta noite na sua casa, Maria. É que eu não tenho para onde ir... Amanhã mesmo eu pego um táxi e volto para...

Maria não deixou que Zahra completasse sua frase: – Deixe de ser besta, mulher! É claro que você pode ficar lá em casa. E quero que você fique conosco o tempo que quiser. Damos um jeito na casa e podemos as duas ficarmos lá tranquilamente. A gente se ajeita, fique tranquila.

Aliviada, Zahra agradeceu à Maria. Isabel, em seguida, aproveitou para convidá-la para ficar até o fim de semana, e participar da festa de boas-vindas que daria ao seu filho, que chegaria de longe para passar as férias.

– Você vai adorar meu Pituxo. Ele chega sábado agora. Maciel e eu estamos planejando uma grande festa, que terá a presença de todos os moradores. Será um festão. Faço questão de que fique e celebre conosco – disse Isabel animada.

– Todos aqui amam o Pituxo, Zahra – disse Maria. – Ele e eu somos como irmãos, crescemos juntos praticamente.

– Realmente, Zahra, ele é um amor de menino...

– Falando assim até parece que é um menininho. Ele já deve estar um baita de um homão, Isabel – replicou Maria.

– Verdade. Em pensar que já está com vinte e três anos! Meu Deus, como o tempo passa! Mas chega de prosa aqui no portão. Vamos entrar e continuar a conversa durante o jantar. E então, Zahra, fica para a festança?

– Bom, se não for incomodar ficar na sua casa mais esses dias, Maria, eu aceito, sim, o convite. De tanto que vocês falaram, até eu estou curiosa para conhecer o Pituxo e participar dessa festa.

– Ótimo. E aproveitamos e fazemos uma festa de boas-vindas à Maria e ao Salvador... E para você também, claro! Será um fim de semana de comemorações aqui no vilarejo.

– Você não quer aproveitar para entrar e jantar conosco, Zahra? – perguntou Maciel.

– Não, obrigada. Agradeço o convite, mas preciso ficar um pouco só, e também quero dar a vocês um tempo a sós com Maria. Ela tem bastantes histórias para contar.

Assim que Zahra os deixou, Maria, Isabel e Maciel adentraram a casa para colocar a conversa em dia. Estavam todos muito felizes. Isabel pediu para pegar o bebê no colo e, assim como Maria tinha feito antes, ela o beijou inúmeras vezes sem parar. Maciel foi para a cozinha esquentar a comida para que pudessem jantar.

À mesa, enquanto jantavam, Maria contou tudo o que havia acontecido. Rapidamente, contou sobre o dia em que conheceu os filhos de José e a nova esposa dele, Cecília, e pulando a conversa, passou a contar como havia conhecido dona Dedeca na Praça Castro Alves, em Salvador.

– E foi ali que minha vida toda mudou. Aquela mulher salvou minha vida, por completo e para sempre – empolgada ao falar sobre dona Dedeca, Maria gesticulava abertamente, enquanto contava com muito carinho as histórias que havia vivido com dona Dedeca. – Imaginem uma mãezona, aquela que todo mundo quer ter na vida – reparou que Isabel não tinha gostado muito daquela frase, então, consertou: – Você é mais como uma irmãzona mais velha, Isabel! Já dona Dedeca é como uma mãezona, carinhosa, amorosa e sábia.

Ela me fez perceber que eu era como um vagão de trem des-governado, que estava indo em alta velocidade rumo ao abismo. Eu precisava parar, e rápido. Dona Dedeca me convenceu a fre-quentar os Alcoólicos Anônimos, e eu não perdi nenhuma sessão. Todas as semanas, participei das reuniões com o grupo e estou hoje sóbria há mais de cento e vinte dias!

Isabel estava emocionada. Ouvindo Maria, ela percebeu quanto a amava e quanto a fazia feliz saber que ela estava feliz. Tinha passado momentos muito tristes, sem saber onde ela estava e como estava. Orava todos os dias, várias vezes, pedindo a Deus que protegesse Maria onde quer que ela estivesse. Alegrava-se muito ao saber que ela havia encontrado em seu caminho uma pessoa tão boa, como dona Dedeca. Maria continuou narrando sua história:

– Ela me fez perceber que eu não me conhecia, não sabia quem eu era, do que eu gostava ou do que eu não gostava. Eu não sabia o que me fazia feliz, eu apenas sabia servir a um homem. Vi-via minha vida achando que minha felicidade estava em estar com um homem. Ser a namorada, ser a esposa, ao contrário de ser feliz por ser eu mesma. Quis que José me desse o amor que minha mãe nunca me deu, porém aprendi que só eu posso me dar esse amor, mais ninguém.

Eu ainda estou em busca da minha felicidade. Estou decidida que vou procurar o grupo dos Alcoólicos Anônimos aqui do nos-so vilarejo e vou frequentar as reuniões. Também estou decidida que não quero pensar em homem tão cedo. Primeiro, quero estar bem comigo mesma, segura, e continuar aprendendo a me amar. Quero focar no meu filho, ajudar em seu crescimento, torná-lo um homem de bem, assim como você fez com o Pituxo. E quero trabalhar. Dona Dedeca me fez descobrir uma paixão que eu não sabia que tinha: a paixão pela cozinha. Eu amo cozinhar. Lembra-se de que eu não sabia sequer fazer uma tapioca que prestasse? – Isabel riu, concordando. – Isso agora é passado! Com ela, eu aprendi a fazer cada prato delicioso...

Isabel trocou olhares com Maciel, que entendeu a intenção da esposa, e balançou a cabeça afirmativamente. Em seguida, Isabel olhou para Maria e disse:

– Acho que nós, então, vamos ter bastante trabalho para você. Maciel e eu estávamos pensando há muito tempo em abrir um restaurante. Você sabe que nós sempre servimos refeições aqui em nossa quitanda, mas não é um espaço apropriado para servir comida. Queremos ter um restaurante grande, aconchegante, igual aos de Ilhéus.

Ao que Isabel pausou, Maciel prosseguiu:

– O número de turistas vem crescendo todos os anos e, este ano, nossos negócios triplicaram, então... – Maciel tocou a mão de Maria e continuou: – O que acha de ser nossa sócia? Já achamos o local para alugar. O senhor Feliciano, dono do restaurante, quer se aposentar e nos ofereceu comprar o ponto. Só não fechamos negócio com ele ainda porque não tínhamos alguém para nos ajudar com todo o trabalho que virá pela frente.

Maria levantou da cadeira eufórica e os abraçou:

– Eu topo! Eu topo! – disse feliz, dando pulos de alegria.

Os três se abraçaram felizes e seguiram a conversa, fazendo planos para o novo projeto deles.

# Capítulo 65

# O amor cura qualquer ferida

O filho de Isabel e de Maciel chegaria a qualquer minuto e, então, todo o vilarejo entraria em festa naquele sábado. O casal havia chamado todos os moradores para celebrar com eles aquele dia feliz. Maria tinha ido com o bebê para a casa de Isabel ajudar na preparação da festa de boas-vindas.

Zahra segurava suas sandálias prateadas, enquanto caminhava pela areia da praia. As ondas batiam levemente em seus tornozelos e banhava seus pés. A praia estava vazia, fazendo o cenário ainda mais paradisíaco. Dando passos vagarosos, procurava sentir cada passo e cada contato com a areia molhada. Zahra aproveitou para abrir seus braços e sentir a brisa fresca, vinda do mar, tocar seu corpo. Sentia-se acariciada por Deus.

– Livre! – gritou bem alto. Seu cabelo solto, livre do lenço que usou por muitos anos, movia-se livremente no ar. Com seu olhar fixo no horizonte, gritou: – Obrigada, meu Deus. – Em seguida, gritou ainda mais alto: – Obrigada, Silvia!!! Minha amiga, eu sou muito grata por tudo! – seu cabelo se moveu ainda mais freneticamente com o vento, como se assim Zahra aproveitasse a nova sensação de liberdade.

Com a euforia de uma criança, Zahra começou a dançar ao ritmo de uma música que estava tocando apenas em seus pensamentos. Podia ouvir o pandeiro, o tamborim, os acordes do cavaquinho e todos os outros instrumentos tocarem em sua mente. Com a água do mar batendo em seus tornozelos, deixou-se levar pelo ritmo da música. Com imensa alegria, mexia seus braços e saltitava pela areia, dançando sem parar. De repente, cantou, em alto e bom som, o refrão da canção "O que é, O que é": – É a vida, é bonita e é bonita! – ao cantar a música de Gonzaguinha, que havia aprendido com Silvia, Zahra lembrou-se de sua amiga e, de olhos fechados, imaginou que estivesse cantando para ela. Cantou a música com muita emoção e com todo o seu amor. Levava os braços ao céu e os balançava de um lado para o outro, totalmente tomada por suas emoções.

Ao final da canção, sem fôlego, por ter colocado toda a sua energia na dança e na canção, deixou-se cair de joelhos na areia da praia. A água do mar batia em suas pernas, e a brisa tocava-lhe o rosto, e eram nada menos que beijos enviados por sua Silvia. Naquele instante, Zahra imaginou o rosto de Silvia entre as nuvens no céu e sorriu na direção da imagem. Ela, então, levantou-se rapidamente e gritou alto enquanto olhava em direção ao céu:

– Olhe para mim, minha amiga! Eu estou livre. Livre! Eu não preciso mais usar um lenço cobrindo meus cabelos, não preciso mais informar ninguém aonde eu vou e a que horas eu volto. Eu já não assisto mais ao mundo acontecer da minha varanda, como fazia quando você me conheceu. Eu agora vivo, e ninguém me controla! – erguendo seus braços para os céus, e esticando todo seu corpo até ficar na ponta dos pés, ela agradeceu: – Não serei mais como um sabiá preso na gaiola. Eu vou cumprir o que eu te prometi, eu vou ser feliz! – Zahra mandou beijos para os céus dizendo: – Obrigada, minha amada! Eu nunca esquecerei o que você fez por mim. Eu prometo a você e a mim mesma que ninguém irá tirar este sentimento de amor-próprio de mim! Igual a um sabiá-laranjeira, eu vou voar livre e solta.

\* \* \* \*

Horas mais tarde, após ter passado boa parte daquela manhã caminhando na praia, Zahra caminhou em direção à casa de Isabel e de Maciel. De longe, pôde ver que havia muitas pessoas aglomeradas do lado de fora da casa e da quitanda do casal. Havia mesas cobertas por toalhas coloridas na calçada, todas repletas de pratos de comida salgada, doces e refrescos. Crianças brincavam em grupos, outras corriam alegres pelas ruas. Logo, notou também que havia uma banda de música, mas como ainda estava um pouco longe do local, não conseguia ouvir direito o som que tocava. Ela procurou entre a aglomeração de pessoas, mas não achou nenhum sinal de Maria, de Isabel ou de Maciel. Parecia que realmente todos os moradores do vilarejo estavam nas ruas celebrando a chegada do filho de Isabel. "Quanta gente para receber esse tal de Pituxo. Até eu agora estou curiosa para conhecê-lo", pensou.

Maria e Isabel tinham falado muito dele e, até então, eram só qualidades. À medida que se aproximou do local onde a festa acontecia, Zahra pôde, aos poucos, identificar a música que os músicos da banda estavam tocando.

– Que estranho, é uma música da banda Bon Jovi! Por que estariam tocando Bon Jovi aqui? – disse para si mesma.

Naquele instante, foi agarrada pelo braço por Isabel, que a estava procurando. – Zahra, estávamos procurando por você. Onde você estava, mulher? – disse, puxando-a para perto de si.

– Isabel, por que estão tocando Bon Jovi? – perguntou Zahra confusa.

– Por que é a minha banda favorita, e também a banda favorita do meu filho, oras! Agora vem, quero apresentar-lhe meu filho, o famoso Pituxo – Isabel arrastou Zahra pelo braço através da multidão, composta por amigos e vizinhos.

– Pituxo! Quero lhe apresentar uma amiga nova, de quem lhe falei agora há pouco – gritou Isabel em direção a um grupo de jovens que conversava animadamente. Seu filho, que estava de costas, assim que a ouviu chamando, se virou procurando por ela.

No instante em que ele se virou em direção à sua mãe, viu então Zahra. Os dois não conseguiam acreditar no que estavam vendo. Ambos sentiram borboletas no estômago e suas pernas ficaram bambas. Sentiram mais uma vez seus corpos serem tomados pela mesma sensação de calor que sentiram em todas as vezes que se viram. O tempo pareceu parar para eles.

– Gabriel! – exclamou Zahra, após superar o choque dos primeiros momentos.

– Zahra? – ele perguntou, sentindo-se demasiadamente confuso.

– Como sabe o nome do meu filho? Não me lembro de ter dito o nome dele a você. Nós todos em casa o chamamos de Pituxo.

Zahra não ouviu nada do que Isabel lhe dizia. Seus olhos estavam fixos nos olhos de Gabriel, que também a olhava. Para os dois, nada ao redor importava. Caminhando lentamente em sua direção, sem acreditar no que estava vendo, Gabriel se aproximou, e os dois ficaram a se olhar apaixonadamente.

– Filho, esta é Zahra, ela chegou aqui faz alguns dias e...

Naquele instante, duas crianças esbarraram em Isabel e começaram a correr em volta do casal soltando bolas de sabão. Antes que Isabel pudesse continuar apresentando Zahra, Gabriel segurou Zahra pela cintura e a puxou para perto dele. Zahra também o enlaçou e colocou seu rosto contra o peito dele.

– Tum, tum, tum... – disse Gabriel em tom musicado. – Ouve meu coração bater?

– Como um tamborim – respondeu Zahra, com um sorriso enorme estampado em seu rosto, expressando toda a sua felicidade em revê-lo.

– A vida cruzou nossos caminhos novamente. Podemos, então, acreditar que nosso amor é verdadeiro, correto? Posso curar as suas feridas e suas cicatrizes com o meu amor? – perguntou Gabriel. Zahra balançou sua cabeça afirmativamente; então, Gabriel colocou sua mão sobre seus cabelos e, segurando sua nuca, dirigiu sua cabeça até o rosto dela. Com os rostos grudados um ao outro, ele colocou seus lábios nos dela e eles se beijaram, fervorosamente, selando o amor que os unia novamente.

Zahra e Gabriel comprovaram que o amor une naturalmente. Quando o amor é verdadeiro, ele encontra a sua forma de se manifestar e transformar a vida em uma felicidade diária.

FIM

# OS 10 SINAIS DE UM RELACIONAMENTO ABUSIVO

**1. Controle** - uma pessoa abusiva, agressora, exige a todo momento a sua atenção, controla tudo do(a) parceiro(a): as finanças, as decisões a serem tomadas, e até os programas e as atividades que o casal e a família praticam juntos. Não aceita a independência do(a) parceiro(a) e acaba por se tornar raivoso(a) quando o(a) parceiro(a) começa a demonstrar sinais de independência ou força.

**2. Ciúme** - A pessoa abusiva sente muito ciúme de todos à volta do(a) parceiro(a) inclusive sua família, seus amigos, e colegas de trabalho.

**3. Posse** - A pessoa abusiva vê seu parceiro(a) como sua propriedade e não respeita sua individualidade. Acusa seu parceiro(a), sem razão, de traição ou de flertar com outras pessoas. Pergunta onde ele(a) estava e com quem estava, de uma maneira acusadora e muitas vezes agressiva.

**4. Diz que ama, mas agride** - a pessoa abusiva sempre quebra suas promessas, diz que ama seu parceiro(a) e promete que vai melhorar, mas nunca cumpre suas promessas.

**5. Manipulação** - a pessoa abusiva, é sempre mestre na arte de manipular pessoas. Distorce fatos para fazer com que seu parceiro(a) acredite ser o(a) culpado(a) pela agressão sofrida. Sempre tenta fazer com que seu parceiro(a) sinta pena dele e faz com que sua vítima o(a) enxergue como coitadinho(a).

**6. Desrespeito às demais pessoas** - a pessoa abusiva demonstra falta de respeito em relação às pessoas à sua volta. Se você perceber que ele(a) não respeita os pais e a própria família, caia fora! Se ele(a) não respeita a própria família, não irá respeitar você.

**7. Superioridade** - a pessoa abusiva age como se sempre estivesse certa. Ele(a) justifica suas ações de modo a estar sempre "certa" para você e os outros. Fala usando um tom superior, e também irá xingar, a fim de sentir-se melhor. O alvo dele(a) é fazer você sentir-se fraco(a) de modo que ele(a) possa ter poder. Pessoas abusivas são na maioria das vezes inseguras e exercer poder faz com que se sintam melhor a respeito de si mesmas.

**8. Punição** - uma pessoa abusiva gosta de punir suas vítimas. Ele(a) pune através da utilização de vários mecanismos. Os mais comuns são: privar o parceiro(a) de sexo e de intimidade emocional, fazer um jogo silencioso como punição quando ele(a) não consegue as coisas do seu jeito.

**9. Mudanças de humor** - a pessoa abusiva muda de humor muito facilmente. Ele(a) vai de abusivo(a) para uma aparência humilde, desculpando-se e tornando-se amoroso(a) depois que o abuso aconteceu. Tudo isso faz parte do jogo dele(a) para continuar a manipular seu parceiro(a).

**10. História** - Fique atento(a) à história dele(a). A grande maioria das pessoas abusivas, e agressoras, muitas vezes tem um histórico de abuso a pessoas, ou a animais, ou foi abusado(a) por alguém. Agressores físicos repetem seu padrão e procuram pessoas que são submissas e possam ser controladas. O comportamento abusivo pode ser uma disfunção geracional e pessoas que sofreram abuso têm uma grande chance de se tornar agressores. Pessoas que abusam de animais são mais propensas a abusar de seres humanos também.